ANALYSE DE DONNÉES QUANTITATIVES EN MARKETING

Naoufel Daghfous

ANALYSE DE DONNÉES QUANTITATIVES EN MARKETING

Guérin
universitaire
3e millénaire

4501, rue Drolet
Montréal (Québec) H2T 2G2 Canada
Téléphone: (514) 842-3481
Télécopieur: (514) 842-4923
Site Internet: http://www.guerin-editeur.qc.ca
Courriel: francel@guerin-editeur.qc.ca

© *Guérin, éditeur ltée, 2006*

Dépôt légal

ISBN-13: 978-2-7601-6900-5
ISBN-10: 2-7601-6900-6

Bibliothèque nationale du Québec, 2006
Bibliothèque et Archives Canada, 2006

imprimé au Canada

Révision linguistique Brigitte Lépine
Janique Robitaille

Nous reconnaissons l'aide financière du gouvernement du Canada par l'entremise du Programme d'Aide au Développement de l'Industrie de l'Édition (PADIÉ) pour nos activités d'édition.

Canadä

À Amel, Inès et Kaïs,
en témoignage de ma grande
affection…

Tout au long de la rédaction de ce manuel, j'ai pensé à deux groupes de personnes, à qui j'offre aujourd'hui le fruit de plusieurs mois de labeur. D'abord, aux étudiants universitaires en fin de baccalauréat ou en maîtrise recherche qui ont besoin, pour leur formation quantitative en marketing, d'une référence aussi rigoureuse que pratique. Ensuite, aux professionnels des études de marché qui veulent dans l'exercice de leurs fonctions, disposer d'un guide pratique répondant au maximum à leurs besoins en analyses statistiques tout en étant simple et facile à utiliser. La rigueur, le pragmatisme, la richesse et la simplicité sont les principales caractéristiques de ce manuel.

Après plus de quinze années d'expérience dans l'enseignement et la pratique de la consultation en marketing aux niveaux national et international, j'ai senti le besoin de mettre à la disposition des étudiants et des professionnels, un guide d'analyse des données. L'utilisateur de ce manuel doit savoir qu'il ne s'agit là ni d'un manuel de théories statistiques ni d'une référence complète ou avancée des analyses quantitatives. Les techniques dont je traite dans ce manuel sont les plus utilisées dans le domaine de la recherche en marketing. Il s'agit de la majorité des analyses univariées et bivariées comme les fréquences, les mesures de tendance centrale et de dispersion, les *boxplot*, les tableaux croisés, l'analyse de la variance à un seul facteur, la covariance, la corrélation et la régression linéaire simple. Il y a aussi quelques analyses multivariées parmi les plus courantes comme la régression linéaire multiple, l'analyse discriminante, l'analyse factorielle des composantes principales, l'analyse de la variance à plusieurs facteurs et l'analyse typologique. D'autres analyses existent et sont aussi importantes, notamment l'analyse des corrélations canoniques, l'analyse Logit, l'analyse conjointe, l'analyse des relations structurelles, etc. Cependant, un manuel est destiné à une population cible dont les besoins doivent être bien cernés et le choix de laisser de coté ces dernières analyses n'enlève rien à leur pertinence. La personne qui voudrait utiliser ces techniques pourrait consulter certaines références citées à l'intérieur de ce manuel.

Dans la présentation des techniques d'analyse que j'ai retenues, je n'ai jamais cherché à retranscrire les théories sous-jacentes, ni les démonstrations sans lesquelles ces techniques seraient caduques. Je présente ici un guide pratique d'utilisation des techniques statistiques pour résoudre des problèmes de recherche en marketing. Mon approche est celle d'un analyste soucieux de manipuler des données collectées dans le cadre d'études de marché, en vue d'apporter des solutions aux problèmes auxquels font face les gestionnaires du marketing. L'accent est mis sur l'interprétation des résultats, pour en tirer des recommandations pratiques, ainsi que sur l'utilisation de l'informatique, devenue aujourd'hui l'outil incontournable pour le traitement des données. Les techniques d'analyse couvertes dans ce manuel sont présentées de manière évolutive et intégrées dans le cadre d'une méthode beaucoup plus globale. Ainsi, l'utilisateur pourra d'abord comprendre la logique qui relie les différentes techniques, ensuite identifier celle qui correspond le mieux à ses besoins ou à la nature des données qu'il manipule et finalement, maîtriser la façon d'utiliser et d'interpréter chacune d'elles.

En étudiant ce manuel, le lecteur devrait être en mesure :

1. de situer l'analyse des statistiques dans le système d'information marketing ;

2. de maîtriser les étapes d'un test d'inférence statistique et d'interpréter la probabilité de rejeter l'hypothèse nulle alors qu'elle est vraie (p) ;

3. d'identifier les statistiques pertinentes aux différents niveaux de mesure ;

4. de planifier le cheminement de l'analyse des données ;

5. d'effectuer les traitements univariés, bivariés et multivariés à l'aide du logiciel *Statistical Package for the Social Sciences* (*SPSS* sous *Windows V.12.0*) ;

6. de comprendre clairement les postulats et les objectifs de chacune des méthodes ;

7. d'interpréter les résultats et d'en tirer les conclusions pour la stratégie de marketing.

Bonne utilisation de ce manuel

Naoufel Daghfous, Ph.D.

TABLE DES MATIÈRES

Chapitre 1

LES MÉTHODES QUANTITATIVES EN MARKETING

1

1.1 INTRODUCTION :

LA RECHERCHE COMMERCIALE ET LA PRISE DE DÉCISION EN MARKETING

La plupart des écoles de pensée en marketing s'accordent pour affirmer que le principe fondamental dans ce domaine stipule que l'efficacité d'une entreprise dépend, en définitive, de deux éléments. D'abord, de sa capacité à répondre aux besoins du marché, c'est-à-dire de satisfaire ses consommateurs tout en étant rentable à long terme ; ensuite, de sa capacité à déployer ses activités dans un cadre stratégique qui tient compte de l'évolution des marchés et des capacités actuelles et futures de l'entreprise[1].

Le plan stratégique en marketing comprend quatre grandes étapes : 1. l'analyse des opportunités/menaces et des forces/faiblesses, 2. la définition des objectifs, 3. le développement et la mise en œuvre des stratégies de marketing mix et enfin, 4. le contrôle et l'ajustement. Ce plan couvre généralement quatre principales sphères de décision, où chaque sphère correspond à l'un des éléments du marketing mix de l'entreprise qui sont le produit, le prix, la communication et la distribution.

Parallèlement à cela, le fonctionnement des économies contemporaines montre que les entreprises évoluent aujourd'hui dans des environnements politiques, légaux, sociaux, économiques, technologiques et concurrentiels changeants et de plus en plus imprévisibles. Ces changements créent souvent une instabilité qui pourrait avoir un impact direct sur l'efficacité de la prise de décision des gestionnaires du marketing. À titre d'exemple, la décision de lancer un nouveau produit dans un marché reste souvent tributaire des réactions incontrôlables de l'environnement aussi bien micro (les consommateurs) que macro (la concurrence). En effet, l'incompatibilité de ce produit avec les valeurs en cours, ou le lancement, par un des concurrents, d'un produit similaire de même qualité mais de prix moindre, peuvent entraîner son rejet par les consommateurs et par conséquent, l'échec de sa diffusion dans ce marché. Décider, en marketing, n'est donc pas une chose facile, dans la mesure où toute décision contient souvent un certain risque.

---

1. Kotler, Filiatrault et Turner (2000)

Il paraît donc clair que la réalisation et la mise en place du cadre stratégique en marketing, ainsi que la prise de décision qui lui est associée, nécessitent l'implantation d'un processus et d'une base d'informations sur l'état du marché, comme par exemple l'étude du marché, la fixation du prix, la rentabilité des circuits de distribution, l'efficacité de la publicité et de la promotion, etc. C'est la recherche marketing.

La recherche, en marketing, est donc le processus par lequel l'information commerciale nécessaire à la prise de décision est générée. Cette information va ainsi aider le gestionnaire à prendre de meilleures décisions, dans la mesure où elle va réduire l'incertitude et le risque qui leur sont associés[2]. La figure 1.1 illustre le lien et la place qu'occupe la recherche commerciale dans le domaine du marketing.

Figure 1.1

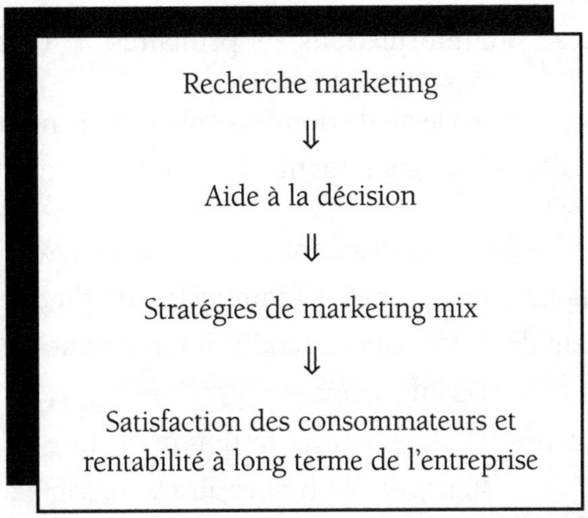

Recherche marketing

⇓

Aide à la décision

⇓

Stratégies de marketing mix

⇓

Satisfaction des consommateurs et
rentabilité à long terme de l'entreprise

---

2. Pour plus de détails sur la recherche en marketing, le lecteur peut consulter D'Astous (2005), Aaker et Day (1990), Evard, Pras et Roux (2003) ou Green et Tull (1990).

1.2

L'ANALYSE DES DONNÉES ET LA RECHERCHE EN MARKETING

Pour qu'elle soit valide, une étude, en marketing, suit souvent un processus qui comprend plusieurs étapes :

1. définition du problème et des questions de recherche ;

2. recherche de données secondaires et formulation des hypothèses ;

3. élaboration du plan de recherche (cadre de recherche) ;

     3.1   type de recherche (exploratoire, descriptive, confirmatoire, causale),

     3.2   sources d'informations primaires (consommateurs, intermédiaires, entreprises, etc.),

     3.3   méthodes de collecte de données (plan d'échantillonnage),

     3.4   méthodes d'enregistrement des données (construction du questionnaire),

     3.5   méthodes d'analyse des données (plan d'analyse),

4. collecte d'informations primaires (administration du questionnaire) ;

5. enregistrement des informations (codification du questionnaire) ;

6. analyse statistique des informations ;

7. interprétation des résultats pour la gestion marketing ;

8. présentation des résultats et des limites au responsable marketing ;

9. recommandations d'actions marketing ou d'autres recherches à faire.

Analyse des données quantitatives en marketing

Ce qu'il faut bien retenir du processus de recherche en marketing, c'est que la première étape, qui consiste à définir le problème managérial et à identifier les questions de recherche, est souvent déterminante pour l'obtention d'une information commerciale utile. C'est l'étape qui fixe les informations pertinentes, qui doivent permettre au gestionnaire de résoudre son problème de marketing. Dans le tableau 1.1, nous présentons trois exemples correspondant chacun à des problèmes de recherche auxquels peut faire face un gestionnaire de marketing, ainsi que la manière de les opérationaliser sous forme de questions de recherche.

Tableau 1.1

PROBLÈMES DE RECHERCHE	QUESTIONS DE RECHERCHE
1. Déterminer si un message publicitaire quelconque doit être utilisé dans le cadre de notre campagne de publicité.	- L'annonce sera-t-elle remarquée? - L'annonce sera-t-elle interprétée adéquatement? - L'annonce influencera-t-elle les attitudes? - L'annonce est-elle compatible avec notre image?
2. Comment améliorer les services de notre banque?	- Quels sont les aspects actuels de notre service à la clientèle dont les consommateurs sont le plus satisfaits? Le plus insatisfaits? - Quels types de consommateurs utilisent quels types de services? - Quels bénéfices les gens cherchent-ils à obtenir auprès d'une banque?
3. L'intérêt des consommateurs d'un marché québécois pour la nouvelle police d'assurance automobile que propose un groupe d'assurances canadien.	- Les gens s'intéressent-ils à la nouvelle police d'assurance? - Quel est le profil des individus qui présentent un intérêt élevé, en comparaison avec ceux qui présentent un intérêt faible, en terme d'âge, d'état civil, de profil de consommation (nombre de voitures, âge des voitures, etc.)?

Une fois le problème managérial clairement défini, l'analyste doit traduire les questions de recherche retenues en hypothèses que l'on peut empiriquement tester. C'est la seconde étape du processus de recherche en marketing. Au travers d'une recherche exploratoire, basée sur l'analyse de données secondaires ou sur une étude qualitative, nous tenterons d'abord de donner des réponses a priori (des affirmations) à chacune des questions de recherche. Dans le cadre d'une étude empirique, nous vérifierons par la suite le bien-fondé ou la non-pertinence de ces affirmations.

Dans la plupart des études en marketing, les analystes font des sondages d'opinions. Ils développent ainsi des questionnaires et les administrent auprès d'échantillons représentatifs de la population cible. C'est la troisième étape du processus de recherche marketing. Rappelons que le questionnaire est un outil qui sert à collecter une information standardisée. Nous pourrons alors tester les hypothèses avancées et fournir ainsi des éléments de réponse en vue de résoudre le problème marketing.

À titre d'exemple, nous présentons, dans ce qui suit, le questionnaire qui a servi d'outil de collecte des données pour le problème de lancement d'une nouvelle police d'assurance (voir le troisième exemple mentionné dans le tableau 1.1).

Questionnaire

1. Suite à la présentation de la nouvelle police d'assurance automobile offerte par le groupe d'assurances, pourriez-vous nous indiquer votre intérêt pour l'achat de cette police d'assurance automobile ?

Très peu intéressé	Peu intéressé	Plus ou moins intéressé	Intéressé	Très intéressé
1	2	3	4	5

2. Veuillez nous indiquer le nom de votre assureur automobile actuel.

   _____ Assurance commanditaire de l'étude (D)

   _____ Autres assureurs automobile (A)

3. Quel est votre âge ?

   _____ ans

4. Quel est votre état civil ?

   _____ Marié (M)

   _____ Célibataire (C)

5. Combien d'automobiles possédez-vous ?

   _____ automobile(s)

6. Depuis combien d'années possédez-vous la dernière automobile que vous avez achetée ?

   _____ années

7. Combien de voyages de plus de 300 kilomètres avez-vous effectués au cours des derniers 12 mois ?

   _____ voyage(s)

Dans un questionnaire, on cherche souvent à quantifier les réactions des répondants face à un même stimulus afin de les classer. Il s'agit d'un processus de mesure, qui consiste à assigner un nombre à une position sur une échelle de mesure que l'on peut par la suite verbalement qualifier, c'est la codification du questionnaire. Plusieurs échelles de mesure existent et chaque question sera par conséquent, codifiée différemment en fonction de l'échelle de mesure utilisée.

Nous distinguons 4 principales échelles de mesure : les échelles nominales, les échelles ordinales, les échelles d'intervalles et les échelles ratio. Ces échelles seront explicitées davantage dans le texte suivant.

- L'échelle de mesure nominale permet d'établir une correspondance entre des répondants et des classes mutuellement exclusives. Il s'agit d'identifier un répondant par un nombre ou un symbole pour indiquer son appartenance à une classe particulière. Les valeurs prises permettent uniquement une classification en différentes catégories. Aucune notion d'ordre ou de distance n'existe entre les différentes catégories. Dans le tableau 1.2, nous présentons quelques exemples de variables mesurées par une échelle nominale.

Tableau 1.2

1.	La marque de bière que vous achetez le plus souvent :	Budweiser	(1)
		Labatt Dry	(2)
		Miller	(3)
		Autre	(4)
2.	Le sexe du répondant :	Masculin	(M)
		Féminin	(F)
3.	Le code postal :		
4.	Un certificat en :	Marketing	(1)
		Gestion informatisée	(2)
		Finance	(3)
		Autre	(4)
5.	L'état civil :	Marié	(M)
		Célibataire	(C)
		Divorcé	(D)
		Autre	(A)

- L'échelle de mesure ordinale permet d'ordonner les répondants par rapport à des classes. Donc, en plus d'être capable d'associer les répondants à des classes mutuellement exclusives, ce type d'échelle permet d'ordonnancer ces classes. Notons qu'avec une échelle de mesure ordinale, les distances entre les classes ne sont pas comparables. Les valeurs prises permettent non seulement un regroupement en différentes catégories confinées, mais aussi l'établissement d'un ordre (croissant ou décroissant) entre ces catégories. Le tableau 1.3 présente quelques exemples de variables mesurées par une échelle ordinale.

Tableau 1.3

1. Le niveau de scolarité :
   - primaire (1)
   - secondaire (2)
   - cégep (3)
   - universitaire (4)

2. La classe sociale :
   - basse (1)
   - moyenne (2)
   - haute (3)

3. Utilisez-vous un micro-ordinateur ?
   ____ Tous les jours (1)
   ____ 3 à 4 fois par semaine (2)
   ____ 1 à 2 fois par semaine (3)
   ____ 1 fois par deux semaines (4)
   ____ 1 fois par mois (5)
   ____ Jamais (6)

4. Veuillez indiquer votre degré de préférence pour les boissons gazeuses suivantes en les ordonnant de 1 à 5 ?
   ____ Coca-Cola Classique
   ____ Pepsi-Cola
   ____ Coke à la cerise
   ____ Seven up
   ____ Sprite

Notons que dans le premier exemple du tableau 1.3, la distance entre primaire et secondaire n'est pas la même qu'entre cégep et universitaire, même si la distance entre les codes 1 et 2 est identique à la distance entre les codes 3 et 4. En effet, on aurait pu utiliser les codes 6 11 20 30, et cela n'aurait rien changé à l'ordonnancement des répondants.

- L'échelle de mesure d'intervalles permet de spécifier exactement la distance entre les classes regroupant des répondants. Donc, en plus d'être capable d'identifier et de classifier les répondants dans des classes, ce type d'échelle de mesure permet de calculer exactement la distance entre deux répondants appartenant à des classes différentes. Les valeurs prises permettent non seulement la classification des sujets en catégories et l'établissement d'un ordre de grandeur, mais aussi la détermination d'une distance entre les catégories. Sur une échelle d'intervalles, la valeur du zéro est arbitraire, c'est-à-dire qu'elle ne signifie pas l'absence d'attribut. Le tableau 1.4 présente deux exemples de variables mesurées par une échelle d'intervalles.

Tableau 1.4

1.	Température	____
2.	Quotient intellectuel	____

- • L'échelle de mesure ratio possède les mêmes caractéristiques que l'échelle de mesure d'intervalles à une exception près, la signification de la valeur zéro. Pour l'échelle de mesure ratio, la valeur du zéro signifie l'absence de l'attribut mesuré. Le tableau 1.5 présente des exemples de variables mesurées sur une échelle ratio.

Tableau 1.5

1.	Taille	_____
2.	Âge	_____
3.	Poids	_____
4.	Dépenses mensuelles en produits cosmétiques	_____

Avant d'en finir avec les échelles de mesure en marketing, deux remarques méritent d'être faites. Premièrement, dans les études de marché en marketing, certaines variables, telles que les attitudes, les préférences et l'intérêt, sont théoriquement continues. Toutefois, en l'absence de mesures déjà existantes, les analystes se trouvent souvent obligés de les mesurer à l'aide d'une échelle ordinale. Les échelles utilisées sont souvent des échelles sémantiques différentielles et des échelles de Likert. Lors de la phase d'analyse, ces variables seront traitées comme des variables d'intervalles. Le tableau 1.6 présente des exemples de ce type.

Tableau 1.6

1. L'intérêt vis-à-vis d'un produit mesuré sur une échelle allant de 1 à 5.

Très peu intéressé	Peu intéressé	Plus ou moins intéressé	Intéressé	Très intéressé
1	2	3	4	5

2. Les préférences des consommateurs vis-à-vis d'une marque.

Très peu recherchée	Peu recherchée	Plus ou moins recherchée	Recherchée	Très recherchée
1	2	3	4	5

3. La Mercedes Benz est une voiture :

Chère	-2	-1	0	1	2	Bon marché
Durable	-2	-1	0	1	2	Non durable

4. Seven up est une boisson très pétillante.

Pas du tout d'accord				Tout à fait d'accord
1	2	3	4	5

Deuxièmement, les quatre types d'échelles que nous venons de présenter peuvent être, à leur tour, classées en deux grandes catégories. La première catégorie, qualifiée d'échelle non métrique ou discrète, regroupe les mesures nominales et ordinales. La seconde catégorie, qualifiée d'échelle métrique ou continue comprend alors les mesures d'intervalles et les mesures ratio.

Une fois le questionnaire administré et les données collectées auprès d'un ensemble de sujets (l'échantillon, idéalement représentatif de la population étudiée), le traitement et l'analyse de ces données s'imposent. Il s'agit de transformer les informations standardisées recueillies à l'aide d'un questionnaire dans un format compatible avec un traitement statistique. C'est la cinquième étape du processus de recherche en marketing.

En règle générale, une base de données est une matrice qui comprend des lignes et des colonnes. Chaque ligne est une observation (un sujet de l'échantillon ou un questionnaire administré) et chaque colonne est une variable qui évalue (mesure) chaque individu sur une caractéristique spécifique. Notons que l'enregistrement des données collectées ou le passage du questionnaire à la base de données nécessite le recours aux outils informatiques les plus performants. Dans ce manuel, nous allons faire référence à un logiciel d'analyse de données de pointe : *SPSS* pour *Windows V.12.0*. Sans entrer dans les détails de la manipulation du logiciel, nous allons, tout au long des chapitres, faire allusion aux différentes manipulations relatives à chaque analyse[3].

À titre d'exemple, nous présentons au tableau 1.7 la base de données construite à partir du questionnaire utilisé dans l'étude portant sur l'adoption d'une nouvelle police d'assurance. Notons que ce questionnaire à été administré auprès d'un échantillon représentatif de 60 individus.

NB : Sur SPSS V.12.0, pour créer une base de données, faire :

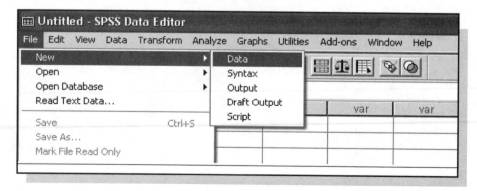

---
3. Pour plus de détails sur l'utilisation du logiciel *SPSS*, le lecteur peut consulter Plaisent, Bernard, Zuccaro et Daghfous (2004) et Malhotra (2004).

Avant de saisir les données collectées, il faut affecter les caractéristiques de chacune des variables à créer, cliquer en bas du tableau sur «*Variable View*» et compléter les informations requises (voir annexe 1, fenêtre 1.1).

Tableau 1.7

reponda	interet	assureur	age	etatcivi	nombauto	ageauto	voyages
1	4	D	42	M	1	,5	3
2	3	D	39	M	1	1,5	1
3	5	D	47	M	1	1,0	4
4	2	D	24	C	3	1,0	2
5	4	D	43	M	2	1,5	4
6	5	D	62	M	1	,5	6
7	1	D	27	M	1	2,0	3
8	5	D	55	M	2	,5	4
9	4	D	42	C	1	2,0	2
10	3	D	36	M	2	2,5	1
11	4	D	39	M	3	1,5	5
12	2	D	24	C	4	2,0	0
13	5	D	58	M	1	2,0	6
14	4	D	43	M	1	,4	2
15	1	D	23	C	2	2,5	0
21	4	D	47	M	4	1,5	4
22	4	D	38	M	2	1,0	3
23	5	D	37	M	2	,8	8
24	3	D	39	C	1	2,0	0
25	4	D	51	M	1	1,0	2
26	4	D	47	M	2	1,5	1
27	5	D	51	M	1	2,0	6
28	1	D	30	C	1	2,0	0
29	1	D	28	C	2	4,5	2
30	3	D	42	M	2	3,5	1

reponda	interet	assureur	age	etatcivi	nombauto	ageauto	voyages
31	2	A	32	M	3	3,0	0
32	4	A	29	M	1	2,0	3
33	2	A	32	M	1	1,0	0
34	1	A	37	M	1	1,0	0
35	3	A	24	C	4	2,5	1
36	2	A	41	M	1	2,0	3
37	3	A	23	M	1	2,0	0
38	1	A	34	M	5	3,0	1
39	2	A	38	M	2	2,0	0
40	4	A	47	M	2	1,0	5
41	5	A	24	M	1	,5	9
42	3	A	32	M	1	1,5	0
43	1	A	22	C	1	3,0	1
44	2	A	27	C	1	2,5	0
45	2	A	29	M	3	2,5	0
46	4	A	43	M	2	1,0	2
47	5	A	48	C	1	,5	3
48	3	A	36	M	1	1,5	0
49	4	A	42	M	3	1,5	2
50	2	A	26	C	2	2,0	2
51	2	A	29	C	1	2,5	1
52	1	A	23	C	1	3,0	0
53	3	A	34	M	1	1,5	0
54	4	A	37	C	1	1,5	2
55	2	A	24	C	2	3,0	0
56	3	A	32	M	2	2,0	1
57	5	A	44	M	1	,5	7
58	1	A	28	M	1	2,5	0
59	1	A	22	C	2	3,0	1
60	2	A	26	C	1	2,0	1

Une fois la base de données montée, l'analyste pourra commencer à tester chacune des hypothèses avancées et à donner des réponses aux questions de recherche posées au départ. Il pourra ainsi fournir des recommandations managériales qui serviront à résoudre le problème de marketing. Ce sont les étapes 6 à 9 du processus de recherche en marketing. La sixième étape, plus analytique, nécessite le recours à une batterie de techniques d'analyses statistiques, dont une bonne partie doivent être bien maîtrisées par tout gestionnaire œuvrant dans le domaine du marketing. C'est l'objectif principal de ce manuel.

Une fois la base de données créée et complétée, l'analyste pourra alors obtenir une description détaillée de son contenu avec les variables créées et leur identification. Le tableau 1.8 présente la description détaillée du fichier de données relatif à l'exemple de l'étude portant sur l'adoption de la nouvelle police d'assurance.

Tableau 1.8

```
List of variables on the working file

Name (Position) Label

repondan (1) Numéro du répondant
     Measurement Level:        Nominal
     Column Width:      8 Alignment: Center
     Print Format:      F1
     Write Format:      F1
interet  (2)  Intérêt   vis-à-vis   de   la   police
d'assurance
     Measurement Level:        Scale
     Column Width:      8 Alignment: Center
     Print Format:      F1
     Write Format:      F1
          Value        Label
            1          Très peu
            2            peu
            3      plus ou moins
            4         intéressé
            5           Très
assureur (3) Assureur actuel
     Measurement Level:        Nominal
     Column Width:      8 Alignment: Center
     Print Format:      A1
     Write Format:      A1
          Value        Label
           'A'          autre
           'D'Assureur commanditaire
age (4) Âge du répondant
     Measurement Level: Scale
     Column Width:      8 Alignment: Center
     Print Format:      F2
     Write Format:      F3
```

```
etatcivi (5) État civil
    Measurement Level : Nominal
    Column Width :      8 Alignment: Center
    Print Format :      A1
    Write Format :      A1
          Value        Label
           'C'      célibataire
           'M'        marié(e)
nombauto (6) Nombre d'automobiles qu'il possède
    Measurement Level : Scale
    Column Width :      8 Alignment: Center
    Print Format :      F1
    Write Format :      F1
ageauto (7) Âge de la dernière automobile
    Measurement Level : Scale
    Column Width :      8 Alignment: Center
    Print Format :      F3.1
    Write Format :      F3.1
voyages (8) Nombre de voyages de plus de 300km
            effectués durant les 12 derniers mois
    Measurement Level : Scale
    Column Width :      8 Alignment: Center
    Print Format :      F1
    Write Format :      F1
```

NB : Sur SPSS V.12.0, pour obtenir la liste des variables et leur identification, faire :

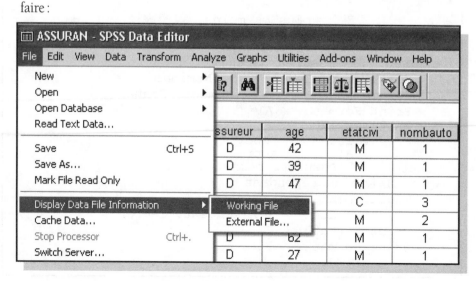

1.3

**L'ANALYSE
DES DONNÉES
QUANTITATIVES
EN MARKETING**

L'idée directrice que chacun de nous doit garder à l'esprit tout au long de ce manuel est que nous disposerons souvent d'une information réduite, collectée auprès d'un échantillon représentatif d'une population cible, que nous chercherons à analyser. Les méthodes quantitatives constituent donc cet ensemble d'outils scientifiques qui vont nous permettre de résumer, d'organiser et d'analyser l'information numérique réduite, en vue de livrer des conclusions et de prendre des décisions plus raisonnées. Ces conclusions et ces décisions doivent couvrir non seulement les sujets de l'échantillon, mais surtout être extrapolées à l'ensemble de la population (voir figure 1.2).

Figure 1.2

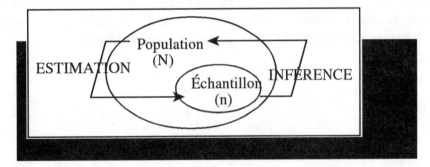

Selon la terminologie propre au domaine des méthodes quantitatives en marketing, l'observation et la mesure des phénomènes au niveau de l'échantillon sont souvent qualifiées d'estimation. L'extrapolation et la généralisation de ces phénomènes pour l'ensemble de la population seront alors qualifiées d'inférence. Les concepts d'estimation et d'inférence seront explicités davantage dans le prochain chapitre. Leur utilisation sera systématique pour chacune des techniques que nous aborderons dans ce manuel.

Trois grands thèmes seront abordés dans ce manuel.

1. Les techniques d'analyses descriptives. Utilisées souvent pour décrire les échantillons, ces techniques font appel à une variable à la fois. Nous retrouvons alors les distributions de fréquence, les mesures de tendance centrale (mode, médiane, moyenne), les mesures de dispersion (étendue, écart, type, variance), les boîtes en moustache (Boxplot) et les études du khi-deux univarié.

2. Les techniques d'analyse bivariées. Elles sont souvent utilisées pour analyser l'existence, la nature et l'association de deux phénomènes. On y retrouve l'analyse de tableaux croisés, l'analyse de la variance à un seul facteur, les analyses de la covariance, de la corrélation et de la régression linéaire simple.

3. Les techniques d'analyse multivariées. Utilisées pour résoudre des problèmes en marketing (positionnement, segmentation, prévisions), ces techniques font intervenir deux ou plusieurs variables. Dans le cadre de ce manuel, les techniques que nous allons présenter sont la régression linéaire multiple, l'analyse factorielle en composantes principales, l'analyse discriminante à deux groupes, l'analyse discrète à plusieurs groupes et l'analyse non hiérarchique de groupement.

Les techniques abordées dans ce manuel sont les plus utilisées dans le domaine de la recherche en marketing. Il s'agit de la majorité des analyses univariées et bivariées et de quelques analyses multivariées parmi les plus courantes. D'autres analyses multivariées existent et sont aussi importantes, notamment l'analyse de groupement, l'analyse des corrélations canoniques, l'analyse des relations structurelles. Cependant, un manuel est souvent destiné à une population cible dont les besoins doivent être bien cernés et le choix de laisser de côté ces dernières analyses n'enlève rien à leur pertinence. La personne qui voudra utiliser ces techniques pourra consulter d'autres références générales d'analyse statistique ou des références spécifiques d'études et de recherche en marketing.

ANNEXE 1

COMMANDES DE *SPSS* SOUS *WINDOWS V.12.0* POUR LA CRÉATION D'UNE BASE DE DONNÉES

ASSURAN - SPSS Data Editor

File   Edit   View   Data   Transform   Analyze   Graphs   Utilities   Add-ons   Window   Help

	Name	Type	Width	Decimals	Label	Values	Missing	Columns	Align	Measure
1	repondan	Numeric	1	0	Numéro du répondant	None	None	8	Center	Nominal
2	interet	Numeric	1	0	Intérêt vis à vis de la police d'assurance	{1, Très peu}...	None	8	Center	Scale
3	assureur	String	1	0	Assureur actuel	{A, autre que De	None	8	Center	Nominal
4	age	Numeric	2	0	Âge du répondant	None	None	8	Center	Scale
5	etatcivi	String	1	0	État civil	{C, célibataire}...	None	8	Center	Nominal
6	nombauto	Numeric	1	0	Nombre d'automobiles qu'il possède	None	None	8	Center	Scale
7	ageauto	Numeric	3	1	Âge de la dernière automobile	None	None	8	Center	Scale
8	voyages	Numeric	1	0	Nombre de voyages de plus de 300km e	None	None	8	Center	Scale
9										

Chapitre 2

L'ANALYSE DESCRIPTIVE EN MARKETING

2.1

UTILISATION EN
MARKETING

Dans toute étude quantitative, l'analyste doit d'abord procéder à des analyses univariées des données collectées. L'objectif principal de l'analyse descriptive est de synthétiser l'information numérique collectée au niveau d'un échantillon. Il s'agit de décrire les sujets de l'étude par un ensemble de variables sociodémographiques comme le revenu, l'âge ou le sexe ; psychographiques comme les valeurs et le style de vie et comportementales comme les connaissances, les attitudes ou les dépenses. Ce qu'il faut garder à l'esprit, c'est que la synthèse de l'information brute implique souvent une perte d'informations que l'analyste doit savoir contrôler.

Par ailleurs, l'analyse univariée présente aussi d'autres utilités, notamment la purification de la base de données et le test de représentativité. D'abord, l'analyste doit purifier la base de données des erreurs qui auraient pu être commises au moment de la codification et de la saisie des questionnaires administrés. À titre d'exemple, si dans le questionnaire, la variable sexe a été codifiée de façon à avoir deux niveaux, 0 pour homme et 1 pour femme, il faut s'assurer qu'il n'y a pas eu, par erreur, pour un répondant un chiffre autre que 0 ou 1, 10 par exemple.

Ensuite, dans une étude empirique, il est souvent important de tester la représentativité de l'échantillon en comparant sa structure sur des variables comme l'âge, le revenu, l'état civil ou autre, par rapport à celle de la population. Notons que la structure de cette dernière provient généralement de données secondaires (ex. : Statistique Canada, Institut de la statistique du Québec, Base de données du CRIQ, etc.). L'analyse de la représentativité de l'échantillon est une étape nécessaire dans chaque étude de marché si on veut généraliser les résultats obtenus au niveau de l'échantillon à l'ensemble de la population.

En marketing, on distingue souvent cinq niveaux d'analyse univariée :

1. les tableaux de fréquences ;
2. les mesures de tendance centrale ;
3. les mesures de dispersion ;
4. le diagramme en boîte ;
5. le test de représentativité du khi-deux univarié.

2.2
LES DISTRIBUTIONS DES FRÉQUENCES

Lorsque le nombre d'observations est très grand, l'analyste est obligé de faire une synthèse de l'information. L'intérêt de recourir à de telles distributions est de simplifier la compréhension des données collectées. Ces analyses sont utiles pour décrire la distribution de l'échantillon sur chacune des variables mesurées.

Pour synthétiser des données statistiques, quatre types de distribution de fréquences existent.

1. La distribution des fréquences brutes, qui représente le nombre de sujets ou d'objets associés à chaque niveau de la variable. Ces fréquences sont communément notées f_j (avec $j = 1, ..., k$), k étant le nombre de valeurs ou de catégories que prendra la variable en question.

2. La distribution des fréquences relatives n'est que l'expression en pourcentage de la distribution brute. Autrement dit, chaque fréquence est divisée par le nombre total de sujets ou d'objets composant l'échantillon. Ces fréquences sont communément notées p_j, avec :

$$p_j = \frac{f_j}{\sum_j f_j}$$

3. La distribution des fréquences cumulées brutes est, comme son nom l'indique, le cumul ou la sommation des fréquences brutes. On note souvent F_j avec :

$$F_J = \sum_{j=1}^{J} f_j.$$

4. La distribution des fréquences cumulées relatives est le cumul ou la sommation des fréquences relatives. On note souvent P_j avec :

$$P_J = \sum_{j=1}^{J} p_j.$$

La description de la distribution d'un échantillon sur une variable quelconque peut se faire aussi au moyen de représentations graphiques tels que les histogrammes. Ces derniers permettent d'en visualiser la composition.

Dans ce qui suit, nous présentons quelques exemples d'interprétation de tableaux de fréquences reliés à l'étude portant sur la nouvelle police d'assurance.

- En ce qui concerne la variable *intérêt*, l'analyse des distributions et de l'histogramme des fréquences présentés respectivement dans le tableau 2.1 et la figure 2.1 démontre qu'il existe au sein de l'échantillon, une répartition homogène entre ceux qui s'intéressent et ceux qui ne s'intéressent pas à la police d'assurance. En effet, 56,7 % des répondants ont exprimé un intérêt moyen ou faible (réponses aux niveaux 1, 2 et 3) contre 43,3 % qui ont exprimé un intérêt élevé ou très élevé (réponses 4 et 5).

Tableau 2.1

Intérêt vis-à-vis de la police d'assurance

		Frequency	Percent	Valid Percent	Cumulative Percent
Valid	Très peu	10	16,7	16,7	16,7
	Peu	12	20,0	20,0	36,7
	Plus ou moins	12	20,0	20,0	56,7
	Intéressé	16	26,7	26,7	83,3
	Très	10	16,7	16,7	100,0
	Total	60	100,0	100,0	

Figure 2.1

Intérêt vis-à-vis de la police d'assurance

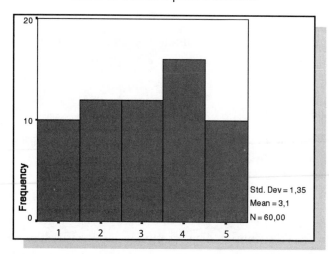

Std. Dev = 1,35
Mean = 3,1
N = 60,00

- Pour ce qui est de la variable *assureur*, l'analyse du tableau des fréquences (voir tableau 2.2) montre que 50 % des répondants sont assurés par la compagnie commanditaire de l'étude et que 50 % sont assurés par une autre compagnie.

Tableau 2.2

Assureur actuel

		Frequency	Percent	Valid Percent	Cumulative Percent
Valid	Autre	30	50,0	50,0	50,0
	Assureur commanditaire	30	50,0	50,0	100,0
	Total	60	100,0	100,0	

- Pour la variable *âge de la dernière automobile achetée*, l'analyse du tableau et de l'histogramme de fréquences présentés respectivement dans le tableau 2.3 et la figure 2.2 montre que l'âge des voitures dans l'échantillon d'étude varie sur un intervalle allant de six mois à quatre ans et demi. Plus précisément, 28,4 % des voitures ont un an ou moins (1,7 % + 11,7 % + 1,7 % + 13,3 %), 46 % ont entre un et deux ans (20 % + 26,7 %) et 25 % ont plus de deux ans.

Tableau 2.3

Âge de la dernière automobile

		Frequency	Percent	Valid Percent	Cumulative Percent
Valid	,4	1	1,7	1,7	1,7
	,5	7	11,7	11,7	13,3
	,8	1	1,7	1,7	15,0
	1,0	8	13,3	13,3	28,3
	1,5	12	20,0	20,0	48,3
	2,0	16	26,7	26,7	75,0
	2,5	7	11,7	11,7	86,7
	3,0	6	10,0	10,0	96,7
	3,5	1	1,7	1,7	98,3
	4,5	1	1,7	1,7	100,0
	Total	60	100,0	100,0	

Figure 2.2

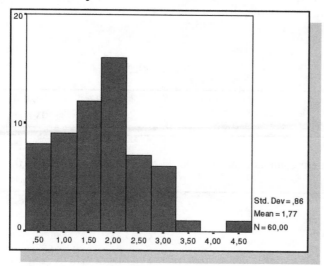

NB : Sur *SPSS V.12.0*, pour obtenir le tableau des distributions de fréquences, faire :

Dans le menu «*Frequencies*», entrer dans l'espace «*Variable(s)*» la ou les variables à analyser et les tableaux seront obtenus automatiquement (voir annexe 2, fenêtre 2.1).

Pour ce qui est des histogrammes de fréquences, revenir au menu «*Frequencies*», (voir annexe 2, fenêtre 2.1), cliquer sur «*Charts*» et sélectionner «*Histograms*» (voir annexe 2, fenêtre 2.2). Noter que d'autres types de représentations graphiques existent et peuvent être sélectionnés, tels que les bâtonnets «*Bar charts*» et le camembert «*Pie charts*» (voir annexe 2, fenêtre 2.2).

2.3

LES MESURES DE LA TENDANCE CENTRALE

Dans l'analyse descriptive d'un échantillon, on peut pousser plus loin l'effort de synthèse et de réduction des données collectées en calculant certaines statistiques dites globales. Ces statistiques donnent une idée générale de la tendance de l'échantillon sur une variable donnée. Trois principales mesures existent : le mode, la médiane et la moyenne.

1. Le mode est la valeur de la variable x qui correspond à la fréquence brute la plus élevée (f_j maximale). Dans l'analyse descriptive, le mode est souvent utilisé dans le cas où l'échelle de mesure est nominale. Cependant, le mode peut être aussi utilisé avec des échelles ordinales, d'intervalles ou de ratio.

2. La médiane est la valeur milieu de la distribution, déterminée à partir de la fréquence relative cumulée (P_j). Autrement dit, il s'agit de la valeur de la variable x qui correspond à la fréquence relative cumulée $P_j = 50$ %. Dans l'analyse descriptive, la mesure de la médiane est souvent utilisée avec une échelle ordinale. Cependant, elle peut aussi servir dans le cas où l'échelle de mesure est d'intervalles ou de ratio, mais jamais avec une échelle nominale.

3. La moyenne est la moyenne arithmétique des valeurs de la variable x. Elle est communément notée μ si elle est calculée au niveau de la population et $\bar{x}$ dans le cas de l'échantillon. La moyenne est calculée comme suit :

$$\mu_x = \frac{\sum_{i=1}^{N} x_i}{N} \text{ et } \bar{x} = \frac{\sum_{i=1}^{n} x_i}{n}$$

avec

x_i, la valeur observée de la variable x dans l'échantillon ;

N, la taille de la population ;

n, la taille de l'échantillon.

Dans l'analyse descriptive, la moyenne est utilisée uniquement dans le cas où la variable serait mesurée sur une échelle d'intervalles ou de ratio, mais jamais avec des échelles de mesures nominales ou ordinales. À ce niveau, il serait important de noter que le calcul de la moyenne limite la description objective de l'échantillon dans la mesure où cette statistique agrégée risque assez souvent de voiler l'hétérogénéité et la dispersion des valeurs observées. À titre d'exemple, il suffit d'imaginer deux échantillons de taille égale (trois observations chacun), que l'on veut décrire sur la variable *âge*. Si les données du premier échantillon sont 10, 15 et 20 ans et celles du deuxième sont 14, 15 et 16 ans, il est clair que lors de la description de l'échantillon, l'analyse de la moyenne risque de conduire à une conclusion qui laisse penser qu'il s'agit de deux échantillons similaires dont la moyenne d'âge est de 15 ans ($\bar{x}_1 = \bar{x}_2 = 15$ ans), ce qui n'est pas réellement le cas, dans la mesure où l'hétérogénéité des deux échantillons n'est pas la même. La dispersion des données sur l'âge du premier échantillon est plus élevée que sur celle du deuxième.

Bien qu'elle facilite la description d'un échantillon, l'utilisation de la moyenne peut présenter certains dangers d'interprétation et conduire à de mauvais résultats. L'analyse ne doit jamais se limiter au calcul de la moyenne sans l'associer à une mesure de dispersion des données.

Dans ce qui suit, nous présentons quelques exemples d'interprétation des mesures de tendances centrales reliées à l'étude portant sur l'intérêt vis-à-vis de la police d'assurance.

- L'*intérêt* est une variable continue, mais mesurée à l'aide d'une échelle ordinale conçue par l'auteur de l'étude. Les statistiques privilégiées pour ce type de variables sont la médiane et la moyenne.

- Selon le tableau 2.4, la médiane est de 3, c'est-à-dire que 50 % des répondants ont un intérêt faible ou moyen et que la moyenne est de 3,07 sur une échelle allant de 1 à 5, où 1 signifie un intérêt faible et 5 un intérêt élevé.

Statistics
Intérêt vis-à-vis de la police d'assurance

Tableau 2.4

N	Valid	60
	Missing	0
Mean		3,07
Median		3,00
Mode		4
Std. Deviation		1,35
Variance		1,83
Range		4

• L'*âge* est une variable continue. Les statistiques que l'on peut calculer sont le mode, la médiane et la moyenne. En raison du nombre élevé de valeurs prises par la variable, ce sont les deux dernières statistiques qui seront privilégiées. Ainsi, selon le tableau 2.5, la médiane est de 37 ans, et la moyenne de 36,77 ans.

Tableau 2.5

Statistics
Âge du répondant

N	Valid	60
	Missing	0
Mean		36,77
Median		37,00
Mode		24[a]
Std. Deviation		10,15
Variance		103,06
Range		40

a. Multiple modes exist. The smallest value is shown

• La variable *état civil* est une variable nominale. Le mode est la seule mesure de tendance centrale que l'on puisse utiliser. Selon le tableau 2.6, le mode est *marié*, ce qui signifie que *marié* est l'état civil le plus fréquent dans notre échantillon.

Tableau 2.6

Statistics
État civil

N	Valid	60
	Missing	0
Mode		(Marié) 1

NB : Sur *SPSS V.12.0*, pour obtenir les mesures de tendances centrales, revenir au menu «*Frequencies*» (voir annexe 2, fenêtre 2.1), sélectionner la ou les variables à analyser, cliquer sur «*Statistics*», aller dans le menu «*Central Tendency*» et sélectionner les mesures requises parmi les choix proposés (voir annexe 2, fenêtre 2.3).

$$2.4$$

LES MESURES
DE DISPERSION

L es indices présentés ci-dessous servent à déterminer la dispersion d'une variable au sein d'un échantillon ou encore l'hétérogénéité d'un échantillon sur une variable donnée. Trois principales mesures peuvent être utilisées, l'étendue, la variance et l'écart type.

1. L'étendue est la différence entre les fréquences maximale et minimale.

$$e = max(x_j) - min(x_j)$$

2. La variance est la moyenne de l'écart au carré par rapport à la moyenne de la variable (notée σ^2 pour la population et s^2 pour l'échantillon). Elle reflète la dispersion des valeurs d'une variable autour de sa moyenne arithmétique.

$$\sigma^2 = \frac{\sum_{i=1}(x_i - \mu)^2}{N} \text{ et } s^2 = \frac{\sum_{i=1}(x_i - \bar{x})^2}{n-1}$$

3. L'écart type est la racine carrée de la variance (notée σ pour la population et s pour l'échantillon).

$$\sigma = \sqrt{\sigma^2} \text{ et } s = \sqrt{s^2}$$

Pour l'étendue et la variance ou l'écart type, une valeur plus élevée indique une hétérogénéité plus grande de l'échantillon sur la variable en question.

Dans ce qui suit, nous présentons quelques exemples d'interprétation des mesures de dispersion reliées aux variables combinées, mesurées dans l'étude portant sur l'intérêt vis-à-vis de la nouvelle police d'assurance.

- Pour ce qui est de la variable *intérêt*, le tableau 2.4 montre que l'étendue est de 4 (*range*), la variance de 1,83 et l'écart type de 1,35 (*standard deviation*).

- Pour ce qui est de la variable *âge*, le tableau 2.5 montre que l'étendue est de 40, la variance de 103,06 et l'écart type de 10,15.

NB: *Sur SPSS V.12.0*, pour obtenir les mesures de dispersion, revenir à la fenêtre *«Frequencies»* (voir annexe 2, fenêtre 2.1), sélectionner la ou les variables continues à analyser, cliquer sur *«Statistics»*, aller dans le menu *«Dispersion»* et sélectionner les mesures requises parmi les choix proposés (voir annexe 2, fenêtre 2.3).

2.5

DIAGRAMME EN BOÎTE ET MOUSTACHE
(Boxplot)

Le diagramme en boîte et moustache fournit des informations utiles sur la distribution des données. Par la médiane ($P_j = 50$ %), le premier quantile ($P_j = 25$ %), le troisième quantile ($P_j = 75$ %) et leur emplacement dans la boîte, on peut déterminer la tendance centrale et le degré de symétrie de la distribution (asymétrie à gauche ou à droite). Par la longueur de la boîte, on a une idée de la variabilité ou de la dispersion des observations. On peut aussi détecter la présence de valeurs extrêmes par un astérisque et un cercle.

Ce diagramme est particulièrement utile pour comparer la distribution des valeurs dans plusieurs groupes.

Dans l'exemple de l'étude portant sur la police d'assurance, le diagramme en boîte et moustache pour la variable *intérêt* présentée dans la figure 2.3, montre pour l'ensemble de l'échantillon, une distribution centrée sur la moyenne de 3 (sur une échelle allant de 1 à 5) et symétrique, dans la mesure ou la médiane est de 3 et les valeurs du premier et du troisième quantiles sont respectivement situées aux niveaux 2 et 4.

Figure 2.3

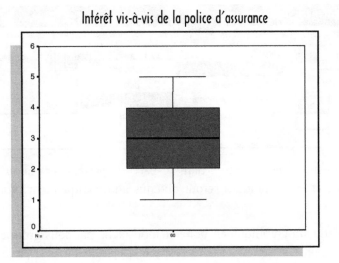

Intérêt vis-à-vis de la police d'assurance

Par ailleurs, une analyse sur la même variable, *intérêt*, par catégorie de répondants, selon l'état civil (marié ou célibataire), présentée dans la figure 2.4 montre clairement que l'intérêt des personnes mariées est plus élevé que celui des personnes célibataires. Pour le premier groupe, les valeurs minimales, la médiane, le premier et le troisième quantiles sont situés à des niveaux plus élevés que ceux du deuxième groupe. En plus, l'homogénéité du groupe des personnes mariées en matière d'intérêt vis-à-vis de la police d'assurance est plus grande que celle du groupe des personnes célibataires. L'observation de la figure 2.4 montre que la boîte correspondant au groupe des personnes mariées est plus mince et est située à un niveau plus haut de l'échelle d'intérêt que celle obtenue pour le groupe des personnes célibataires.

Figure 2.4

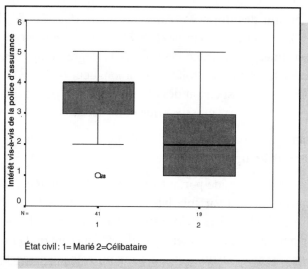

NB : Sur *SPSS V.12.0*, pour obtenir les graphiques en boîte et moustache, faire :

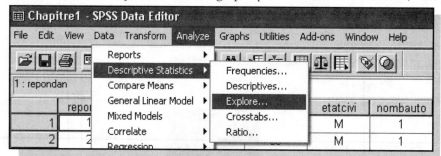

Dans le menu «*Explore*», entrer dans l'espace «*Dependant list*» la ou les variables à analyser et les graphiques seront obtenus automatiquement (voir annexe 2, fenêtre 2.4).

Pour obtenir un graphique en boîte et moustache par sous-groupe, revenir au menu «*Explore*», sélectionner dans l'espace «*Dependant list*» la ou les variables à analyser, sélectionner dans «*Factor List*» la ou les variables discrètes de regroupement, cliquer sur «*Plots*» et les graphiques seront obtenus automatiquement (voir annexe 2, fenêtre 2.4).

2.6

LES INFÉRENCES STATISTIQUES DANS LES ANALYSES UNIVARIÉES

Comme nous l'avons déjà mentionné à la fin du premier chapitre, dans l'analyse quantitative des données d'une enquête en marketing, on cherche généralement à évaluer un phénomène dans une population (ex. : l'intérêt vis-à-vis de la police d'assurance). On choisit alors un échantillon représentatif (60 répondants) sur lequel on mesure ce phénomène (question 1 du questionnaire) et on essaie par la suite de le ramener à la population globale. La première étape s'appelle l'estimation, alors que la seconde est l'inférence.

2.6.1

ESTIMATION

Estimer un paramètre dans une population (ex. : l'intérêt moyen), c'est trouver une valeur approximative de ce paramètre au niveau d'un échantillon représentatif. L'estimateur est défini comme une fonction des observations obtenues dans l'échantillon :

$$\hat{\theta} = g(x_1, x_2, ..., x_n)$$
$$\text{où } x_i = l'observation \ i$$
$$i = 1, ..., n$$

Sans entrer dans les détails de la théorie statistique de l'estimation[1], on peut affirmer que les affirmations suivantes ont été clairement démontrées.

1. Une bonne estimation de la moyenne (μ_x dans la population) est $\bar{x}$ (moyenne dans l'échantillon),

$$\bar{x} = \frac{\sum_{i=1}^{n} x_i}{n} = \frac{x_1 + x_2 + \cdots + x_n}{n}$$

   avec
   x_i, phénomène mesuré ;
   n, taille de l'échantillon.

---

1. Pour plus de détails sur les estimations, le lecteur peut consulter Martel et Nadeau (1988).

2. Une bonne estimation de la variance σ_x^2 (dans la population) est s_x^2 (variance dans l'échantillon).

$$s_x^2 = \frac{\sum\limits_{i=1}^{n}(x_i - \bar{x})^2}{n-1} = \frac{(x_1 - \bar{x})^2 + (x_2 - \bar{x})^2 + \cdots\cdots + (x_n - \bar{x})^2}{n-1}$$

3. Une bonne estimation de la proportion π_j (dans la population) est p_j (proportion dans l'échantillon),

$$p_j = \frac{f_j}{n}$$

avec

f_j, fréquence observée pour le niveau j de la variable.

2.6.2
DISTRIBUTION D'ÉCHANTILLONNAGE

La notion de distribution d'échantillonnage reflète la distribution de fréquences des estimés $\hat{\theta}_i$ d'un paramètre (la moyenne, par exemple) autour de la vraie valeur θ. Cette distribution va lier l'estimé θ_i à la vraie valeur par une loi de probabilité. Cette distribution d'échantillonnage est nécessaire pour pouvoir effectuer les inférences à l'ensemble de la population.

La probabilité d'un événement est définie comme étant le rapport entre le nombre de cas favorables et le nombre de cas possibles. Dans les études de marché, on travaille souvent sur des échantillons choisis de manière aléatoire parmi une population. Ce qui fait que le pourcentage des phénomènes observés se traduit automatiquement par des probabilités de réalisation au niveau de l'ensemble de la population. En effet, chaque fois qu'il y a un tirage aléatoire d'un objet, on parle automatiquement de probabilité.

Par exemple, quand on essaie de tester l'adoption d'un nouveau produit dans un marché, on choisit un échantillon aléatoire et on calcule le pourcentage d'individus qui utilisent le produit. Si ce pourcentage est de 20 %, on peut dire que ce nouveau produit a une chance sur 5 qu'une personne dans ce marché (la population) l'utilise.

En statistique, on parle souvent de loi de probabilité. La loi de probabilité est la distribution des fréquences relatives (pourcentage) des niveaux de réalisation d'un événement. Certaines lois spécifiques existent, telles que la loi normale, la loi binomiale, la loi de Student, etc. Ces lois présentent des propriétés spécifiques et par conséquent, des distributions de fréquences particulières. À titre d'exemple, nous allons présenter en détail une loi très connue à laquelle nous ferons souvent référence dans des analyses ultérieures. Il s'agit de la loi normale.

Encore une fois, sans entrer dans les détails de la théorie statistique, il a été démontré que :

la distribution d'échantillonnage de la moyenne est une distribution normale ;

la distribution d'échantillonnage de la proportion suit une loi normale.

EXEMPLE DE LOI DE PROBABILITÉ : La distribution normale

a- Présentation

$$x \approx N(\mu, \sigma^2) = p(x) = \frac{e^{1 - \frac{1}{2\sigma^2}(x - \mu)^2}}{\sqrt{2\pi^1}\sigma}$$

avec μ, la moyenne ;
         σ, l'écart type.

b- Propriétés

Dans une distribution normale, la moyenne est égale à la médiane et au mode. On définit généralement la loi normale centrée et réduite de moyenne 0 et d'écart type 1. Le passage d'une loi normale $[x \rightarrow N(\mu, \sigma)]$ à une loi normale centrée et réduite $[z \rightarrow N(0,1)]$ se fait par la transformation

$$z_x = \frac{x - \mu_x}{\sigma}$$

c- Les critères de la normalité

1. La forme : généralement une distribution normale se présente comme un histogramme symétrique sous forme de cloche dont les proportions types sont

    $p (\mu \pm 1\ \sigma) = 68\ \%$

    $p (\mu \pm 2\ \sigma) = 96\ \%$

    $p (\mu \pm 3\ \sigma) = 99,7\ \%$

    • La symétrie est mesurée par le coefficient d'asymétrie de Skewness. La marge de tolérance est comprise entre –,5 et +,5.

    • L'aplatissement est mesuré par le coefficient de Kurtosis. La marge de tolérance est comprise entre –1 et +1.

2. L'étendue de Student : une distribution de probabilité est normale si l'étendue de Student t est comprise entre 4 et 6.

3. La droite d'Henry : une distribution est normale si sa distribution cumulée est en forme de S.

C'est le premier niveau d'inférence que l'analyste peut réaliser. Il s'agit de construire un intervalle de confiance pour la valeur θ dans la population étudiée avec un certain niveau d'erreur α. En d'autres termes, c'est l'intervalle à l'intérieur duquel on est certain que se trouve la vraie valeur, dans la population, avec une marge d'erreur tolérée.

Sans entrer dans les détails de la théorie statistique[2], nous allons présenter, dans ce qui suit, les calculs d'intervalles de confiance dans le cas d'inférence sur la moyenne (μ) et sur la proportion (π).

　• Intervalle de confiance dans le cas d'une moyenne :

Le calcul d'un intervalle de confiance pour une moyenne, dépend de la connaissance, préalable ou non, de la variance sur le phénomène en question pour l'ensemble de la population.

Si la variance dans la population est connue, l'intervalle de confiance sera calculé comme suit :

$$IC_{1-\alpha}(\mu) = \bar{x} \pm z_{\alpha/2} \, \sigma_x \Big/ \sqrt{n}$$

avec

$\bar{x}$, l'estimation de la moyenne du phénomène dans l'échantillon ;

$1-\alpha$, le degré de certitude d'avoir la moyenne dans l'intervalle désigné ;

σ_x, la variance du phénomène dans la population ;

n, la taille de l'échantillon ;

$z_{\alpha/2}$, la valeur par la loi normale correspondant à une probabilité de $\alpha/2$.

Par contre, si la variance dans la population n'est pas connue, on utilise la loi de Student et l'intervalle de confiance sera calculé comme suit :

$$IC_{1-\alpha}(\mu) = \bar{x} \pm t_{\alpha/2} \, s_x \Big/ \sqrt{n}$$

avec

s_x, la variance du phénomène dans l'échantillon ;

n, la taille de l'échantillon ;

$t_{(\alpha/2,\, n-1)}$, la valeur par la loi de Student correspondant à une probabilité de $\alpha/2$ avec $n-1$, les degrés de liberté.

---

2. Pour plus de détails sur les intervalles de confiance, le lecteur peut consulter Martel et Nadeau (1988).

En considérant comme exemple le cas de la nouvelle police d'assurance, l'intervalle de confiance avec 5 % d'erreurs pour l'intérêt moyen est calculé comme suit : $IC95 \% = [2,72, 3,42]$ (voir tableau 2.7). Ce dernier signifie que nous sommes certains avec 95 % de chances que l'intérêt moyen dans la population sera compris entre 2,72 et 3,42 sur une échelle allant de 1 à 5, où 1 signifie un intérêt très faible et 5 un intérêt très élevé. L'intérêt dans la population est globalement plus ou moins élevé.

Tableau 2.7

One-Sample Statistics

	N	Mean	Std. Deviation	Std. Error Mean
Intérêt vis-à-vis de la police d'assurance	60	3,07	1,35	,17

One-Sample Test

	Test Value = 0					
					95 % Confidence Interval of the Difference	
	t	df	Sig. (2-tailed)	Mean Difference	Lower	Upper
Intérêt vis-à-vis de la police d'assurance	17,579	59	,000	3,07	2,72	3,42

<u>NB</u> : Sur *SPSS V.12.0,* pour obtenir un intervalle de confiance sur la moyenne, faire :

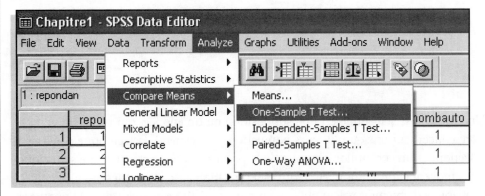

Dans le menu «*One-Sample T Test*», entrer dans l'espace «*Test Variable(s)*» la ou les variables à analyser et un intervalle de confiance sera automatiquement donné avec une marge d'erreur choisie par défaut de 5 % ($1–\alpha = 95 \%$). Pour changer cette marge, cliquer sur «*Options*», aller dans «*Confidence Interval*» et modifier le chiffre retenu par défaut (voir annexe 2, fenêtres 2.5 et 2.6).

• Intervalle de confiance dans le cas d'une proportion :

Pour calculer un intervalle de confiance sur une proportion π_j estimée au niveau d'un échantillon de taille n, nous utilisons généralement la formule qui suit :

$$IC_{1-\alpha}(\pi_j) = p_j \pm z_{\alpha/2}\sqrt{\frac{p_j(1-p_j)}{n}}$$

avec

p_j, l'estimation de la proportion du niveau j de la variable dans l'échantillon ;

$1-\alpha$, le degré de certitude d'avoir la moyenne dans l'intervalle désigné ;

n, la taille de l'échantillon.

En considérant comme exemple le cas de la nouvelle police d'assurance, l'intervalle de confiance avec 10 % d'erreurs pour la proportion de personnes qui affirment s'intéresser fortement (niveau de réponse 5) est calculé comme suit :

$$IC_{1-0,10}(\pi_5) = 0,167 \pm 1,64\sqrt{\frac{0,167(1-0,167)}{60}} = [8,8\,\%,\ 24,6\,\%]$$

Ce dernier signifie que nous sommes certains avec 90 % de chances que le pourcentage de personnes dans la population qui seraient très fortement intéressées à la police d'assurance soit compris entre 8,8 % et 24,6 %.

Notons à ce stade-ci que, dans le cas des proportions, le calcul de l'intervalle de confiance ne peut être obtenu directement sur *SPSS* sous *Windows V.12.0*, il devra alors être calculé selon la formule présentée ci-dessus.

2.6.4

LES TESTS D'HYPOTHÈSES

Une hypothèse statistique est une supposition ou un énoncé, qui peut être vrai ou non, concernant une ou plusieurs populations. En général, la technique consiste à sélectionner un échantillon aléatoire de la population pour calculer une statistique (ex. : moyenne, proportion, etc.), qui est en relation avec l'hypothèse. On calcule la probabilité d'obtenir la valeur observée pour la statistique en question si l'hypothèse est vraie. Si la probabilité est trop faible, on rejette l'hypothèse, sinon on l'accepte.

Lorsque l'on tire la conclusion d'accepter l'hypothèse, souvent appelée H_0 (ou hypothèse nulle), cela n'implique pas que l'on ait prouvé que H_0 est vraie, mais plutôt que les données recueillies ne permettent pas d'indiquer que l'hypothèse H_0 soit fausse.

Notons que le rejet de H_0, conduit à l'acceptation d'une hypothèse alternative, souvent appelée H_1 et qu'à une hypothèse nulle peuvent correspondre plusieurs hypothèses alternatives. C'est à l'analyste de préciser celle qu'il veut tester.

Sans entrer dans les détails statistiques[3], voyons dans ce qui suit, trois tests d'hypothèses souvent utiles dans la plupart des études de marché en marketing : le test sur la moyenne, le test sur la proportion et le test de représentativité de l'échantillon.

- Test d'inférence dans le cas d'une moyenne :

Dans ce cas, on veut tester si la moyenne réelle dans la population, en relation avec un phénomène noté μ_i, est égale ou non à une valeur donnée, notée μ_0. Il s'agit alors de sélectionner un échantillon aléatoire de taille n, de mesurer la moyenne du phénomène en question dans l'échantillon, notée $\bar{x}_0$, et de fixer un niveau de signification statistique ou de marge d'erreur de généralisation, noté α. Les tests se dérouleront en quatre étapes.

- **1re étape** : fixer les hypothèses.

  H_0: hypothèse nulle, $\mu = \mu_0$.

  H_1: hypothèse alternative, trois possibilités, $\mu \neq \mu_0$, $\mu > \mu_0$, $\mu < \mu_0$.

- **2e étape** : calculer les statistiques reliées au test et la probabilité qui lui est associée. La statistique est $z_0 = (\bar{x} - \mu_0) / (\sigma / \sqrt{n})$, qui suit la loi normale $N(0, \sigma / \sqrt{n})$. La valeur de la probabilité associée est $p(z_0)$ et elle est obtenue par la table de la loi normale. Notons que cette probabilité pourrait être interprétée comme la probabilité de faire une erreur si on décide de rejeter H_0. σ étant la variance de la population pour le phénomène mesuré.

- **3e étape** : fixer une marge d'erreur tolérable ou un seuil de signification statistique (α).

- **4e étape** : règle de décision pour rejeter ou non H_0. Dans ce cas, la décision de rejeter H_0 va dépendre de l'hypothèse alternative choisie par l'analyste.

1er cas : si H_1 : $\mu > \mu 0$, la décision serait de rejeter H_0 si $z_\alpha > (\bar{x} - \mu_0) / (\sigma / \sqrt{n})$, ou si $p[(\bar{x} - \mu_0) / (\sigma / \sqrt{n})] < \alpha$.

2e cas : si H_1 : $\mu < \mu_0$, la décision serait de rejeter H_0 si $z_\alpha < (\bar{x} - \mu_0) / (\sigma / \sqrt{n})$, ou si $p[(\bar{x} - \mu_0) / (\sigma / \sqrt{n})] < \alpha$.

3e cas : si H_1 : $\mu \neq \mu_0$, la décision serait de rejeter H_0 si $z_{\alpha/2} > (\bar{x} - \mu_0) / (\sigma / \sqrt{n})$, ou si $z_{\alpha/2} < (\bar{x} - \mu_0) / (\sigma / \sqrt{n})$, ou $p[(\bar{x} - \mu_0) / (\sigma / \sqrt{n})] < \alpha$.

---

3. Pour plus de détails sur les tests d'hypothèse, le lecteur peut consulter Martel et Nadeau (1988).

Dans la majorité des études de marché, la variance dans la population sur le phénomène mesuré est inconnue, ce qui nous amène à ajuster ce test en utilisant à la place de la loi normale, la loi de Student.

Les étapes du test restent les mêmes, seul le calcul de la statistique, au niveau de la deuxième étape et la règle de décision seront ajustés.

- **1re étape** : fixer les hypothèses.

  H_0 : hypothèse nulle, $\mu = \mu_0$.

  H_1 : hypothèse alternative, trois possibilités, $\mu < \mu_0$ (1er cas), ou $\mu > \mu_0$ (2e cas), ou $\mu \# \mu_0$.

- **2e étape** : on calcule d'abord la statistique t_0, avec $t_0 = (\bar{x} - \mu_0) / (\sigma / \sqrt{n})$, qui suit la loi de Student, avec (n-1) degrés de liberté. La valeur de la probabilité associée est $p(t_0)$ et elle est obtenue par la table de Student, avec s = la variance du phénomène mesuré dans l'échantillon.

- **3e étape** : fixer une marge d'erreur tolérable ou un seuil de signification statistique (α).

- **4e étape** : règle de décision pour rejeter ou non H_0.

1er cas : si H_1 : $\mu > \mu_0$, la décision serait de rejeter H_0 si $t_{\alpha, n-1} > (\bar{x} - \mu_0) / (s / \sqrt{n})$, ou si $p (\bar{x} - \mu_0) / (s / \sqrt{n}) > \alpha$.

2e cas : si H_1 : $\mu < \mu_0$, la décision serait de rejeter H_0 si $t_{\alpha, n-1} < (\bar{x} - \mu_0) / (s / \sqrt{n})$, ou si $p (\bar{x} - \mu_0) / (s / \sqrt{n}) > \alpha$.

3e cas : si H_1 : $\mu \# \mu_0$, la décision serait de rejeter H_0 si $t_{\alpha/2, n-1} > (\bar{x} - \mu_0) / (s / \sqrt{n})$, ou si $t_{a/2, n-1} < (\bar{x} - \mu_0) / (s / \sqrt{n})$, ou $p (\bar{x} - \mu_0) / (s / \sqrt{n}) > \alpha$.

À titre d'exemple et en prenant le cas de l'étude sur la nouvelle police d'assurance, supposons que l'idée d'un spécialiste est que l'intérêt vis-à-vis de ce nouveau produit sera moyen, ce qui équivaut à une valeur de 3 sur notre questionnaire. Peut-on inférer cette hypothèse ?

Étant donné que l'on ne dispose d'aucune information sur la population, c'est la loi de Student qui sera utilisée. Le test s'écrit alors de façon suivante.

- **1re étape** : fixer les hypothèses.

  H_0 : m = 3

  H_1 : m \# 3

- **2e étape** : calculer la statistique et la probabilité qui lui est associée.

  Selon le tableau 2.8, $t_0 = 0{,}704$ et $p(t_0) = 0{,}382$.

- **3ᵉ étape :** fixer le seuil de signification statistique, $\alpha = {,}05$.

- **4ᵉ étape :** on accepte H_0, car $p(t_0) > 0$.

L'hypothèse H_0 ne peut donc être rejetée et l'affirmation du spécialiste selon laquelle l'intérêt de la population vis-à-vis de la nouvelle police est moyen est donc vraie.

Tableaux 2.8

One-Sample Statistics

	N	Mean	Std. Deviation	Std. Error Mean
Intérêt vis-à-vis de la police d'assurance	60	3,07	1,35	,17

One-Sample Test

	Test Value = 0				95 % Confidence Interval of the Difference	
	t	df	Sig. (2-tailed)	Mean Difference	Lower	Upper
Intérêt vis-à-vis de la police d'assurance	,382	59	,704	6,67E-02	–,28	,42

<u>NB</u> : Sur *SPSS V.12.0*, pour obtenir un test d'hypothèse sur la moyenne, faire :

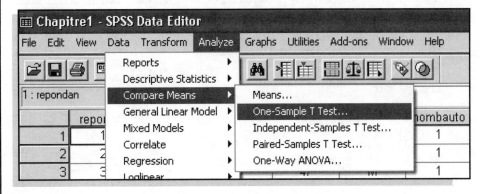

Dans le menu «*One-sample T Test*», entrer dans l'espace «*Test Variable(s)*» la ou les variables à analyser, définir la valeur de la moyenne par rapport à laquelle le test sera effectué et le résultat sera automatiquement donné avec une marge d'erreur choisie par défaut de 5 % ($1-\alpha = 95\%$). Pour changer cette marge, cliquer sur «*Options*», aller dans «*Confidence Interval*» et modifier le chiffre retenu par défaut (voir annexe 2, fenêtres 2.5 et 2.6).

• Test d'inférence dans le cas d'une proportion :

Dans ce cas, on veut tester si la proportion réelle d'un phénomène dans la population, noté π_j, est égale ou non à une valeur donnée, notée π_0. Il s'agit alors de sélectionner un échantillon aléatoire de taille n, de mesurer la proportion du phénomène en question dans l'échantillon, notée π_0, et de fixer un niveau de signification statistique ou de marge d'erreur de généralisation, noté α. Le test se déroule en quatre étapes.

• **1ʳᵉ étape** : fixer les hypothèses.

H_0 : hypothèse nulle, $\pi_j = \pi_0$.

H_1 : hypothèse alternative, trois possibilités, $\pi_j \# \pi_0$, $\pi_j > \pi_0$, $\pi_j < \pi_0$.

• **2ᵉ étape** : calculer les statistiques reliées au test et la probabilité qui lui est associée. La statistique est

$$z_0 = \frac{p_j - \pi_0}{\sqrt{\dfrac{\pi_0\left(1 - \pi_0\right)}{n}}}$$

Cette statistique suit la loi normale et la valeur de la probabilité associée (notée $p(z_0)$), est obtenue par la table de la loi normale. Notons que cette probabilité pourrait être interprétée comme la probabilité de faire une erreur si on décide de rejeter H_0.

• **3ᵉ étape** : fixer une marge d'erreur tolérable ou un seuil de signification statistique (α).

• **4ᵉ étape** : règle de décision pour rejeter ou non H_0. Dans ce cas, la décision de rejeter H_0 va dépendre de l'hypothèse alternative choisie par l'analyste.

1ᵉʳ cas : si H_1 : $\pi_j > \pi_0$, la décision serait de rejeter H_0 si $z_\alpha > z_0$, ou si $p\,[z_0] < \alpha$.

2ᵉ cas : si H_1 : $\pi_j < \pi_0$, la décision serait de rejeter H_0 si $z_\alpha < z_0$, ou si $p\,[z_0] < \alpha$.

3ᵉ cas : si H_1 : $\pi_j \# \pi_0$, la décision serait de rejeter H_0 si $z_{\alpha/2} > z_0$ ou si $z_{\alpha/2} < z_0$, ou $p\,[z_0] < \alpha$.

À titre d'exemple et en prenant le cas de l'étude sur la nouvelle police d'assurance, supposons que l'idée d'un spécialiste est que le pourcentage de personnes dans la population qui s'intéresseraient très fortement à la police d'assurance (niveau 5 de l'échelle de mesure dans le questionnaire) dépasserait 20 %. Peut-on inférer cette hypothèse ?

Le test s'écrit alors de façon suivante.

- **1re étape** : fixer les hypothèses.

$H_0 : \pi_5 = 0,20$

$H_1 : \pi_5 > 0,20$

- **2e étape** : calculer la statistique z_0 et la probabilité qui lui est associée.

$$z_0 = \frac{0,167 - 0,20}{\sqrt{\dfrac{0,20\left(1 - 0,20\right)}{60}}} = 0,63$$

Par la table de la loi normale la valeur associée à z_0 (0,67) est 0,25.

- **3e étape** : fixer le seuil de signification statistique, $\alpha = 0,05$.

- **4e étape** : on accepte H_0, car $p(t_0) > 0$.

L'hypothèse H_1 ne peut donc être retenue et l'affirmation du spécialiste selon laquelle le pourcentage de personnes dans la population qui s'intéresseraient très fortement à la police d'assurance (niveau 5 de l'échelle de mesure dans le questionnaire) dépasserait 20 %, est à rejeter. Notons encore une fois que, dans le cas des proportions, le test d'inférence ne peut pas être obtenu directement sur *SPSS* sous *Windows V.12.0*, il devrait alors être calculé selon les étapes présentées ci-dessus.

- Test sur la représentativité de l'échantillon du khi-deux univarié :

Dans ce cas, on veut tester si l'échantillon retenu dans le cadre de l'étude empirique est représentatif de la population cible. Pour mesurer la représentativité, on se basera sur les données de la population cible obtenues généralement à partir des données secondaires. Il s'agit alors de voir si la structure de l'échantillon est comparable à celle de la population sur certaines variables discrètes prises une à la fois. Cette phase est nécessaire pour que l'analyste puisse généraliser sans problème à l'ensemble de la population, ce qu'il observe au niveau de l'échantillon. L'absence de représentativité de l'échantillon rend inutile tout effort de généralisation de la part de l'analyste.

Considérons que l'analyste dispose de la structure de la population sur une variable discrète donnée x à r catégories ($j = 1,….,r$), avec des fréquences brutes relatives p_j. Supposons que sur la même variable x l'échantillon retenu présente les fréquences relatives p_j. Le test de représentativité consiste donc à vérifier si les fréquences obtenues au niveau de l'échantillon sont globalement comparables à celles qui existent au niveau de la population. Les données de la population et celles de l'échantillon peuvent alors être résumées dans le tableau 2.9.

Tableau 2.9

Catégories de la variable x	Données de l'échantillon	Données de la population	Total des lignes
1	$f_1 = n * p_1.$	$f'_1 = n * p'_1.$	$f''_1 = f_1 + f'_1$
$\vdots$			
j	$f_j = n * p_j.$	$f'_j = n * p'_j.$	$f''_j = f_j + f'_j$
$\vdots$			
r	$f_r = n * p_r.$	$f'_r = n * p'_r.$	$f''_r = f_r + f'_r$
Total des colonnes	n	n	$2n$

avec

f_j ($j = 1,..,r$), les fréquences observées au niveau de l'échantillon pour les r catégories de la variable x ;

f'_j ($j = 1,..,r$), les fréquences que l'on aurait observées au niveau de l'échantillon pour les r catégories de la variable x si la structure de l'échantillon est la même que la structure de la population ;

f''_j ($j = 1,..,r$), la sommation des fréquences f_j et f'_j pour les r catégories de la variable x.

Le test de représentativité, appelé aussi test du khi-deux univarié se déroule alors en quatre étapes.

- **1ʳᵉ étape** : fixer les hypothèses.

  H_0 : hypothèse nulle, la structure de l'échantillon est la même que celle de la population cible, l'échantillon est donc représentatif.

  H_1 : hypothèse alternative, la structure de l'échantillon n'est pas la même que celle de la population cible, l'échantillon n'est donc pas représentatif.

- **2ᵉ étape** : calculer la statistique reliée au test et la probabilité qui lui est associée. La statistique est

$$x_0^2 = \sum_{j=1}^{r} \frac{\left(f_j - fe_j\right)^2}{fe_j} + \sum_{j=1}^{r} \frac{\left(f'_j - fe_j\right)^2}{fe_j}$$

avec

f_j, les fréquences brutes observées dans l'échantillon pour les r catégories de la variable x ;

f'_j, les fréquences brutes que l'on aurait observées dans l'échantillon si celui-ci était représentatif de la population pour les r catégories de la variable x ;

$fe_j = \dfrac{f''_j * n}{2n}$, les fréquences brutes théoriques pour les r catégories de la variable x.

Cette statistique suit une loi du khi-deux avec (r-1) degrés de liberté. La probabilité associée à cette statistique ($p(\chi^2_0)$) est donc obtenue à partir de la table de la loi en question. Notons que cette probabilité pourrait être interprétée comme la probabilité de faire une erreur si on décide de rejeter H_0.

- **3e étape**: fixer une marge d'erreur tolérable ou un seuil de signification statistique (α).

- **4e étape**: règle de décision pour rejeter ou non H_0.

  Il s'agit de rejeter H_0 si: $\chi_0 > \chi_\alpha(r-1)$

  ou si: $p(\chi_0) < \alpha$.

  Une probabilité supérieure au seuil de signification statistique α signifie pour nous que l'échantillon retenu est représentatif sur la variable test.

À titre d'exemple et en prenant le cas de l'étude sur la nouvelle police d'assurance, supposons que, selon les données internes de la compagnie, 35 % des personnes de la population cible soient célibataires et 65 % soient mariées. Les données de l'échantillon et celles de la population sont résumées dans le tableau 2.10.

Tableau 2.10

Catégories de la variable	Données de l'échantillon	Données de la population	Total des lignes
Célibataires	19 = 60*0,317	21 = 60*0,35	40
Mariées	41 = 60*0,683	39 = 60*0,65	80
Total des colonnes	60	60	120

Le test de représentativité de l'échantillon sur la variable *état civil* s'écrit alors de façon suivante.

H_0: la structure de l'échantillon est la même que celle de la population cible sur la variable *état civil*, l'échantillon est donc représentatif.

H_1: la structure de l'échantillon n'est pas la même que celle de la population cible sur la variable *état civil*, l'échantillon n'est donc pas représentatif.

La valeur de la statistique obtenue selon la formule mentionnée ci-dessus est de 0,02. Cette statistique suit une loi du khi-deux avec un (2-1) degré de liberté. La probabilité associée à cette statistique ($p(\chi^2_0)$) obtenue à partir de la table de la loi en question est de loin supérieure à 0,10.

Avec un seuil de signification statistique de 5 % on ne peut donc rejeter H_0. Sur la base de la variable *état civil*, l'échantillon de l'étude est donc représentatif de la population. Notons encore une fois que, pour vérifier la représentativité de l'échantillon, le test d'inférence ne peut pas être obtenu directement sur *SPSS* sous *Windows V.12.0*. Dans ce cas, l'analyste doit procéder en suivant les étapes mentionnées ci-dessus.

ANNEXE *2*

COMMANDES DE SPSS
SOUS WINDOWS V.12.0
POUR LES ANALYSES
UNIVARIÉES

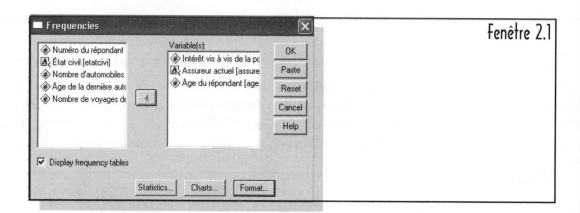

Fenêtre 2.1

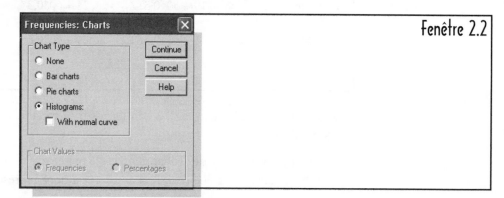

Fenêtre 2.2

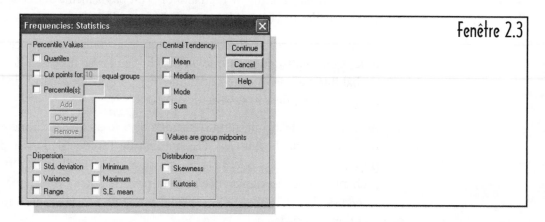

Fenêtre 2.3

Fenêtre 2.4

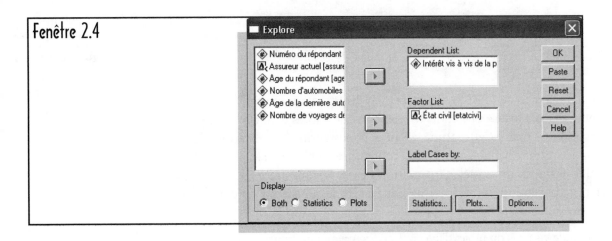

Fenêtre 2.5

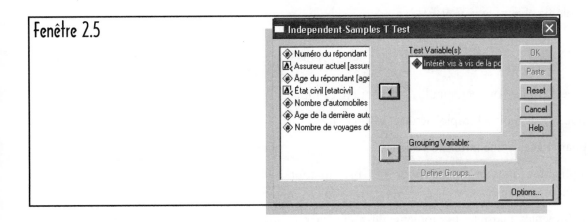

Fenêtre 2.6

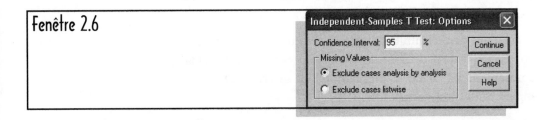

Lors de la conférence de l'AZLEA à Québec en 2001, une importante firme de sondage au Canada a réalisé une enquête téléphonique auprès d'un échantillon de 1636 personnes actives. Cette étude visait à comprendre l'implication de la population active canadienne dans la vie économique internationale, à connaître leur attitude vis-à-vis du projet d'intégration des Amériques et à identifier les déterminants de cette implication et de cette attitude. Plusieurs données sont collectées, notamment :

- l'attitude vis-à-vis du projet d'intégration des Amériques (pour/contre/indécis) ;

- l'âge du répondant ;

- le nombre d'années de scolarité complétées ;

- le diplôme obtenu le plus élevé ;

- le sexe du répondant ;

- le salaire actuel ;

- le type d'emploi (ouvrier, employé de soutien, cadre) ;

- le nombre de mois à l'emploi actuel ;

- l'appartenance à une minorité visible ;

- l'implication dans la vie politique (1 : pas du tout impliqué, 7 : très fortement impliqué).

Les tableaux présentés à la suite du problème illustrent les statistiques descriptives relatives à chacune des variables mesurées.

1. Préciser, pour chacune des variables, la nature de l'échelle de mesure utilisée.

2. En utilisant le logiciel *SPSS* sous *Windows*, décrire l'échantillon des 1636 répondants sur chacune des variables mesurées dans la base de données.

3. Vérifier la représentativité de l'échantillon utilisé. Noter que, selon les données globales de la population (source de données secondaire : Statistique Canada), les femmes représentent 52 % de la population, les ouvriers 78 %, les employés de soutien 8 % et les cadres 14 %.

4. Fournir des réponses et des recommandations aux responsables canadiens impliqués dans ce projet d'intégration.

Tableau 2.1.1 a

Attitudes vis-à-vis du projet de l'AZLEA

		Frequency	Percent	Valid Percent	Cumulative Percent
Valid	Contre	450	27,5	27,5	27,5
	Sans opinion	278	17,0	17,0	44,5
	Pour	908	55,5	55,5	100,0
	Total	1636	100,0	100,0	

Tableau 2.1.1 b

Statistics
Attitudes vis-à-vis du projet de l'azlea

N	Valid	1636
	Missing	0

Tableau 2.1.2 a

Âge du répondant

		Frequency	Percent	Valid Percent	Cumulative Percent
Valid	22	13	,8	,8	,8
	23	27	1,7	1,7	2,4
	24	24	1,5	1,5	3,9
	25	32	2,0	2,0	5,9
	26	28	1,7	1,7	7,6
	27	24	1,5	1,5	9,0
	28	31	1,9	1,9	10,9
	29	27	1,7	1,7	12,6
	30	33	2,0	2,0	14,6
	31	36	2,2	2,2	16,8
	32	37	2,3	2,3	19,1
	33	37	2,3	2,3	21,3
	34	40	2,4	2,4	23,8
	35	32	2,0	2,0	25,7
	36	42	2,6	2,6	28,3
	37	44	2,7	2,7	31,0
	38	49	3,0	3,0	34,0
	39	29	1,8	1,8	35,8
	40	45	2,8	2,8	38,5
	41	35	2,1	2,1	40,6
	42	36	2,2	2,2	42,8
	43	46	2,8	2,8	45,7
	44	30	1,8	1,8	47,5
	45	36	2,2	2,2	49,7
	46	39	2,4	2,4	52,1
	47	36	2,2	2,2	54,3
	48	48	2,9	2,9	57,2
	49	46	2,8	2,8	60,0
	50	36	2,2	2,2	62,2
	51	28	1,7	1,7	63,9
	52	25	1,5	1,5	65,5
	53	39	2,4	2,4	67,8
	54	27	1,7	1,7	69,5
	55	18	1,1	1,1	70,6
	56	29	1,8	1,8	72,4
	57	20	1,2	1,2	73,6
	58	16	1,0	1,0	74,6
	59	21	1,3	1,3	75,9
	60	19	1,2	1,2	77,0
	61	17	1,0	1,0	78,1
	62	25	1,5	1,5	79,6
	63	16	1,0	1,0	80,6
	64	15	,9	,9	81,5
	65	19	1,2	1,2	82,6
	66	16	1,0	1,0	83,6
	67	15	,9	,9	84,5
	68	24	1,5	1,5	86,0
	69	21	1,3	1,3	87,3
	70	24	1,5	1,5	88,8
	71	9	,6	,6	89,3
	72	21	1,3	1,3	90,6
	73	11	,7	,7	91,3
	74	16	1,0	1,0	92,2
	75	11	,7	,7	92,9
	76	13	,8	,8	93,7
	77	15	,9	,9	94,6
	78	12	,7	,7	95,4
	79	10	,6	,6	96,0
	80	9	,6	,6	96,5
	81	5	,3	,3	96,8
	82	8	,5	,5	97,3
	83	7	,4	,4	97,7
	84	8	,5	,5	98,2
	85	3	,2	,2	98,4
	86	6	,4	,4	98,8
	87	4	,2	,2	99,0
	88	6	,4	,4	99,4
	89	10	,6	,6	100,0
	Total	1636	100,0	100,0	

Statistics
Âge du répondant

Tableau 2.1.2 b

N	Valid	1636
	Missing	0
Mean		47,84
Median		46,00
Mode		38
Std. Deviation		16,24
Variance		263,71
Minimum		22
Maximum		89

Nombre d'années d'études complétées

Tableau 2.1.3 a

		Frequency	Percent	Valid Percent	Cumulative Percent
	3	3	,2	,2	,2
	4	1	,1	,1	,2
	5	4	,2	,2	,5
	6	7	,4	,4	,9
	7	10	,6	,6	1,5
	8	32	2,0	2,0	3,5
	9	26	1,6	1,6	5,1
	10	45	2,8	2,8	7,8
	11	58	3,5	3,5	11,4
	12	415	25,4	25,4	36,8
	13	155	9,5	9,5	46,3
	14	205	12,5	12,5	58,8
	15	108	6,6	6,6	65,4
	16	290	17,7	17,7	83,2
	17	84	5,1	5,1	88,3
	18	98	6,0	6,0	94,3
	19	27	1,7	1,7	96,0
	20	66	4,0	4,0	100,0
	Total	1634	99,9	100,0	
Missing	98	2	,1		
Total		1636	100,0		

Statistics
Nombre d'années d'études complétées

Tableau 2.1.3 b

N	Valid	1634
	Missing	2
Mean		14,00
Median		14,00
Mode		12

Tableau 2.1.4 a

Le diplôme obtenu le plus élevé

		Frequency	Percent	Valid Percent	Cumulative Percent
Valid	It high school	165	10,1	10,1	10,1
	High school	827	50,6	50,6	60,6
	Junior college	117	7,2	7,2	67,8
	Bachelor	349	21,3	21,3	89,1
	Graduate degree	178	10,9	10,9	100,0
	Total	1636	100,0	100,0	

Tableau 2.1.4 b

Statistics
Le diplôme obtenu le plus élevé

N	Valid	1636
	Missing	0
Median		1,00
Mode		1

Tableau 2.1.5 a

Sexe du répondant

		Frequency	Percent	Valid Percent	Cumulative Percent
Valid	Masculin	637	38,9	38,9	38,9
	Féminin	999	61,1	61,1	100,0
	Total	1636	100,0	100,0	

Tableau 2.1.5 b

Statistics
Sexe du répondant

N	Valid	1636
	Missing	0
Mode		2

Tableau 2.1.6 a

Catégorie d'emploi

		Frequency	Percent	Valid Percent	Cumulative Percent
Valid	Ouvrier	1294	79,1	79,1	79,1
	Employé de soutien	99	6,1	6,1	85,1
	Cadre	243	14,9	14,9	100,0
	Total	1636	100,0	100,0	

Statistics
Catégorie d'emploi

Tableau 2.1.6 b

N	Valid	1636
	Missing	0
Median		1,00
Mode		1

Salaire personnel actuel net

Tableau 2.1.7.a

	Frequency	Percent	Valid Percent	Cumulative Percent
15750	4	,2	,2	,2
15900	4	,2	,2	,5
16200	11	,7	,7	1,2
16350	4	,2	,2	1,4
16500	4	,2	,2	1,7
16650	4	,2	,2	1,9
16800	3	,2	,2	2,1
16950	11	,7	,7	2,8
17100	7	,4	,4	3,2
17250	3	,2	,2	3,4
17400	7	,4	,4	3,8
17700	4	,2	,2	4,0
18150	6	,4	,4	4,4
18450	3	,2	,2	4,6
18750	3	,2	,2	4,8
19200	8	,5	,5	5,3
19650	21	1,3	1,3	6,5
19800	3	,2	,2	6,7
19950	7	,4	,4	7,2
20100	6	,4	,4	7,5
20400	11	,7	,7	8,2
20550	3	,2	,2	8,4
20700	6	,4	,4	8,7
20850	17	1,0	1,0	9,8
21000	8	,5	,5	10,3
21150	8	,5	,5	10,8
21300	15	,9	,9	11,7
21450	10	,6	,6	12,3
21600	10	,6	,6	12,9
21750	10	,6	,6	13,5
21900	18	1,1	1,1	14,6
22050	15	,9	,9	15,5
22200	10	,6	,6	16,1
22350	23	1,4	1,4	17,5
22500	25	1,5	1,5	19,1
22650	8	,5	,5	19,6
22800	7	,4	,4	20,0
22950	16	1,0	1,0	21,0
23100	15	,9	,9	21,9
23250	8	,5	,5	22,4
23400	14	,9	,9	23,2
23550	8	,5	,5	23,7
23700	8	,5	,5	24,2
23850	7	,4	,4	24,6
24000	26	1,6	1,6	26,2
24150	15	,9	,9	27,1
24300	15	,9	,9	28,1
24450	28	1,7	1,7	29,8
24600	8	,5	,5	30,3
24750	14	,9	,9	31,1
24900	4	,2	,2	31,4
25050	14	,9	,9	32,2
25200	15	,9	,9	33,1
25350	7	,4	,4	33,6
25500	14	,9	,9	34,4
25650	8	,5	,5	34,9
25800	7	,4	,4	35,3
25950	14	,9	,9	36,2
26100	7	,4	,4	36,6
26250	26	1,6	1,6	38,2
26400	13	,8	,8	39,0
26550	19	1,2	1,2	40,2
26700	27	1,7	1,7	41,9
26850	8	,5	,5	42,3
27000	9	,6	,6	42,9
27150	8	,5	,5	43,3
27300	18	1,1	1,1	44,4
27450	17	1,0	1,0	45,5
27600	7	,4	,4	45,9
27750	25	1,5	1,5	47,4
27900	13	,8	,8	48,2
28050	12	,7	,7	49,0
28200	3	,2	,2	49,1
28350	9	,6	,6	49,7
28500	21	1,3	1,3	51,0
28650	3	,2	,2	51,2
28800	6	,4	,4	51,5
28950	3	,2	,2	51,7
29100	19	1,2	1,2	52,9
29160	3	,2	,2	53,1
29250	7	,4	,4	53,5
29340	3	,2	,2	53,7
29400	16	1,0	1,0	54,6
29550	4	,2	,2	54,9
29700	3	,2	,2	55,1
29850	14	,9	,9	55,9
30000	19	1,2	1,2	57,1
30150	8	,5	,5	57,6
30270	4	,2	,2	57,8
30300	15	,9	,9	58,7
30450	4	,2	,2	59,0
30600	9	,6	,6	59,5
30750	45	2,8	2,8	62,3
30900	10	,6	,6	62,9
31050	4	,2	,2	63,1
31200	10	,6	,6	63,8
31350	12	,7	,7	64,5
31500	10	,6	,6	65,1
31650	14	,9	,9	66,0
31950	15	,9	,9	66,9
32100	4	,2	,2	67,1
...	...	...	...	...
32550	10	,6	,6	67,9
32850	3	,2	,2	68,1
33000	4	,2	,2	68,3
33150	3	,2	,2	68,5

Tableau 2.1.7 b

Statistics
Salaire personnel actuel net

N	Valid	1636
	Missing	0
Mode		2
Mean		33155,69
Median		28500,00
Mode		30750
Std. Deviation		15611,66
Variance		2,4E+08
Minimum		15750
Maximum		135000

Tableau 2.1.8 a

Le nombre de mois à l'emploi actuel

		Frequency	Percent	Valid Percent	Cumulative Percent
Valid	63	11	,7	,7	,7
	64	28	1,7	1,7	2,4
	65	46	2,8	2,8	5,2
	66	62	3,8	3,8	9,0
	67	53	3,2	3,2	12,2
	68	31	1,9	1,9	14,1
	69	75	4,6	4,6	18,7
	70	44	2,7	2,7	21,4
	71	11	,7	,7	22,1
	72	49	3,0	3,0	25,1
	73	42	2,6	2,6	27,2
	74	29	1,8	1,8	29,4
	75	25	1,5	1,5	30,9
	76	36	2,2	2,2	33,1
	77	45	2,8	2,8	35,9
	78	76	4,6	4,6	40,5
	79	48	2,9	2,9	43,5
	80	51	3,1	3,1	46,6
	81	83	5,1	5,1	51,7
	82	54	3,3	3,3	55,0
	83	63	3,9	3,9	58,8
	84	51	3,1	3,1	61,9
	85	33	2,0	2,0	63,9
	86	42	2,6	2,6	66,5
	87	42	2,6	2,6	69,1
	88	46	2,8	2,8	71,9
	89	23	1,4	1,4	73,3
	90	54	3,3	3,3	76,6
	91	40	2,4	2,4	79,0
	92	52	3,2	3,2	82,2
	93	80	4,9	4,9	87,1
	94	48	2,9	2,9	90,0
	95	21	1,3	1,3	91,3
	96	55	3,4	3,4	94,7
	97	39	2,4	2,4	97,1
	98	48	2,9	2,9	100,0
	Total	1636	100,0	100,0	

Statistics
Le nombre de mois à l'emploi actuel

Tableau 2.1.8 b

N	Valid	1636
	Missing	0
Mean		81,12
Median		81,00
Mode		81
Std. Deviation		10,01
Variance		100,28
Minimum		63
Maximum		98

Appartenance à une minorité visible

Tableau 2.1.9 a

		Frequency	Percent	Valid Percent	Cumulative Percent
Valid	Oui	1159	70,8	70,8	70,8
	Non	477	29,2	29,2	100,0
	Total	1636	100,0	100,0	

Statistics
Appartenance à une minorité visible

Tableau 2.1.9 b

N	Valid	1636
	Missing	0

Implication dans la vie économique et internationale

Tableau 2.1.10 a

		Frequency	Percent	Valid Percent	Cumulative Percent
Valid	Pas du tout impliqué	1580	35,5	35,6	35,6
	2	148	9,0	9,1	44,7
	3	361	22,1	22,1	66,8
	4	204	12,5	12,5	79,3
	5	113	6,9	6,9	86,3
	6	147	9,0	9,0	95,3
	Très fortement impliqué	77	4,7	4,7	100,0
	Total	1630	99,6	100,0	
Missing	System	6	,4		
Total		1536	100		

Statistics
Implication dans la vie économique et internationale

Tableau 2.1.10 b

N	Valid	1630
	Missing	6
Mean		2,92
Median		3,00
Mode		1
Std. Deviation		1,87
Variance		13,48

Chapitre 3

L'ANALYSE DES TABLEAUX CROISÉS

3.1

INTRODUCTION AUX ANALYSES ASSOCIATIVES

Dans les études de marché en marketing, le travail d'analyse ne se limite généralement pas à la simple description de l'échantillon sur des variables séparées en utilisant des techniques simples comme les tableaux de fréquences, les mesures de tendance centrale, les mesures de dispersion et les tableaux de boîte en moustache. L'analyste en marketing ne se cantonne pas non plus à la généralisation de ces observations à l'ensemble de la population à l'aide d'intervalles de confiance ou de tests d'inférence. Dans toute étude de marché, les questions de recherche dépassent souvent les limites de ce cadre en cherchant à expliquer le phénomène de base étudié. Il s'agit notamment de trouver les variables qui affectent ce dernier et auxquelles il pourrait être associé par des liens de nature et d'intensité variables. D'où la nécessité de passer au deuxième palier d'analyse des données quantitatives, celui des techniques associatives.

À titre d'exemple, dans l'étude concernant l'adoption de la nouvelle police d'assurance de Desjardins, l'analyste ne cherchera pas seulement à savoir si l'intérêt de la population est faible, moyen ou élevé, s'il y a peu ou beaucoup de personnes intéressées et si l'échantillon est représentatif ou non de la population sur des variables sociodémographiques comme l'état civil, l'âge ou le nombre de voitures possédées, etc. Encore faut-il qu'il puisse expliquer les variations de l'intérêt dans l'échantillon et la population à l'aide de ces mêmes variables sociodémographiques. Dans cette démarche, il s'agit entre autres de bien répondre à la deuxième question de recherche qui consiste à identifier le profil de ceux qui s'intéressent à la nouvelle police d'assurance et le profil de ceux qui s'y intéressent moins ou pas du tout. Dans un objectif de segmentation de marché, il serait important pour Desjardins d'identifier les variables qui influencent l'intérêt des individus, la nature de ces influences, leur généralisation à l'ensemble de la population et leur intensité.

Dans les chapitres 3, 4, 5 et 6, nous allons concentrer notre analyse sur les techniques d'association bivariées, dont le modèle global s'écrit comme suit :

$$y = f(x)$$

avec

y, variable dépendante ou variable à expliquer ;

x, variable indépendante ou variable explicative.

Pour l'analyse en marketing, l'utilité de ce type de technique est toujours de comprendre, d'expliquer et de prédire un phénomène particulier (noté y) dans notre modèle et qui pourrait être l'intérêt vis-à-vis d'un produit, les attitudes vis-à-vis d'une marque, les préférences envers un type de magasin, les ventes d'un magasin, etc. En ce sens, la théorie statistique offre une série de techniques bivariées, telles que les tableaux croisés, l'analyse de la variance à un seul facteur, la covariance, la corrélation, la régression linéaire simple et la régression logistique. À l'instar des techniques descriptives univariées, l'utilisation adéquate des techniques bivariées dépend aussi du type de variables (dépendantes ou indépendantes) impliquées dans l'analyse, notamment les échelles de mesure utilisées, qu'elles soient continues ou discrètes. Le tableau 3.1 résume les techniques statistiques recommandées en fonction des échelles de mesure associées aux variables dépendantes (y) et indépendantes (x).

Tableau 3.1

		Variable indépendante x	
		Discrète	Continue
Variable dépendante y	Discrète	Analyse des tableaux croisés (Chapitre 3)	Analyse de la régression logistique
	Continue	Analyse de variance à un seul facteur (Chapitre 4)	Analyses de : – covariance et corrélation (Chapitre 5) – régression linéaire simple (Chapitre 6)

Quatre situations existent.

- La première situation correspond à l'analyse d'une association pouvant exister entre deux variables discrètes. Par exemple, une association entre l'adoption d'un produit (y: oui, non) et l'état civil (x: marié, célibataire, veuf ou divorcé). La technique recommandée est l'analyse des tableaux croisés (*Crosstab*).

- La deuxième situation correspond à l'analyse d'une association pouvant exister entre une variable dépendante continue et une variable indépendante discrète. Par exemple, une association entre le chiffre d'affaires d'un magasin appartenant à une chaîne d'alimentation (y: ventes en dollars) et l'emplacement du magasin (x: Montréal, Québec, Sherbrooke). La technique recommandée est l'analyse de variance à un seul facteur (*One-Way ANOVA*).

- La troisième situation correspond à l'analyse d'une association pouvant exister entre deux variables continues. Par exemple, une association entre le chiffre d'affaires d'un magasin d'une chaîne d'alimentation (y: ventes en dollars) et le nombre de vendeurs employés (x: nombre de vendeurs). Plusieurs techniques existent, dont les analyses de la covariance, de la corrélation et de la régression linéaire simple.

- La quatrième situation correspond à l'analyse d'une association pouvant exister entre une variable dépendante discrète et une variable indépendante continue. À titre d'exemple, une association entre l'adoption d'un nouveau produit (y: oui, non) et l'âge des consommateurs (x: âge en nombre d'années). La technique recommandée est l'analyse de la régression logistique.

Du tableau 3.1, ressort clairement que la méthodologie des analyses associatives découle d'une logique similaire à celle des analyses univariées. Ainsi, nous remarquons d'abord que le type d'échelle de mesure des variables détermine les techniques d'analyse utilisées. Ensuite, les échelles de mesure continues offrent toujours une panoplie d'analyses plus variées que les échelles de mesure discrètes. D'autant plus que des transformations de variables continues en variables discrètes pourraient élargir encore plus le domaine d'analyse. Ainsi, dans le cas de deux variables continues, la transformation de la variable indépendante en variable catégorique permet l'utilisation de l'analyse de la variance à un seul facteur à coté des techniques déjà indiquées. Cependant, l'analyste en marketing ne doit jamais perdre de vue que ce type de transformation, bien qu'il simplifie les analyses, réduise assez souvent leur précision.

À la fin de cette introduction aux analyses associatives, il serait important de mentionner qu'indépendamment de la situation dans laquelle il se trouve, l'analyste suit toujours le même plan que l'on pourrait résumer en cinq étapes :

1. observer si l'association existe ou non dans l'échantillon et comprendre sa nature (c'est la phase d'estimation) ;

2. tester sa généralisation pour l'ensemble de la population (c'est la phase d'inférence) ;

3. déterminer son intensité pour identifier le facteur déterminant ;

4. faire des prédictions, si nécessaire ;

5. vérifier les conditions d'application de chaque technique pour s'assurer de la validité des résultats.

Notons qu'en raison du niveau de complexité visé, nous allons ignorer, dans le cadre de ce manuel, l'analyse de la régression logistique (situation 4 dans le tableau 3.1). Le lecteur pourra alors consulter d'autres références.

Dans la suite de ce chapitre, nous allons aborder la première situation, où l'analyse des tableaux croisés est celle qui sera recommandée.

3.2

ANALYSE DES TABLEAUX CROISÉS (ou de contingence)

3.2.1

INTRODUCTION

L'analyse des tableaux croisés est une technique d'analyse qui permet d'étudier la relation pouvant exister entre deux variables discrètes (nominales ou ordinales). Le modèle d'analyse s'écrit alors comme suit :

$$y = f(x)$$

avec

y, variable dépendante discrète à r catégories ;

x, variable indépendante discrète à k catégories.

Le tableau 3.2 présente quelques exemples de relations que le gestionnaire en marketing pourra étudier et qui nécessitent le recours aux analyses de tableaux croisés.

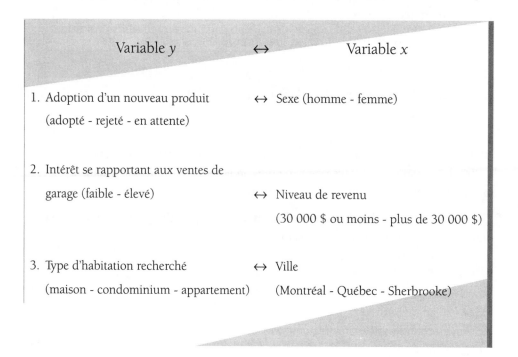

Variable y	$\leftrightarrow$	Variable x
1. Adoption d'un nouveau produit (adopté - rejeté - en attente)	$\leftrightarrow$	Sexe (homme - femme)
2. Intérêt se rapportant aux ventes de garage (faible - élevé)	$\leftrightarrow$	Niveau de revenu (30 000 $ ou moins - plus de 30 000 $)
3. Type d'habitation recherché (maison - condominium - appartement)	$\leftrightarrow$	Ville (Montréal - Québec - Sherbrooke)

Tableau 3.2

Notons à ce stade-ci, qu'une variable discrète peut provenir d'une transformation effectuée sur une variable mesurée initialement sur échelle continue, qu'elle soit d'intervalles ou de ratio.

3.2.2

EXEMPLE D'APPLICATION

Pour illustrer l'application de l'analyse des tableaux croisés en marketing, nous allons encore une fois nous référer à l'étude portant sur la nouvelle police d'assurance. Il s'agit des résultats d'une étude faite par une compagnie d'assurance, où l'on proposait une nouvelle police d'assurance automobile à un échantillon de personnes assurées auprès de différentes compagnies. On a mesuré l'intérêt pour la nouvelle police d'assurance avec une échelle de mesure de Likert à 5 points (1 : très peu intéressé, jusqu'à 5 : très intéressé). Il s'agit d'une échelle de mesure entrant dans la catégorie des échelles de mesure d'intervalles. On a aussi mesuré l'âge des répondants par une question où ceux-ci nous indiquaient directement leur âge, donc une variable de mesure de rapports. Puis, on leur a demandé leur état civil et leur assureur actuel, donc 2 variables de mesures nominales, plus d'autres variables continues.

L'association que nous allons étudier est celle qui met en relation l'intérêt vis-à-vis de la police d'assurance à l'étude et l'état civil des répondants. Pour les besoins de notre analyse, nous avons effectué une transformation sur la variable *intérêt*, en créant une nouvelle variable discrète (*intérêt 1*) à deux catégories. Le niveau 1 traduit un intérêt moyen ou faible qui correspond aux réponses 1, 2 et 3 dans la mesure initiale de la variable *intérêt*. Le niveau 2 traduit un niveau élevé, qui correspond aux réponses 4 et 5. Les tableaux 3.3 et 3.4 présentent les résultats univariés de cette transformation et ceux de la variable dépendante *état civil*.

Tableau 3.3

Variable *intérêt* transformée

		Frequency	Percent	Valid Percent	Cumulative Percent
Valid	Faible	34	56,7	56,7	56,7
	Élevé	26	43,3	43,3	100,0
	Total	60	100,0	100,0	

Tableau 3.4

État civil

		Frequency	Percent	Valid Percent	Cumulative Percent
Valid	Célibataire	19	31,7	31,7	31,7
	Marié(e)	41	68,3	68,3	100,0
	Total	60	100,0	100,0	

Dans cet exemple, nous allons donc essayer de répondre aux quatre questions que nous retrouvons dans toute analyse bivariée.

1. Est-ce que cette relation existe au niveau des données de l'échantillon ?

2. Est-ce qu'on peut généraliser cela au niveau de l'ensemble de la population ?

3. Quelle est l'intensité de la relation, si elle existe ?

4. Quelles sont les mises en garde à faire ?

3.2.3

PRÉSENTATION DES DONNÉES ET ESTIMATION DE LA RELATION

Les données sont présentées sous forme d'un tableau appelé tableau croisé ou de contingence. Il contient une distribution jointe des fréquences (voir tableau 3.5). Ce sont les fréquences brutes (f_{ij}) et relatives en % (P_{ij}). On a aussi les fréquences marginales qui sont des sommes de fréquences d'une ligne (n_i) ou d'une colonne (n_j).

Tableau 3.5

		x			Total lignes
		l	. j .	k	
Y	l				
	. i .		f_{ij} p_{ij}		$n_{i.}$
	r				
	Total colonnes		n_j		n

Pour les besoins de l'analyse, nous recommandons de :

1. placer la variable dépendante sur les lignes et la variable indépendante sur les colonnes ;

2. calculer dans chaque cellule du tableau le pourcentage sur les colonnes $(p_{ij} = f_{ij}/n_{.j})$.

Le tableau 3.6 présente les résultats de notre exemple d'analyse de croisement entre les variables *intérêt* (faible ou élevé) et *état civil* (célibataire, marié).

Tableau 3.6

Variable Intérêt transformée * État civil *Crosstabulation*

			État civil		Total
			Célibataire	Marié(e)	
Variable Intérêt transformée	Faible	Count % within État civil	16 84,2 %	18 43.9 %	34 57,7 %
	Élevé	Count % within État civil	3 15,8 %	23 56,1 %	26 43,3 %
Total		Count % within État civil	19 100 %	41 100 %	80 100 %

Pour interpréter le tableau de contingences, on doit :

1. observer la distribution de fréquences de la variable dépendante au niveau de l'ensemble de l'échantillon (la colonne *Total*) ;

2. regarder si la distribution de fréquences de la variable dépendante est la même ou non, selon la catégorie considérée de l'autre variable indépendante.

Dans notre exemple, nous remarquons que pour l'ensemble de l'échantillon, il y a une légère majorité (56,7 %) de personnes qui ont un intérêt faible. Toutefois, la distribution des pourcentages sur les colonnes diffère selon qu'il s'agit du groupe des célibataires (84,2 % ont un intérêt faible et 15,8 % ont un intérêt élevé), ou du groupe des personnes mariées (43,9 % ont un intérêt faible et 56,1 % ont un intérêt élevé). On peut donc affirmer, *a priori*, que l'intérêt vis-à-vis de la police d'assurance n'est pas le même chez les personnes mariées que chez les célibataires et que les premiers ont un intérêt beaucoup plus grand que les deuxièmes. Dans notre échantillon, il semble que l'intérêt des répondants dépende de leur état civil.

NB : Sur *SPSS V.12.0*, pour obtenir le tableau de contingences, faire :

Dans le menu *«Crosstabs»*, entrer la variable dépendante discrète dans l'espace *«Row(s)»* et la variable indépendante discrète dans l'espace *«Column(s)»* (voir annexe 3, fenêtre 3.1). Cliquer sur la commande *«Cells»* et sélectionner dans le menu *«Pourcentage»* l'option *«Column»* (voir annexe 3, fenêtre 3.2).

3.2.4
GÉNÉRALISATION : TEST D'INDÉPENDANCE DU KHI-DEUX

Pour généraliser les résultats obtenus avec l'échantillon à l'ensemble de la population, nous allons effectuer un test d'inférence. C'est le test d'inférence du khi-deux. Quatre étapes caractérisent ce test.

• **1re étape** : énoncer les hypothèses.

H_0 : les deux variables x et y sont indépendantes dans la population.

H_1 : Les deux variables x et y ne sont pas indépendantes dans la population.

- **2e étape** : définir et calculer la statistique, χ^2_0.

Dans ce cas, la statistique utilisée est le khi-deux. Elle est obtenue comme suit :

$$\chi^2_0 = \sum_{i=1}^{r} \sum_{j=1}^{k} \frac{\left(f_{ij} - fe_{ij}\right)^2}{fe_{ij}}$$

avec

f_{ij}, les fréquences brutes observées dans la cellule (i, j) ;

fe_{ij}, les fréquences brutes théoriques de la cellule (i, j).

$$fe_{ij} = \frac{n_{i.} * n_{.j}}{n}$$

Notons que les fréquences théoriques sont les fréquences que l'on devrait observer si, il n'y avait aucune relation entre les variables x et y, c'est-à-dire si elles étaient totalement indépendantes.

Le khi-deux mesure la distance entre le tableau de fréquences théoriques et celui des fréquences observées ; plus sa valeur est élevée, moins les deux variables x et y sont indépendantes. La statistique calculée suit une loi du khi-deux, avec $(r-1)*(k-1)$ degrés de liberté, ce qui nous permet, avec la table statistique de la loi en question, de calculer la probabilité qui lui est associée, $p(\chi^0_{r-1*k-1})$[1]. Cette valeur p sera interprétée comme la probabilité de faire une erreur en généralisant pour l'ensemble de la population H_1, c'est-à-dire de rejeter H_0.

- **3e étape** : fixer un seuil de signification statistique α.

- **4e étape** : condition de rejet ou d'acceptation.

Il s'agit de rejeter H_0 si : $\chi_0 > \chi_\alpha (r-1*k-1)$

ou si $p(\chi o) < \alpha$.

Plus la probabilité est faible, plus la présence de relation entre les deux variables au niveau de la population est assurée.

Dans notre exemple, le test d'hypothèse s'écrit de façon suivante :

H_0 : *l'intérêt* vis-à-vis de la police d'assurance et *l'état civil* sont deux variables indépendantes dans la population.

H_1 : *l'intérêt* vis-à-vis de la police d'assurance et *l'état civil* ne sont pas indépendantes.

---

1 Pour plus de détails sur le test du khi-deux, le lecteur peut consulter Martel et Nadeau (1988), D'Astous (2005) et Malhotra (2004).

Les résultats qui apparaissent dans le tableau 3.8 montrent que $\chi^2_0 = 8,591$ et que $p(\chi^2_0) = ,003$. Avec un seuil de signification $\alpha = 5\ \%$, on rejette donc H_0 $(p(\chi^2_0) < \alpha)$. On peut donc affirmer que pour l'ensemble de la population, il existe une association significative entre *l'intérêt* et *l'état civil*.

Tableau 3.7

	Value	df	Asymp. Sig. (2-sided)	Exact Sig. (2-sided)	Exact Sig. (1-sided)
Pearson Chi-Square	8,591[b]	1	,003		
Continuity Correction[a]	7,027	1	,008		
Likelihood Ratio	9,307	1	,002		
Fisher's Exact Test				,005	,003
N of Valid Cases	60				

a. Computed only for a 2 X 2 table
b. O cells (,0 %) have expected count less than 5. The minimum expected count is 8,23.

NB : Sur *SPSS V.12.0*, pour effectuer le test du khi-deux, revenir au menu *«Crosstabs»* (voir annexe 3, fenêtre 3.1), cliquer sur la commande *«Statistics»* et sélectionner l'option *«Chi-square»* (voir annexe 3, fenêtre 3.3).

Notons à ce stade-ci que le test du khi-deux indique l'existence ou non de la relation mais ne donne aucune idée de son intensité. Nous devons donc recourir à d'autres analyses, que nous présentons dans la section suivante.

3.2.5

INTENSITÉ DE LA RELATION

Cette analyse statistique a pour but d'examiner la force de la relation pouvant exister entre deux variables discrètes. Plusieurs mesures existent, celle que nous retenons est le coefficient de Cramer (V), qui se calcule selon la formule ci-dessous :

$$V = \sqrt{\frac{\chi^2_o / n}{min(r-1, k-1)}}$$

avec $0 < V < 1$

r, nombre de catégories pour la variable y ;

k, nombre de catégories pour la variable x.

Le coefficient *V* de Cramer est toujours compris entre 0 et 1. Plus sa valeur est proche de 0 plus la relation entre les deux variables discrètes est faible et plus sa valeur est proche de 1, plus la relation est de forte intensité. Dans une analyse, une relation faible implique pour l'analyste le recours à d'autres variables explicatives qui pourraient mieux expliquer la variation du phénomène étudié.

En pratique, nous retenons l'échelle d'interprétation des valeurs de *V* qui suit :

0,7 < V < 1, interdépendance très forte ;

0,5 < V < 0,7, interdépendance forte ;

0,3 < V < 0,5, interdépendance moyenne ;

0 < V < 0,3, interdépendance faible.

Dans notre exemple, la valeur du *V* de Cramer est de 0,378 (voir tableau 3.8), ce qui correspond à une relation d'interdépendance entre l'*intérêt* et l'*état civil* d'intensité moyenne.

Tableau 3.8

Symmetric Measures

		Value	Approx. Sig.
Nominal by Nominal	Phi	,378	,003
	Cramer's V	,378	,003
N of Valid Cases		60	

a. Not assuming the null hypothesis.
b. Using the asymptotic standard error assuming the null hypothesis.

En guise de conclusion à notre analyse, il semble, selon les résultats de l'étude, qu'il existe une relation d'interdépendance entre l'intérêt vis-à-vis de la police d'assurance et l'état civil des individus. Cette relation existe aussi au niveau de la population ; toutefois, elle demeure moyenne. L'*intérêt* dépend aussi d'autres facteurs que l'analyste doit identifier pour raffiner sa segmentation du marché. D'autres analyses associatives sont recommandées, avec des variables explicatives comme l'*assureur actuel*, le *nombre d'automobiles possédées*, l'*âge de la dernière automobile achetée*, etc.

NB : Sur *SPSS V.12.0*, pour obtenir l'intensité de la relation à l'aide de la mesure du *V* de Cramer, revenir au menu *«Crosstabs»* (voir annexe 3, fenêtre 3.1), cliquer sur la commande *«Statistics»* et sélectionner dans le menu *«Nominal»* l'option *«Phi and Cramer's V»*. Noter que d'autres mesures sont aussi proposées, notamment le coefficient de contingence *«Contingency Coefficient»* (voir annexe 3, fenêtre 3.3).

3.2.6

MISE EN GARDE

Pour pouvoir faire de l'inférence statistique dans une analyse de tableaux croisés (c.-à-d. test de khi carré), deux conditions doivent être respectées :

1. la fréquence théorique dans chaque cellule du tableau croisé doit être différente de 0 ;

2. un maximum de 20 % (1 sur 5) des cellules du tableau croisé doivent avoir une fréquence théorique inférieure à 5.

Le logiciel *SPSS V.12.0* fournit cette information en note dans le bas du tableau relié au test d'inférence sur le khi-deux (voir tableau 3.7). Dans notre exemple, les deux conditions mentionnées ci-dessus sont respectées.

3.2.7

RÉSUMÉ

Dans une analyse de tableaux croisés, l'analyste en marketing cherche à étudier la relation pouvant exister entre deux variables discrètes. Il doit :

1. interpréter le tableau croisé pour savoir s'il existe ou non (au niveau de l'échantillon) une relation d'interdépendance entre les deux variables discrètes intégrées dans l'analyse ;

2. faire les tests du khi-deux pour savoir si on peut généraliser ou non la relation à l'ensemble de la population ;

3. analyser l'intensité de la relation pour des implications analytiques et/ou managériales ;

4. vérifier les conditions statistiques d'application de la technique ;

5. donner les implications marketing pour la compagnie qui a commandé l'étude.

ANNEXE 3

COMMANDES DE *SPSS*
SOUS *WINDOWS V.12.0*
POUR L'ANALYSE DES
TABLEAUX CROISÉS

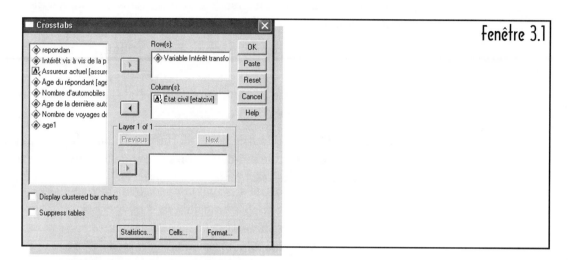

Fenêtre 3.1

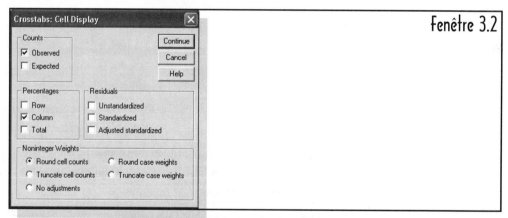

Fenêtre 3.2

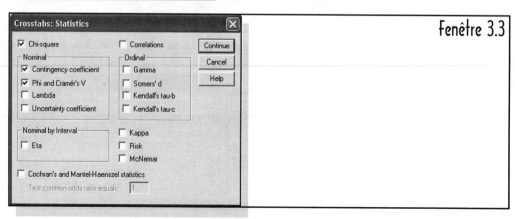

Fenêtre 3.3

► EXERCICES D'APPLICATION

Exercice 3.1

La compagnie A&N inc. désire faire paraître une annonce publicitaire à la télévision. Pour ce faire, elle a fait une étude de marché portant sur l'attitude des consommateurs face à la fréquence de diffusion des annonces télévisées sur un échantillon de 60 consommateurs. En vous basant sur l'analyse du tableau croisé présenté dans l'annexe 3.1, étudier la relation entre la variable attitude (mesure discrète : favorable/défavorable) et la variable *fréquence de diffusion* (mesure discrète : faible/moyenne/élevée).

1. On vous demande alors A) d'interpréter le tableau croisé correspondant à cette relation, B) de faire le test du khi carré ($\alpha = 0,05$) et C) d'analyser l'intensité de la relation.

2. Suite à cela, quelles sont les implications marketing pour l'annonce publicitaire télévisée de la compagnie A&N inc. qui a commandé cette étude de marché ?

Tableau 3.1.1

Attitude face à la fréquence de diffusion * Fréquence de diffusion *Crosstabulation*

			Fréquence de diffusion			Total
			Faible	Moyenne	Élevée	
Attitude face à la fréquence de diffusion	Défavorable	Count	18	13	3	34
		% within Attitude face à la fréquence de diffusion	52,9 %	38,2 %	8,8 %	100,0 %
		% within Fréquence de diffusion	90,0 %	76,5 %	13,0 %	56,7 %
	Favorable	Count	2	4	20	26
		% within Attitude face à la fréquence de diffusion	7,7 %	15,4 %	76,9 %	100,0 %
		% within Fréquence de diffusion	10,0 %	23,5 %	87,0 %	43,3 %
Total		Count	20	17	23	60
		% within Attitude face à la fréquence de diffusion	33,3 %	28,3 %	38,3 %	100,0 %
		% within Fréquence de diffusion	100,0 %	100,0 %	100,0 %	100,0 %

Tableau 3.1.2

Chi-Square Tests

	Value	df	Asymp. Sig. (2-sided)
Pearson Chi-Square	29,589[a]	2	,000
Likelihood Ratio	32,743	2	,000
Linear-by-Linear Association	26,064	1	,000
N of Valid Cases	60		

a. 0 cells (,0 %) have expected count less than 5. The minimum expected count is 7,37.

Tableau 3.1.3

Symmetric Measures

		Value	Approx Sig.
Nominal by Nominal	Phi	,702	,000
	Cramer's V	,702	,000
N of Valid Cases		60	

a. Not assuming the null hypothesis.
b. Using the asymptotic standard error assuming the null hypothesis.

Exercice 3.2

Une compagnie de vêtements pour hommes, Dampfous inc., a effectué une étude de fidélité à la marque sur un échantillon de 99 consommateurs dont les résultats apparaissent dans l'annexe 3.2. En vous basant sur ces résultats, analysez la relation entre la variable *fidélité* (mesure discrète : fidèle à la marque/fidèle à plusieurs marques/non fidèle) et la variable *catégorie de revenu*.

1. On vous demande alors A) d'interpréter le tableau croisé correspondant à cette relation, B) de faire les tests du khi carré et C) d'analyser l'intensité de la relation.

2. Suite à cela, quelles sont les implications marketing pour la compagnie de vêtements qui a commandé cette étude ?

Tableau 3.2.1

Fidélité * Catégorie de revenu *Crosstabulation*

| | | | Catégorie de revenu | | | |
			Moins de 20 000 $	Entre 20 000 et 40 000 $	Plus de 40 000 $	Total
Fidélité	fidèle à une marque	Count	4	12	16	32
		% within Fidélité	12,5%	37,5 %	50,0 %	100,0 %
		% within Catégorie de revenu	12,1 %	36,4 %	48,5 %	32,3 %
	fidèle à plusieurs marques	Count	9	13	15	37
		% within Fidélité	24,3 %	35,1 %	40,5 %	100,0 %
		% within Catégorie de revenu	27,3 %	39,4 %	45,5 %	37,4 %
	fidèle à aucune marque	Count	20	8	2	30
		% within Fidélité	66,7 %	26,7 %	6,7 %	100,0 %
		% within Catégorie de revenu	60,6 %	24,2 %	6,1 %	30,3 %
Total		Count	33	33	33	99
		% within Fidélité	33,3 %	33,3 %	33,3 %	100,0 %
		% within Catégorie de revenu	100,0 %	100,0 %	100,0 %	100,0 %

Tableau 3.2.2

Chi-Square Tests

	Value	df	Asymp.Sig (2-slided)
Pearson Chi-Square	25,314[a]	4	,000
Likelihood Ratio	27,242	4	,000
Linear-by-Linear Association	21,568	1	,000
N of Valid Cases	99		60

a. *0 cells (,0 %) have expected count less than 5. The minimum expected count is 10,00.*

Tableau 3.2.3

Symmetric Measures

		Value	Approx Sig.
Nominal by Nominal	Phi	,506	,000
	Cramer's V	,358	,000
N of Valid Cases		99	

a. Not assuming the null hypothesis.
b. Using the asymptotic standard error assuming the null hypothesis.

Dans le but de mesurer le potentiel de son nouveau gadget (l'intérêt des consommateurs) en région urbaine et rurale, une étude de marché est commandée par la compagnie DAGN inc. sur 120 personnes interrogées (55 habitent en ville et 65 à la campagne) dont les résultats apparaissent dans l'annexe 3.3. En vous basant sur ces résultats, analysez la relation entre la variable *intérêt* (mesure discrète à 2 catégories : intéressés/non intéressés) et la variable *région* (mesure discrète à 2 catégories : urbains/ruraux).

1. On vous demande alors A) d'interpréter le tableau croisé correspondant à cette relation, B) de faire les tests du khi carré et C) d'analyser l'intensité de la relation.

2. Suite à cela, quelles sont les implications marketing pour la compagnie DAGN inc. qui a commandé cette étude ?

Tableau 3.3.1

Intérêt * Région *Crosstabulation*

			Région urbains	Région ruraux	Total
Intérêt	Intéressés	Count	35	15	50
		% within région	63,6 %	23,1 %	41,7 %
	non intéressés	Count	20	50	70
		% within région	36,4 %	76,9 %	58,3 %
Total		Count	55	65	120
		% within région	100 %	100 %	100 %

Tableau 3.3.2

Chi-Square Tests

	Value	df	Asymp. Sig. (2-sided)	Exact Sig. (2-sided)	Exact Sig. (1-sided)
Pearson Chi-Square	20,164[b]	1	,000		
Continuity Correction[a]	18,530	1	,000		
Likelihood Ratio	20,677	1	,000		
Fisher's Exact Test				,000	,000
Linear-by-Linear Association	19,996	1	,000		
N of Valid Cases	120				

a. Computed only for a 2 ¥ 2 table.
b. 0 cells (,0 %) have expected count les than 5. The minimum expected count is 22,92.

Tableau 3.3.3

Symmetric Measures

		Value	Approx Sig.
Nominal by Nominal	Phi	,410	,000
	Cramer's V	,410	,000
N of Valid Cases		120	

a. Not assuming the null hypothesis.
b. Using the asymptotic standard error assuming the null hypothesis.

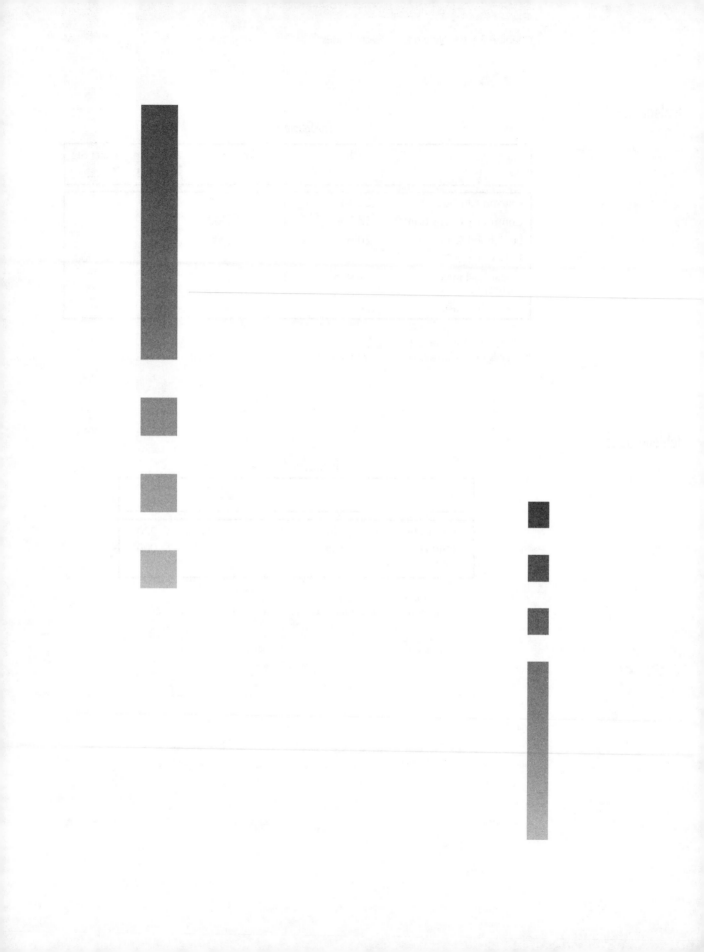

Chapitre 4

L'ANALYSE DE VARIANCE À UN FACTEUR

4

4.1 INTRODUCTION

L'analyse de la variance à un seul facteur est une technique d'analyse bivariée qui permet d'étudier la relation pouvant exister entre une variable dépendante continue (d'intervalles ou ratio) et une variable indépendante discrète (nominale ou ordinale) avec plus de deux catégories. Le modèle d'analyse s'écrit comme suit :

$$y = f(x)$$

avec

y, variable dépendante continue ;

x, variable indépendante discrète à r catégorie.

Dans les études de marché en marketing, l'analyse de la variance à un seul facteur est utilisée dans deux situations. Premièrement, dans les plans d'expérimentation, où l'on cherche à établir des relations de cause à effet entre un facteur que l'on manipule (ex. : des types d'emballages, des concepts de produits, des affiches publicitaires, etc.) et un effet sur un phénomène que l'on mesure (ex. : les ventes, les attitudes, les préférences, etc.). Deuxièmement, dans les analyses associatives, où l'on cherche à comprendre, à expliquer et à prédire un phénomène continu (ex. : les ventes) par une variable discrète, telle que le sexe, l'état civil ou le quartier de résidence. Le tableau 4.1 présente quelques exemples d'utilisation de l'analyse de la variance à un seul facteur pour résoudre des problèmes de recherche en marketing.

Tableau 4.1

1. Plans expérimentaux (test de produit, test publicitaire, test d'emballage, etc.)

VARIABLE DÉPENDANTE y	↔	VARIABLE INDÉPENDANTE x
1.1 Unités vendues d'un produit	↔	Type d'emballage (plastique - carton - aucun)
1.2 Attitudes vis-à-vis d'un produit	↔	Thème publicitaire (rire - peur - morale)
1.3 Ventes	↔	Type de promotion (coupons - bonis)

2. Explication des phénomènes importants pour le gestionnaire du marketing

VARIABLE DÉPENDANTE y	↔	VARIABLE INDÉPENDANTE x
2.1 Durée de l'épisode d'achat d'un analgésique	↔ ↔	Sexe (homme - femme) planification de l'achat (oui - non)
2.2 Dépenses en loisirs	↔	Sexe (homme - femme) ; ville (Montréal - Québec - Sherbrooke)
2.3 Efficacité d'un vendeur	↔	Sexe (homme - femme) ; ville (Montréal - Québec - Sherbrooke)

4.2

TERMINOLOGIE (ANOVA)

Dans la manipulation de l'analyse de la variance à un seul facteur, l'analyste en marketing doit maîtriser une terminologie technique spécifique que l'on vous présente ici brièvement.

- Facteur : c'est la variable indépendante ou x (ex. : type d'emballage, sexe) de notre modèle. Elle est toujours discrète.

- Catégories de facteurs : c'est le nombre de niveaux de la variable indépendante (ex. : pour le type d'emballage, il y a trois catégories : carton, plastique, métallique ; pour le sexe il y a deux categories, homme ou femme).

- Traitement : c'est un niveau de facteur (ex. : emballage en carton, femme).

- *One-way ANOVA* : c'est l'analyse de la variance à un seul facteur, par opposition à l'analyse de la variance à deux facteurs (*Two-Way ANOVA*) ou à l'analyse de la variance à plusieurs facteurs (*Multifactor ANOVA*).

- Facteurs de classification : ce sont les variables discrètes dont les catégories échappent au contrôle de l'analyste (ex. : le sexe, l'état civil).

- Facteurs expérimentaux : ce sont les variables discrètes qui sont sous le contrôle de l'analyste (ex. : l'âge, le revenu, le type d'emballage, la couleur).

- Facteurs à effets fixes : ce sont les variables discrètes dont le nombre de catégories est fini (ex. : l'état civil, le type de promotion).

- Facteurs à effets aléatoires : ce sont les variables discrètes dont le nombre de catégories est infini et où seules certaines catégories seront retenues par l'analyste (ex. : les villes).

4.3

EXEMPLE D'APPLICATION

Pour illustrer l'application de l'analyse de la variance à un facteur dans les études de marché en marketing, nous allons nous référer à une étude réalisée pour le compte d'une chaîne de magasins d'alimentation. Le directeur du marketing de la compagnie dispose de quatre différentes affiches destinées à encourager les consommateurs à acheter une nouvelle marque maison de beurre d'arachide. Pour le moment il ne dispose que de 5 copies de chacune des affiches publicitaires. Il cherche à savoir laquelle de ces affiches publicitaires est la plus efficace pour mousser les ventes du nouveau beurre d'arachide. Lorsqu'il aura cette information, il pourra faire imprimer l'affiche la plus efficace en grande quantité et la distribuer dans tous les supermarchés de la chaîne pour que l'affiche choisie soit exposée au-dessus de l'étalage de bocaux de beurre d'arachide. Pour vérifier laquelle des 4 affiches publicitaires est la plus efficace, il choisit au hasard 20 supermarchés avec des potentiels de vente comparables. Aux responsables des étalages des 5 premiers supermarchés choisis, il demande d'afficher **l'affiche 1**, aux responsables du deuxième groupe de 5 supermarchés, **l'affiche 2**, aux responsables du troisième groupe de 5 supermarchés, **l'affiche 3**, aux responsables des 5 derniers supermarchés, il demande d'afficher **l'affiche 4**. Dans chacun de ces 20 supermarchés, on a noté le nombre de bocaux du nouveau beurre d'arachide qui ont été vendus après une semaine d'affichage. On a obtenu les résultats donnés dans le tableau 4.2.

Tableau 4.2

supermak	affiche	ventes
1	1	55
2	1	45
3	1	43
4	1	49
5	1	43
6	2	32
7	2	36
8	2	42
9	2	40
10	2	40
11	3	35
12	3	39
13	3	38
14	3	35
15	3	38
16	4	47
17	4	48
18	4	48
19	4	52
20	4	55

4.4

PRÉSENTATION DES DONNÉES

La première étape d'analyse consiste à observer les données de notre échantillon. Il s'agit d'abord d'organiser les données par groupes, un groupe étant une catégorie de la variable dépendante. Ensuite, il s'agit de calculer les moyennes par groupes et de voir finalement s'il y a des différences entre ces moyennes, démontrant ainsi l'existence d'une relation entre la variable dépendante continue et la variable indépendante discrète.

Le tableau 4.3 illustre la façon dont on pourrait présenter les données collectées pour étudier la relation.

Tableau 4.3

CATÉGORIES DU FACTEUR	OBSERVATIONS						MOYENNES $\bar{y}_{.j}$
	1	2	...	i	...	n_j	
1							$\bar{y}_{.1}$
2							$\bar{y}_{.2}$
.							
.							
j				y_{ij}			$\bar{y}_{.j}$
.							
.							
r							$\bar{y}_{.r}$
							$\bar{y}_{..}$

Le modèle général de la *One-Way ANOVA* s'écrit comme suit[1] :

$$y_{ij} = \bar{y}_{.j} + eij$$

avec

$\bar{y}_{.j}$, la moyenne de y pour le j niveau du facteur ;

e_{ij}, le terme aléatoire de l'observation (i, j) ;

y_{ij}, les données de y pour la i^e observation de la j^e catégorie du facteur.

Le tableau 4.4 présente les résultats reliés au cas de la chaîne de magasins d'alimentation en question. L'examen de ce tableau montre l'existence de différences entre les moyennes de ventes enregistrées par type d'affiches. Ces moyennes vont de 37 unités vendues en moyenne dans un magasin où l'affiche 3 a été installée, à 50 unités vendues en moyenne dans un magasin où l'affiche 4 a été installée. Pour les magasins de notre échantillon où les affiches 1 et 2 ont été installées, les ventes moyennes enregistrées sont respectivement de 47 et 38 unités.

---

1   Pour plus de détails sur le modèle *One-Way Anova*, le lecteur peut consulter Neter, Waaserman et Kutner (1990).

Tableau 4.4

Descriptives
Nombre de bocaux vendus

	N	Mean	Std. Deviation	Std. Error	95% confidence Interval for Mean		Minimum	Maximum
					Lower Bound	Upper Bound		
Affiche 1	5	47,00	5,10	2,28	40,67	53,33	43	55
Affiche 2	5	38,00	4,00	1,79	33,03	42,97	32	42
Affiche 3	5	37,00	1,87	,84	34,68	39,32	35	39
Affiche 4	5	50,00	3,39	1,52	45,79	54,21	47	55
Total	20	43,00	6,72	1,50	39,85	46,15	32	55

L'observation des différences entre les moyennes par type d'affiches nous permet de conclure, *a priori*, à l'existence d'une relation entre le type d'affiches publicitaires et les ventes réalisées. Il semblerait que les affiches 4 et 1 soient les plus efficaces, et que les affiches 2 et 3 soient les moins efficaces en terme d'impact sur les ventes de la nouvelle marque maison. À ce stade-ci, notre conclusion reste préliminaire, puisque notre analyse s'est limitée aux données de l'échantillon. Il faudrait voir si la relation observée est généralisable pour l'ensemble des magasins (population).

<u>NB</u> : Sur *SPSS V.12.0*, pour obtenir le tableau descriptif des moyennes par groupe dans le cadre d'une analyse de la variance à un seul facteur, faire :

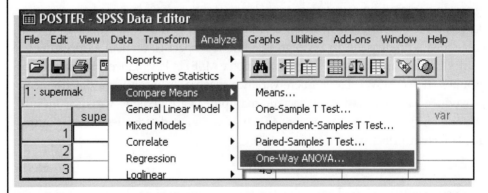

Dans le menu « *One-Way ANOVA* », entrer la variable dépendante continue dans l'espace « *Dependant List* » et la variable indépendante discrète dans l'espace « *Factor* » (voir annexe 4, fenêtre 4.1). Cliquer sur la commande « *Options* » et sélectionner dans le menu « *Statistics* » l'option « *Descriptive* » (voir annexe 4, fenêtre 4.2).

4.5

GÉNÉRALISATION DE LA RELATION : TEST SUR LES DIFFÉRENCES ENTRE PLUSIEURS MOYENNES INDÉPENDANTES

Pour généraliser les résultats obtenus au niveau de l'échantillon à l'ensemble de la population, nous allons effectuer un test d'inférence. C'est le test de Fisher sur les différences entre les r moyennes indépendantes. Quatre étapes caractérisent ce test.

- **1re étape** : énoncer les hypothèses.

  H_0 : il n'y a pas de différence entre les moyennes des groupes dans la population, $\mu_1 = \mu_2 = \mu_3 = \ldots \mu_r$.

  H_1 : il existe au moins une différence de moyenne dans la population.

- **2e étape** : définir la statistique F_0 et calculer la probabilité associée.

Dans ce cas, la statistique utilisée est le F de Fisher. Pour l'obtenir, il s'agit globalement de diviser la variation totale des données de notre échantillon en deux types de variation, une variation entre les moyennes des k groupes (la variation *Between*, notée SSB) et la variation à l'intérieur des groupes (la variation *Within*, notée SSW). En divisant par les degrés de liberté respectifs, on peut alors estimer à partir de là, la variance entre les groupes (notée MSB) et la variance à l'intérieur des groupes (notée MSW). La première variance mesure l'hétérogénéité des données, provoquée par la variation du facteur manipulé. La deuxième variance mesure l'hétérogénéité des données provoquée par la variation de tous les facteurs autres que le facteur principal (voir tableau 4.5).

$$F_0 = \text{MSB} / \text{MSW}$$

Plus cette statistique est élevée, plus la variance expliquée par le facteur manipulé est grande par rapport à tout autre facteur aléatoire. Cette statistique suit une loi de Fisher avec $(r-1)$ et $(n-r)$ degrés de liberté. Cela nous permet de lui associer une probabilité $p(F_0)$, c'est-à-dire la probabilité de faire une erreur si nous décidons de rejeter H_0 et de généraliser l'existence de différences entre les moyennes des différents groupes et par conséquent, l'existence d'une relation significative entre la variable dépendante et la variable indépendante de notre modèle[2].

---

2 Pour plus de détails sur le test de différences entre plusieurs moyennes, le lecteur peut consulter Neter, Waaserman et Kutner (1990).

- **3ᵉ étape** : choisir un seuil de signification statistique α.

- **4ᵉ étape** : condition de rejet ou d'acceptation.

  Il s'agit de rejeter H_0 si $F_0 > F_{\alpha(r-1,\ n-r)}$ ou $p(F_0) < \alpha$.

Dans le cas de l'étude portant sur les affiches publicitaires, le test d'inférence s'écrit de façon suivante.

H_0 : il n'y a pas de relation significative entre les ventes de bocaux de beurre d'arachide et le type d'affiches, $\mu_1 = \mu_2 = \mu_3 = \mu_4$.

H_1 : il y a une relation significative entre les ventes et le type d'affiches, il existe au moins une différence de moyenne significative.

Le tableau 4.5 présente les résultats de la décomposition de la variance et du test de comparaison de moyenne.

Tableau 4.5

ANOVA
Nombre de bocaux vendus

	Sum of Squares	df	Mean Squares	F	Sig.
Between Groups	630,000	3	210,000	14,737	,000
Within Groups	228,000	16	14,250		
Total	858,000	19			

L'analyse des résultats montre que la variance entre les groupes (MSB = 210) est largement supérieure à la variance à l'intérieur des groupes (MSW = 14,25). Ce qui signifie que l'hétérogénéité globale des données de vente dans notre échantillon est provoquée beaucoup plus par la variation des affiches que par d'autres facteurs. La statistique F_0 est de 14,73 et la probabilité qui lui est associée est de 0,000.

En fixant à 5 % le seuil de signification statistique ($\alpha = 5$ %), on peut donc rejeter H_0 et affirmer, pour l'ensemble des magasins de la chaîne, l'existence d'un impact significatif du type d'affiches publicitaires utilisées sur les ventes réalisées. Certains types d'affiches seraient plus efficaces que d'autres. Il s'agit donc de les identifier ; c'est l'objectif de la section suivante.

NB : Sur *SPSS V.12.0*, pour effectuer le test de comparaison des moyennes, revenir au menu « *One-Way ANOVA* », le résultat du test de Fisher est obtenu automatiquement (voir annexe 4, fenêtre 4.1).

4.6

DÉTERMINATION
DE LA NATURE
DE LA RELATION :
INFÉRENCE SUR LA
DIFFÉRENCE ENTRE
LES MOYENNES DE
TRAITEMENT PAR
PAIRES

Comme nous venons de le mentionner à la fin de la section précédente, le test de Fisher nous indique l'existence de différences de moyennes significatives entre les catégories du facteur manipulé, mais il ne spécifie pas où se situent les différences. Dans le cas de l'étude portant sur le test des affiches publicitaires, nous savons que les affiches ne présentent pas la même performance, mais le test réalisé ne nous indique pas la ou les affiches à rejeter et à retenir.

Dans l'analyse de la variance à un seul facteur, c'est le test de comparaisons multiples qui permet de répondre à cette question. Il s'agit de comparer les moyennes prises paire par paire et d'observer l'existence ou l'absence de différences significatives, ainsi que la nature de ces différences.

Sans entrer dans les détails de la théorie statistique, sachez que plusieurs variantes de ce test de comparaisons multiples existent (Bonferroni, Tukey, Scheffe). Leurs résultats sont la plupart du temps concordants.

Considérons, à titre illustratif, le test de Bonferroni. Il s'agit de plusieurs tests simultanés de comparaison de deux moyennes. Au total, il y aurait autant de tests que de combinaisons des groupes par paires. Pour chaque combinaison de deux groupes i et j, quatre étapes caractérisent ce test.

- **1re étape :** formuler les hypothèses.

    H_0 : les moyennes des groupes i et j sont égales, $H_0 : \mu_i = \mu_j$.

    H_1 : les moyennes des groupes i et j sont différentes, $H_1 : \mu_i \neq \mu_j$.

- **2ᵉ étape** : calculer la statistique et la probabilité qui lui est associée.

  Il s'agit d'une statistique t_0 qui suit une loi de Student. Ce qui nous permet d'obtenir $p(t_0)$ qui est définie comme la probabilité de faire une erreur si nous décidons de rejeter H_0 et d'affirmer que les deux moyennes sont différentes[3].

- **3ᵉ étape** : fixer une marge d'erreur x.

- **4ᵉ étape** : décision d'acceptation ou de rejet. Il s'agit de rejeter H_0 si $p(t_0) < \alpha$.

En passant l'ensemble des tests de comparaisons de moyennes entre les différents groupes, on pourra alors connaître quelles sont les catégories qui sont similaires et celles qui sont différentes.

Dans le cas de notre étude portant sur les affiches publicitaires, les tests de comparaisons multiples de Bonferroni et Tuckey ont donné les résultats qui apparaissent dans le tableau 4.6. Selon les résultats de ce tableau, il apparaît clairement que :

- en terme de performance, les affiches 1 et 4 sont similaires, ainsi que les affiches 2 et 3 ;

- en moyenne, les affiches 1 et 4 sont plus performantes que les deux autres affiches.

En guise de conclusion, l'analyste pourra alors recommander à l'ensemble des magasins de la chaîne, l'utilisation de l'affiche 1 ou 4 pour mousser les ventes du nouveau beurre d'arachide.

---

3 Pour plus de détails sur les tests de comparaisons multiples, le lecteur peut consulter Neter, Waaserman et Kutner (1990).

Tableau 4.6

Multiple Comparisons

Dependent Variable: Nombre de bocaux vendus

	(I) Type d'affiche	(J) Type d'affiche	Mean Difference (I-J)	Std. Error	Sig.	95% confidence Interval Lower Bound	95% confidence Interval Upper Bound
Scheffe	Affiche 1	Affiche 2	9,00*	2,39	,015	1,56	16,44
		Affiche 3	10,00*	2,39	,007	2,56	17,44
		Affiche 4	-3,00	2,39	,670	-10,44	4,44
	Affiche 2	Affiche 1	-9,00*	2,39	,015	-16,44	-1,56
		Affiche 3	1,00	2,39	,981	-6,44	8,44
		Affiche 4	-12,00*	2,39	,001	-19,44	-4,56
	Affiche 3	Affiche 1	-10,00*	2,39	,007	-17,44	-2,56
		Affiche 2	-1,00	2,39	,981	-8,44	6,44
		Affiche 4	-13,00*	2,39	,001	-20,44	-5,56
	Affiche 4	Affiche 1	3,00	2,39	,670	-4,44	10,44
		Affiche 2	12,00*	2,39	,001	4,56	19,44
		Affiche 3	13,00*	2,39	,001	5,56	20,44
Bonferroni	Affiche 1	Affiche 2	9,00*	2,39	,010	1,82	16,18
		Affiche 3	10,00*	2,39	,004	2,82	17,18
		Affiche 4	-3,00	2,39	1,000	-10,18	4,18
	Affiche 2	Affiche 1	-9,00*	2,39	,010	-16,18	-1,82
		Affiche 3	1,00	2,39	1,000	-6,18	8,18
		Affiche 4	-12,00*	2,39	,001	-19,18	-4,82
	Affiche 3	Affiche 1	-10,00*	2,39	,004	-17,18	-2,82
		Affiche 2	-1,00	2,39	1,000	-8,18	6,18
		Affiche 4	-13,00*	2,39	,000	-20,18	-5,82
	Affiche 4	Affiche 1	3,00	2,39	1,000	-4,18	10,18
		Affiche 2	12,00*	2,39	,001	4,82	19,18
		Affiche 3	13,00*	2,39	,000	5,82	20,18

* *The mean difference is significant at the ,05 level*

<u>NB</u> : Sur *SPSS V.12.0*, pour obtenir le test de comparaisons multiples, revenir au menu « *One-Way ANOVA* », (voir annexe 4, fenêtre 4.1), cliquer sur la commande « *Post Hoc* », sélectionner dans le menu « *Equal Variances Assumed*», le ou les types de tests retenus (voir annexe 4, fenêtre 4.3).

4.7

INTENSITÉ DE LA RELATION

Comme dans toute analyse associative bivariée, il est important de déterminer l'intensité de la relation entre les deux variables étudiées. Dans le cas où la variable dépendante serait continue et la variable indépendante discrète, l'intensité de la relation est estimée par la statistique w^2. Cette statistique se calcule comme suit :

$$w^2 = (SSB - (r\text{-}1)MSW) / SST + MSW$$

avec

MSW, moyenne des carrés dans les groupes ;

SSB, somme des carrés entre les groupes ;

SST, somme des carrés totaux ;

r, nombre de catégories.

Cette statistique varie de 0 à 1. Plus elle est proche de 0, plus la relation est faible ; plus elle est proche de 1, plus la relation est forte. Malheureusement, cette statistique n'est pas fournie par *SPSS V.12.0* et l'analyste doit la calculer.

Dans le cas de l'étude portant sur les affiches publicitaires, la statistique w^2 est de 0,67 = 630 − (4−1) * 14,25 / 858 + 14,25. Cela signifie que la relation entre les ventes et le type d'affiches est d'une forte intensité. Le type d'affiches utilisé a donc un impact important sur les ventes espérées du nouveau beurre d'arachide maison.

4.8

MISE EN GARDE

Pour pouvoir utiliser les résultats de l'analyse de la variance à un seul facteur et s'assurer de la validité du test de comparaison de moyennes, il faut vérifier l'homogénéité des groupes. En d'autres termes, il faut s'assurer que les groupes comparés sont équivalents dans leur structure. Pour vérifier l'homogénéité des groupes, l'analyste doit faire le test de Leven qui compare les variances dans les groupes sur la variable dépendante. Les étapes de ce test sont présentées en quatre étapes.

- **1re étape** : définir les hypothèses.

  H_0 : les variances des groupes sur la variable dépendante sont égales. Les groupes sont homogènes.

  H_1 : il y a au moins une différence entre les variances de ces groupes. Les groupes ne sont pas homogènes.

- **2e étape** : déterminer la statistique et la probabilité qui lui est associée. La statistique est F_0 ; elle suit une loi de Fisher avec $(r-1)$ et $(n-r-1)$ degrés de liberté, ce qui nous permet d'obtenir la probabilité associée $p(F_0)$[4].

- **3e étape** : choisir une marge d'erreur, α.

- **4e étape** : règle de décision, acceptation ou rejet. L'idéal pour nous est d'accepter H_0 car l'échantillon doit être homogène pour pouvoir comparer les moyennes des groupes. On accepte H_0 si $p > \alpha$. C'est la probabilité de faire une erreur si on décide de rejeter H_0 selon laquelle les groupes sont homogènes.

Dans le cas de notre étude sur les affiches publicitaires, les résultats du test de Leven qui apparaissent dans le tableau 4.7 donnent une probabilité de 0,19, qui est supérieure à 5 %, le niveau de signification toléré.

Tableau 4.7

Test of Homogeneity of Variances
Nombre de bocaux vendus

Leven Statistic	df1	df2	Sig.
1,786	3	16	,190

Nous pouvons donc affirmer que les groupes de magasins de notre échantillon sont comparables et que les résultats de l'analyse de la variance à un seul facteur peuvent être interprétés sans problèmes.

NB : Sur *SPSS V.12.0*, pour obtenir le test de test d'homogénéité des variances, revenir au menu « *One-Way ANOVA* », (voir annexe 4, fenêtre 4.1), cliquer sur la commande « *Options* », sélectionner dans le menu « *Statistics* », le choix « *Homogeneity of Variance Test* » (voir annexe 4, fenêtre 4.2).

---

4 Pour plus de détails sur le test d'homogénéité des groupes de Leven, le lecteur peut consulter Neter, Waaserman et Kutner (1990).

4.9

RÉSUMÉ

Dans une analyse de la variance à un seul facteur, l'analyste en marketing cherche à étudier la relation pouvant exister entre une variable dépendante continue et une variable indépendante discrète. Dans son plan d'analyse, il doit :

1. interpréter les moyennes observées (les estimations ponctuelles) pour les différentes catégories et tirer une première conclusion sur la relation entre les deux variables étudiées ;

2. présenter et interpréter le tableau d'analyse de la variance ;

3. vérifier si, au niveau de signification a, la différence entre les moyennes est significative ;

4. en utilisant la méthode de comparaisons multiples (Scheffe, Tukey ou Bonferonni) décrire brièvement les différences et/ou les similarités qui existent (et que l'on peut généraliser), entre les différentes catégories ;

5. déterminer l'intensité de la relation ;

6. vérifier l'homogénéité des groupes à l'aide du test de Leven ;

7. fournir les recommandations marketing.

ANNEXE 4

COMMANDES DE *SPSS*
SOUS *WINDOWS V.12.0*
POUR L'ANALYSE DE
VARIANCE À
UN FACTEUR

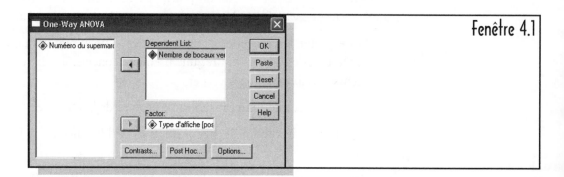

Fenêtre 4.1

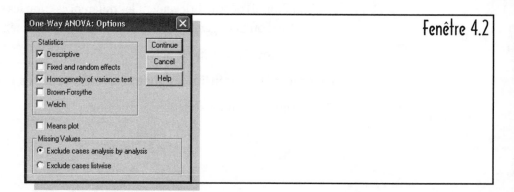

Fenêtre 4.2

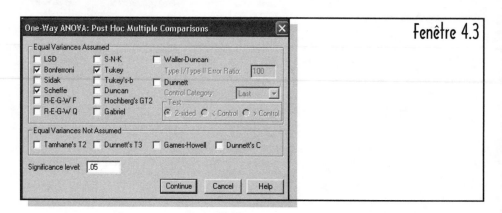

Fenêtre 4.3

▸ EXERCICES D'APPLICATION

Exercice 4.1

La compagnie A&N inc. vous demande d'évaluer <u>les effets de la fréquence de diffusion</u> des annonces publicitaires dans des journaux de quartier sur ses ventes.

Dans votre étude, vous mesurez ces deux variables de façon suivante :

- Fréquence de diffusion : variable discrète (ordinale) à trois catégories :
  - catégorie 1, faible ;
  - catégorie 2, moyenne ;
  - catégorie 3, élevée.
- Ventes annuelles (000 $)

On choisit au hasard 10 journaux de quartier pour le premier niveau, 13 pour le deuxième et 17 pour le troisième niveau de facteurs (ce qui fait un échantillon total de 40 journaux qui correspondent à 40 quartiers) et on évalue les ventes trimestrielles, ce qui donne les résultats du tableau suivant.

Fréquence de diffusion	Ventes trimestrielles (000 $)						
Faible 1	260,3 286,1	279,4	315,0	220,5	245,6	265,5	270,1
	368,0 318,5						
Moyenne 2	410,8 315,3	565,1	403,6	343,6	329,5	426,0	343,2
	375,7 318,5	332,2	283,5	376,2			
Élevée 3	438,2 570,0	426,1	644,6	520,4	450,4	421,8	503,3
	620,6 450,5	556,1	570,1	667,0	618,3	525,3	393,2
	481,8						

En supposant que le modèle standard d'analyse de la variance à un facteur soit approprié, faire les exercices suivants :

1. Interpréter les estimations ponctuelles pour les différents niveaux de fréquence de diffusion des annonces et tirer une première conclusion sur la relation entre les ventes et la fréquence de diffusion des annonces.

2. Discuter brièvement (sans aucun calcul) de la décomposition de la variance à faire pour savoir s'il existe ou non une relation entre les deux variables mesurées.

3. Vérifier si, au niveau de signification α =,05, on peut généraliser la relation entre les ventes et la fréquence de diffusion des annonces.

4. En utilisant la méthode de comparaisons multiples (Bonferroni) décrire brièvement les différences et/ou les similarités qui existent (et que l'on peut généraliser), en termes de ventes trimestrielles moyennes, pour les trois catégories de fréquence de diffusion des annonces.

5. Fournir les recommandations managériales pour la compagnie A&N inc. en ce qui concerne la fréquence de diffusion de son annonce publicitaire.

Tableau 4.1.1

Descriptives
Ventes annuelles (000 $)

	N	Mean	Std. Deviation	Std. Error	95 % Confidence Interval for Mean Lower Bound	95 % Confidence Interval for Mean Upper Bound	Minimum	Maximum
Faible	10	282,9000	41,9321	13,2601	252,9036	312,8964	220,50	368,00
Moyenne	13	371,0154	71,6833	19,8814	327,6976	414,3332	283,50	565,10
Élevée	17	521,0412	85,1040	20,6407	477,2848	564,7976	393,20	667,00
Total	40	412,7475	122,3678	19,3481	373,6124	451,8826	220,50	667,00

Tableau 4.1.2

ANOVA
Ventes annuelles (000 $)

	Sum of Squares	df	Mean Square	F	Sig.
Between Groups	390612,0	2	195306,0	37,371	,000
Within Groups	193369,6	37	5226,206		
Total	583981,6	39			

Tableau 4.1.3

Multiple Comparisons
Dependent Variable: Ventes annuelles (000 $)
Bonferroni

(I) Fréquence de diffusion	(J) Fréquence de diffusion	Mean Difference (I-J)	Std. Error	Sig.	95% Confidence Interval	
					Lower Bound	Upper Bound
Faible	Moyenne	-88,1154*	30,4078	,019	-164,3702	-11,8605
	Élevée	-238,1412*	28,8105	,000	-310,3903	-165,8921
Moyenne	Faible	88,1154*	30,4078	,019	11,8605	164,3702
	Élevée	-150,0258*	26,6353	,000	-216,8201	-83,2315
Élevée	Faible	238,1412*	28,8105	,000	165,8921	310,3903
	Moyenne	150,0258*	26,6353	,000	83,2315	216,8201

* *The mean difference is significant at the ,05 level.*

Exercice 4.2

Les gestionnaires de la compagnie de vêtements pour hommes KAIS inc. se posent la question sur la nature de la relation entre la satisfaction des consommateurs et la fidélité à la marque (fidèle à une marque, fidèle à plusieurs marques, fidèle à aucune marque).

Dans le questionnaire, la variable *satisfaction* est mesurée par la question suivante :

« Évaluez sur une échelle allant de 1 à 7, votre niveau de satisfaction vis-à-vis du dernier vêtement acheté (1 = pas du tout satisfait et 7 = très satisfait). »

En supposant que le modèle standard d'analyse de la variance à un facteur à effets fixes, dont les résultats apparaissent dans les tableaux suivants, est approprié.

1. Interpréter les estimations ponctuelles pour les différents niveaux de fidélité et tirer une première conclusion sur la relation entre la satisfaction des consommateurs et la fidélité à la marque.

2. Discuter brièvement (sans aucun calcul) de la décomposition de la variance à faire pour savoir s'il existe ou non une relation entre les deux variables mesurées.

3. Vérifier si, au niveau de signification α =,05, on peut généraliser la relation entre la satisfaction des consommateurs et la fidélité à la marque.

4. En utilisant la méthode de comparaisons multiples (Bonferroni) décrire brièvement les différences et/ou les similarités qui existent (et que l'on peut généraliser), en terme de satisfaction, pour les trois catégories de fidélité à la marque.

5. Fournir les recommandations managériales pour la compagnie A&N inc. en ce qui concerne sa stratégie marketing.

Tableau 4.2.11

Descriptives
Degré de satisfaction

	N	Mean	Std. Deviation	Std Error	95% Confidence Interval for Mean	
					Lower Bound	Upper Bound
Fidèle à une marque	32	5,9063	1,2276	,2170	5,4636	6,3489
Fidèle à plusieurs marques	37	3,7568	1,0905	,1793	3,3932	4,1203
Fidèle à aucune marque	30	2,4667	1,2521	,2286	1,9991	2,9342
	99	4,0606	1,81173	,1826	3,6982	4,4231

Tableau 4.2.2

ANOVA
Degré de satisfaction

	Sum of Squares	df	Mean Square	F	Sig.
Between Groups	188,640	2	94,320	67,074	,000
Within Groups	134,996	96	1,406		
Total	323,636	98			

Tableau 4.2.3

Multiple Comparisons
Dependent Variable: Degré de satisfaction
Bonferroni

(I)Fidélité à la marque	(J) Fidélité à la marque	Mean difference (I-J)	Std. Error	Sig.	95% Confidence Interval	
					Lower Bound	Upper Bound
Fidèle à une marque	Fidèle à plusieurs marques	2,1495*	,2863	,000	1,4520	2,8470
	Fidèle à aucune marque	3,4396*	,3014	,000	2,7053	4,1739
Fidèle à plusieurs marques	Fidèle à une marque	-2,1495*	,2863	,000	-2,8470	-1,4520
	Fidèle à aucune marque	1,2901*	,2913	,000	,5802	2,0000
Fidèle à aucune marque	Fidèle à une marque	-3,4396*	,3014	,000	-4,1739	-2,7053
	Fidèle à plusieurs marques	-1,2901*	,2913	,000	-2,0000	-,5802

* The mean difference is significant at the ,05 level.

Exercice 4.3

La compagnie DAGN. inc. a décidé de lancer un nouveau gadget ménager.

- La gamme de couleurs de ce produit comprend : le blanc, le rouge et le bleu.

- Pour l'emballage du produit, l'entreprise considère les trois options suivantes : ne pas emballer le gadget, l'emballer dans un sac en plastique ou l'emballer dans une boîte en carton.

Afin de tester la réaction du marché, l'entreprise a mis en vente le gadget dans 25 magasins jugés homogènes. Dans chaque magasin, le produit en vente n'était que d'une seule couleur et sous une seule forme d'emballage. Le prix de vente du produit variait aussi d'un magasin à l'autre.

À la fin de la semaine, les résultats des ventes furent colligés. La banque de données contient les variables suivantes :

- Ventes : nombre d'unités vendues (variable continue).

- Prix : prix unitaire de vente en $ (variable continue).

- Couleur : la couleur du gadget (variable nominale à 3 catégories).

- Emballage : l'emballage utilisé pour vendre le gadget (variable nominale à 3 catégories).

En supposant que le modèle standard d'analyse de la variance à un facteur à effets fixes, dont les résultats apparaissent ci-dessous, soit approprié :

1. Interpréter les estimations ponctuelles pour les différentes sortes de couleurs et tirer une première conclusion sur la relation entre les ventes et la couleur du gadget.

2. Discuter brièvement (sans aucun calcul) de la décomposition de la variance à faire pour savoir s'il existe ou non une relation entre les deux variables ; les *ventes* et la *couleur du gadget*.

3. Vérifier si, au niveau de signification $\alpha = 0,05$, on peut généraliser la relation entre les ventes et la couleur du produit.

4. En utilisant la méthode de comparaisons multiples (Scheffe) décrire brièvement les différences et/ou les similarités qui existent (et que l'on peut généraliser), en termes de ventes, pour les trois couleurs.

5. Fournir les recommandations managériales pour la compagnie DAGN. inc., en ce qui concerne sa stratégie marketing.

6. Refaire le même exercice avec la variable indépendante *emballage*.

Tableau 4.3.1

Descriptives

	N	Mean	Std. Deviation	Std Error	95% Confidence Interval for Mean	
					Lower Bound	Upper Bound
Blanc	10	1182,00	195,55	61,84	1042,11	1321,89
Rouge	10	1371,00	251,02	79,38	1191,43	1550,57
Bleu	5	882,00	58,48	26,15	809,39	954,61
Total	25	1197,60	268,18	53,64	1086,90	1308,30

Tableau 4.3.2

ANOVA

	Sum of Squares	df	Mean Square	F	Sig.
Between Groups	801126,0	2	400563,000	9,528	,001
Within Groups	924930,0	22	42042,273		
Total	1726056	24			

Tableaux 4.3.3

Multiple Comparisons
Dependent Variable: Ventes
Scheffe

(I) Couleur	(J) Couleur	Mean Difference (I-J)	Std. Error	Sig.	95% Confidence Interval	
					Lower Bound	Upper Bound
Blanc	Rouge	-189,00	91,70	,143	-429,64	51,64
	Bleu	300,00*	112,31	,045	5,28	594,72
Rouge	Blanc	189,00	91,70	,143	-51,64	429,64
	Bleu	489,00*	112,31	,001	194,28	783,72
Bleu	Blanc	-300,00*	112,31	,045	-594,72	-5,28
	Rouge	-489,00*	112,31	,001	-783,72	-194,28

* The mean difference is significant at the ,05 level.

Ventes
Scheffe[a,b]

Couleur	N	Subset for alpha = ,05	
		1	2
Bleu	5	882,00	
Blanc	10	1182,00	
Rouge	10	1371,00	
Sig.		1,000	,226

Means for groups in homogeneous subsets are displayed.
a. Uses Harmonic Man Sample Size = 7,500
b. The group sizes are unequal. The harmonic mean of the
group sizes is used. Type I error levels are not guaranteed.

Tableau 4.3.4

Descriptives
Vente

	N	Mean	Std. Deviation	Std Error	95% Confidence Interval for Mean	
					Lower Bound	Upper Bound
Ne pas emballer le gadget	8	1106,25	262,24	92,72	887,01	1325,49
Emballage dans un sac en plastique	6	1340,00	258,53	105,55	1068,68	1611,32
Emballage dans une boîte en carton	11	1186,36	268,45	80,94	1006,02	1366,71
Total	25	1197,60	268,18	53,64	1086,90	1308,30

Tableau 4.3.5

ANOVA
Vente

	Sum of Squares	df	Mean Square	F	Sig.
Between Groups	189814,0	2	94906,977	1,359	,278
Within Groups	1536242	22	69829,184		
Total	1726056	24			

Tableau 4.3.6

Multiple Comparisons

Dependent Variable : Ventes
Scheffe

(I) Emballage	(J) Emballage	Mean difference (I-J)	Std. Error	Sig.	95% Confidence Interval	
					Lower Bound	Upper Bound
Ne pas emballer le gadget	Emballage dans un sac en plastique	-233,75	142,71	,282	-608,26	140,76
	Emballage dans une boîte en carton	-80,11	122,79	,810	-402,34	242,11
Emballage dans un sac en plastique	Ne pas emballer le gadget	233,75	142,71	,282	-140,76	608,26
	Emballage dans une boîte en carton	153,64	134,11	,529	-198,31	505,58
Emballage dans une boîte en carton	Ne pas emballer le gadget	80,11	122,79	,810	-242,11	402,34
	Emballage dans un sac en plastique	-153,64	134,11	,529	-505,58	198,31

Ventes
Scheffe[a,b]

Emballage	N	Subset for alpha = ,05
		1
Ne pas emballer le gadget	8	1106,25
Emballage dans une boîte en carton	11	1186,36
Emballage dans un sac en plastique	6	1340,00
Sig.		,238

Means for groups in homogeneous subsets are displayed.
a. Uses Harmonic Man Sample Size = 7,842
b. The group sizes are unequal. The harmonic mean of the group sizes is used. Type I error levels are not guaranteed.

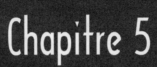

Chapitre 5

LES ANALYSES DE LA COVARIANCE
ET DE LA CORRÉLATION

5

5.1 INTRODUCTION

Après l'étude des associations entre deux variables discrètes et ensuite, entre une variable dépendante continue et une autre indépendante discrète, nous allons aborder le troisième cas des analyses bivariées, les associations entre deux variables continues (d'intervalles ou de ratio).

Comme nous l'avons déjà mentionné dans le premier chapitre, les échelles de mesure continues offrent assez souvent une variété d'analyse plus riche et des résultats plus précis. C'est le cas aussi bien pour les analyses de type univarié (voir chapitre 2) que pour les analyses associatives bivariées où l'on recense plusieurs techniques statistiques soit la covariance, la corrélation et la régression. Les deux premières techniques seront abordées dans ce chapitre, alors que la troisième sera décrite dans le chapitre suivant.

Comme pour toute analyse bivariée, le souci de l'analyste est toujours de chercher à comprendre et à expliquer un phénomène par un autre, à déterminer l'intensité de la relation et à faire des prédictions. Le tableau 5.1 présente quelques exemples d'association entre deux variables continues que l'on peut retrouver dans des études de marché en marketing.

Tableau 5.1

VARIABLE DÉPENDANTE y	↔	VARIABLE INDÉPENDANTE x
1. Budget annuel de publicité	↔	Ventes annuelles
2. Dépenses dans les ventes de garage les sites	↔	Nombre d'articles disponibles sur
3. Richesse d'une marque de céréales en protéines (nombre de grammes)	↔	Préférences des consommateurs (échelle allant de 1 à 10)

5.2

LA NOTION DE COVARIANCE

La covariance donne une idée sur l'existence ou l'absence d'association entre les deux variables continues x et y. Elle représente la proportion de variance que les distributions de x et y ont en commun. Dans une population de taille N, la covariance entre deux variables x et y (notée $G_{x,y}$) se calcule de façon suivante :

$$G_{x,y} = \Sigma^{N}_{i=1}(x_i-\mu_x)(y_i-\mu_y)/N$$

avec μ_x, la moyenne de la variable x dans la population ;

μ_y, la moyenne de la variable y dans la population.

Dans l'échantillon de taille n, la covariance entre deux variables x et y (notée $S_{x,y}$) se calcule comme suit :

$$S_{x,y} = \Sigma^{n}_{i=1}(x_i-x)(y_i-y)/n-1$$

avec x, la moyenne de la variable x dans l'échantillon ;

y, la moyenne de la variable y dans l'échantillon.

Quand la valeur de la covariance est égale à zéro, l'analyste peut conclure qu'il n'y a pas de relation entre les deux phénomènes x et y. Quand la valeur de la covariance est positive, les deux phénomènes évoluent alors dans le même sens. C'est le cas, par exemple, de l'association entre les ventes d'un magasin et son budget de publicité. Par contre, quand la valeur de la covariance est négative, l'association est dite négative et les deux phénomènes évoluent alors dans un sens opposé. C'est le cas, par exemple, de l'association entre le nombre de ventes d'un produit et son prix.

Notons, à ce stade-ci, que l'analyse de la covariance pourrait être précédée d'une première analyse graphique (une représentation graphique sur deux axes orthogonaux). Le graphique de points (*Scatterplot*) est important pour inspecter visuellement les données. La forme et le sens de la relation ressortent de l'observation du nuage de points. Une relation forte est représentée par une tendance linéaire des points alors qu'une relation faible est caractérisée par une grande dispersion des points[1].

---

1 Pour plus de détails sur la notion de la covariance, le lecteur peut consulter Martel et Nadeau (1988).

5.3

EXEMPLE
D'ILLUSTRATION

L'exemple d'illustration sur lequel nous allons travailler est celui de l'équipe de gestion d'une importante chaîne de boutiques de vêtements féminins qui opère plus de 80 boutiques au Québec et qui est à la recherche d'un outil de gestion qui lui permettrait de comprendre, d'expliquer et de prédire les ventes qui seront faites dans les différentes boutiques. On a recueilli les données sur un échantillon de 35 boutiques. Il s'agit des ventes annuelles en milliers de dollars pour 1989, de la circulation piétonnière moyenne devant la boutique par heure, de la superficie de la boutique en pieds carrés de la superficie du centre d'achat où le magasin est situé en pieds carrés et du revenu moyen des habitants de la région en dollars. La relation qui pourrait servir de premier exemple est celle où l'on aurait les ventes d'un magasin comme variable dépendante et le revenu moyen du quartier comme variable indépendante. Il s'agit donc de voir si les ventes d'un magasin sont reliées à la richesse du quartier où il est situé ainsi que le sens de cette relation.

L'analyse du nuage de points présenté à la figure 5.1 montre l'existence a priori d'une association entre les ventes faites dans un magasin et le revenu moyen des habitants du quartier, il montre aussi que cette association est positive. Les ventes faites dans un magasin évoluent donc dans le même sens que la richesse des habitants du quartier où il est situé.

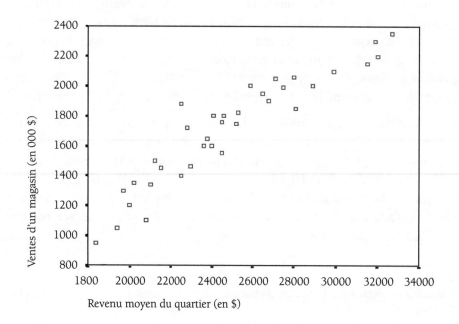

Figure 5.1

NB: Sur *SPSS V.12.0*, pour obtenir le graphique de nuage de points entre deux variables continues, faire :

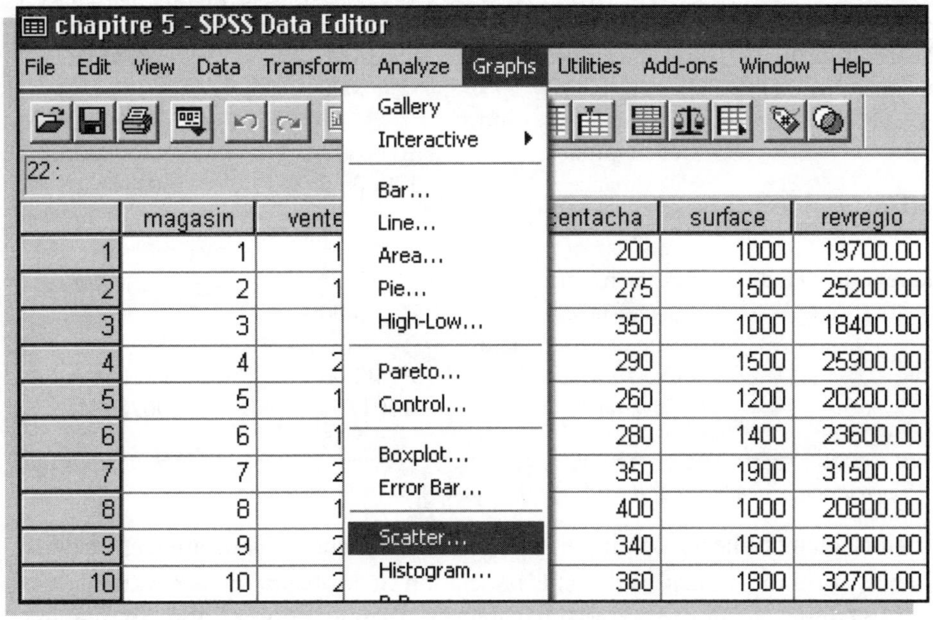

Dans le menu « *Scatterplot* », sélectionner le type de graphique « *Simple* » et cliquer sur « *Define* » pour préciser les paramètres du graphique (voir annexe 5, fenêtre 5.1). Entrer ensuite la variable dépendante continue dans l'espace « *Y Axis* » et la variable indépendante continue dans l'espace « *X Axis* » (voir annexe 5, fenêtre 5.2).

Le constat, quant à la relation entre les ventes par magasin et le revenu moyen dans le quartier où celui-ci est situé, se trouve confirmé aussi par le calcul de la covariance, dont les résultats figurent dans le tableau 5.2. La valeur obtenue est de 1301788,2. Elle est donc différente de zéro et positive. On peut donc affirmer qu'il existe une association entre les deux variables et que cette association est positive.

Tableau 5.2

Correlations

		Ventes d'un magasin (en 000 $)	Revenu moyen du quartier (en $)
Ventes d'un magasin (en 000 $)	Pearson Correlation	1,000	,933**
	Sig. (2-tailed)	,000	
	Sum of Squares and Cross-products	4406417	44260800
	Covariance	129600,5	1301788,2
	N	35	35
Revenu moyen du quartier (en $)	Pearson Correlation	,933**	1,000
	Sig. (2-tailed)	,000	
	Sum of Squares and Cross-products	44260800	5,11E+08
	Covariance	1301788	15022471
	N	35	35

** Correlation is significant at the 0,01 level (2-tailed).

Toutefois, bien qu'elle nous indique l'existence ou l'absence d'association entre deux variables continues et le sens de cette association, le problème de la covariance est qu'elle ne donne aucune idée sur l'intensité de la relation observée. En effet, comme le montre la formule de la covariance, le calcul de cette statistique dépend des unités de mesure de la variable dépendante et de celles de la variable indépendante.

Ainsi, si dans notre base de données, la variable *ventes* était exprimée en millions de dollars, plutôt qu'en milliers et si la variable *revenu moyen* était exprimée en milliers de dollars, plutôt qu'en dollars, pour les mêmes données, la valeur de la covariance serait de 1,296. On aurait donc toujours la même interprétation, mais on ne pourrait se prononcer sur l'intensité de la relation. Sachant l'importance d'une telle information pour le gestionnaire, nous allons faire appel à un deuxième niveau d'analyse des associations bivariées entre deux variables continues : la corrélation de Pearson.

<u>NB</u> : Sur *SPSS V.12.0*, pour obtenir la valeur de la covariance entre deux variables continues, faire :

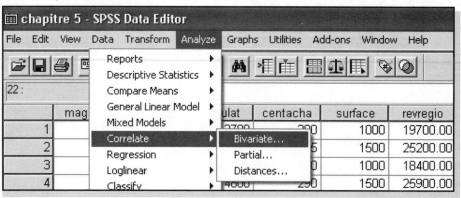

Dans le menu « *Bivariate Correlations* », entrer les deux variables dépendante et indépendante continues dans l'espace « *Variable(s)* », (voir annexe 5, fenêtre 5.3), cliquer sur la commande « *Options* » et sélectionner dans le menu « *Statistics* » le choix « *Cross-product deviations and covarinces* », (voir annexe 5, fenêtre 5.4).

5.4

LA NOTION DE CORRÉLATION DE PEARSON

La corrélation de Pearson révèle l'intensité et le sens de la relation entre deux variables continues x et y. Il s'agit en fait d'une covariance standardisée. Cependant, la principale limite de la corrélation de Pearson (notée $\rho_{x,y}$), est qu'elle évalue uniquement l'association de type linéaire où les deux phénomènes évoluent de façon proportionnelle.

Le coefficient de corrélation se calcule de façon suivante :

- Au niveau de la population, la corrélation se calcule comme suit :

$$\rho_{xy} = \frac{\sigma_{xy}}{\sigma_x \cdot \sigma_x}$$

avec $\sigma_{x,y}$ la covariance entre x et y dans la population ;

σ_x, l'écart type de x dans la population ;

y, l'écart type de y dans la population.

- Au niveau de l'échantillon, on fait une estimation du coefficient de corrélation (noté $r_{x,y}$)

$$r_{x,y} = S_{x,y} / S_x \cdot S_y$$

avec S_{xy}, la covariance entre x et y dans l'échantillon ;

S_x, l'écart type de x dans l'échantillon ;

S_y, l'écart type de y dans l'échantillon.

La valeur du coefficient de corrélation, qu'il soit mesuré dans la population ou estimé dans l'échantillon, est toujours comprise entre −1 et 1 et centrée sur 0. Si la valeur du coefficient de corrélation est positive, la relation linéaire entre les deux variables est dite positive. Si la valeur du coefficient de corrélation est négative, la relation linéaire entre les deux variables est dite négative[2].

Plus la valeur du coefficient de corrélation, en valeur absolue, est proche de 1, plus la relation linéaire est forte. Plus la valeur du coefficient de corrélation en valeur absolue est proche de 0, plus la relation linéaire est faible. Dans ce dernier cas, la valeur faible du coefficient de corrélation indique l'absence d'une association linéaire, mais n'exclut pas l'existence d'autres types d'associations (ex.: curvilinéaire, sinusoïdale, etc.). Pour interpréter les valeurs du coefficient, nous retenons l'échelle qui suit:

- si $0 \leq \rho_{x,y} \leq ,10$, la corrélation est négligeable;
- si $,10 < \rho_{x,y} \leq ,30$, la corrélation est faible;
- si $,30 < \rho_{x,y} \leq ,50$, la corrélation est modérée;
- si $,50 < \rho_{x,y} \leq ,70$, la corrélation est forte;
- si $,70 < \rho_{x,y} \leq 1$, la corrélation est très forte.

Pour l'exemple de la relation entre les ventes du magasin et la richesse du quartier, le calcul du coefficient de corrélation de Pearson, présenté dans le tableau 5.2, donne une valeur de 0,933. Ce qui signifie une corrélation positive et très forte. Nous pouvons donc en conclure que, selon les données recueillies dans notre échantillon, les ventes d'un magasin évoluent proportionnellement à la richesse du quartier où il est situé.

NB: Sur *SPSS V.12.0*, pour obtenir la valeur de la corrélation de Pearson entre deux variables continues, revenir dans le menu « *Bivariate Correlations* », entrer les deux variables dépendante et indépendante continues dans l'espace « *Variable(s)* », la valeur de la corrélation sera donnée automatiquement puisqu'elle est présélectionnée par défaut dans « *Correlation Coefficient* » (voir annexe 5, fenêtre 5.3).

---

2 Pour plus de détails sur la notion de corrélation de Pearson, le lecteur peut consulter Martel et Nadeau (1988).

5.5

GÉNÉRALISATION DE LA CORRÉLATION DE PEARSON

Par ce test d'inférence, on cherche à vérifier si l'association linéaire entre les deux variables, observée au niveau de l'échantillon peut être généralisée à l'ensemble de la population. Pour cela, nous allons effectuer un test d'hypothèses qui comporte quatre étapes.

- **1re étape** : définir les hypothèses.

  H_0 : $\rho_{x,y} = 0$, il n'y a aucune relation linéaire (positive ou négative) entre les deux variables x et y.

  H_1 : $\rho_{x,y} > 0$ ou $\rho_{xy} < 0$, il existe une relation linéaire entre les deux variables x et y.

- **2e étape** : définir et calculer la statistique.

$$t_0 = \frac{r_{x,y}}{\sqrt{\dfrac{(1 - r_{x,y}^2)}{n - 2}}}$$

  Dans ce cas-ci, il s'agit d'une statistique qui suit une loi de Student avec $(n–2)$ degrés de liberté, avec la probabilité correspondante pour la loi de Student $p(t_0)$.[3]

- **3e étape** : fixer le seuil de signification statistique α.

- **4e étape** : décision de rejet ou d'acceptation de H_0.

  On rejette H_0 si $p(t_0) < \alpha$.

Dans notre cas, le test de généralisation concernant le coefficient de corrélation entre les ventes et la richesse du quartier s'écrit de façon suivante :

H_0 : il n'y a pas de relation linéaire positive entre les ventes et la richesse du quartier au niveau de l'ensemble des magasins de la chaîne, $\rho_{x,y} = 0$.

H_1 : il y a une relation linéaire positive entre les ventes et la richesse du quartier au niveau de l'ensemble des magasins de la chaîne, $\rho_{x,y} > 0$.

---

3 Pour plus de détails sur le test d'inférence sur la corrélation de Pearson, le lecteur peut consulter Martel et Nadeau (1988).

Les résultats du test qui apparaissent dans le tableau 5.2 montrent une probabilité $p(t_0) = 0,000$. Cela signifie que la probabilité de faire une erreur en généralisant à l'ensemble des magasins le rejet de H_0 et la confirmation de l'existence d'une association linéaire positive est presque nulle. On peut donc généraliser l'existence de cette association observée au niveau de l'échantillon pour l'ensemble des magasins de la chaîne.

NB : Sur *SPSS V.12.0*, pour obtenir le résultat du test d'inférence sur la corrélation de Pearson entre deux variables continues, revenir dans le menu «*Bivariate Correlations*», entrer les deux variables dépendante et indépendante continues dans l'espace «*Variable(s)*», le résultat du test sera fourni automatiquement puisque celui-ci est présélectionné par défaut dans «*Correlation Coefficient*» (voir annexe 5, fenêtre 5.3).

5.6

MISE EN GARDE

L'utilisation des résultats d'une analyse de corrélation suppose que les variables impliquées dans l'analyse présentent une distribution normale. Comme nous l'avons déjà mentionné dans le chapitre 2, la normalité d'une distribution peut être vérifiée par l'analyse des tableaux de fréquence et celui du coefficient de symétrie (Skewness) et d'aplatissement (Kurtosis).

Selon les résultats des figures 5.2 et 5.3, et ceux du tableau 5.3, la distribution de la variable *vente* ainsi que celle de la variable *revenu* est normale.

Figure 5.2

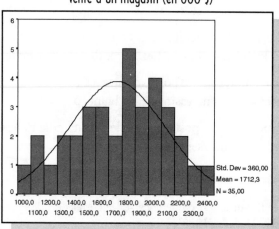

Vente d'un magasin (en 000 $)

Std. Dev = 360,00
Mean = 1712,3
N = 35,00

Figure 5.3

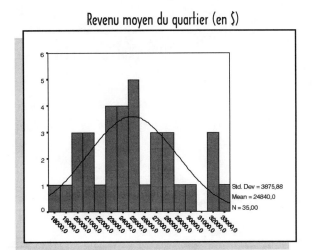

Revenu moyen du quartier (en $)

Tableau 5.3

Statistics

		Vente d'un magasin (en $)	Revenu moyen du quartier (en $)
N	Valid	35	35
	Missing	0	0
Mean		1712,29	24840,0000
Skewness		-,299	,416
Std. Error of Skewness		,398	,398
Kurtosis		-,610	-,591
Std. Error of Kurtosis		,778	,778

5.7

RÉSUMÉ

Dans l'analyse de la covariance et de la corrélation, l'analyste en marketing cherche à étudier le sens et l'intensité de la relation linéaire pouvant exister entre deux variables continues. Il doit :

1. interpréter les valeurs observées dans l'échantillon de la covariance et de la corrélation et expliquer brièvement leurs limites respectives ;

2. chercher à généraliser pour l'ensemble de la population, le type d'association observé entre les deux variables continues intégrées dans l'analyse (a) ;

3. vérifier la normalité de la distribution des variables dépendantes et indépendantes ;

4. fournir les recommandations marketing.

ANNEXE 5

COMMANDES DE *SPSS*
SOUS *WINDOWS V.12.0*
POUR L'ANALYSE DE LA
COVARIANCE ET DE
LA CORRÉLATION

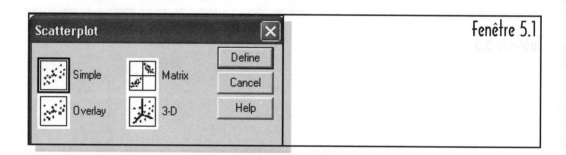

Fenêtre 5.1

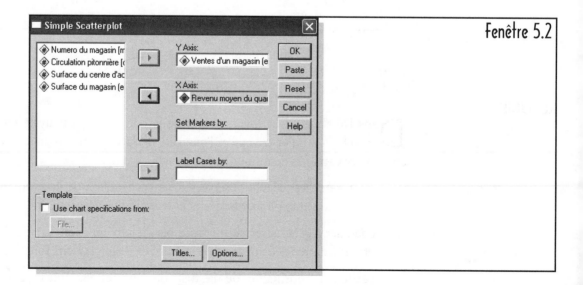

Fenêtre 5.2

Fenêtre 5.3

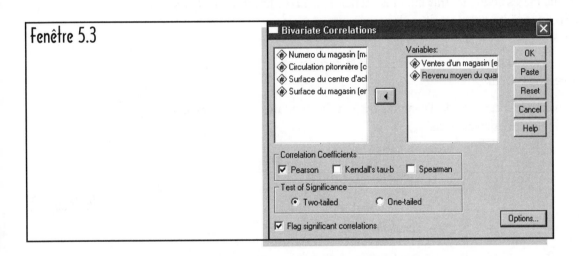

Fenêtre 5.4

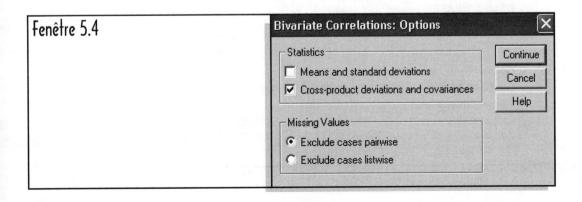

La compagnie A&N inc. dessert plusieurs villes du Québec. Cette compagnie désire étudier l'impact de ses stratégies marketing sur les ventes. L'analyste chargé de ce travail croit que <u>le nombre de vendeurs par territoire pourrait expliquer les ventes</u>. Il obtient alors les données relatives à 50 territoires desservis par la compagnie où les vendeurs travaillent actuellement. En utilisant les analyses de la covariance et de la corrélation, faites les exercices suivants :

1. Interprétez les valeurs de la covariance et de la corrélation entre les ventes et le nombre de vendeurs.

2. Que pouvez-vous déduire de l'examen du graphe mettant en relation les ventes et le nombre de vendeurs ?

Tableau 5.1.1

Correlations

		Ventes	Vendeurs
Ventes	Pearson Correlation	1,000	,615**
	Sig. (2-tailed)		,000
	Sum of Squares and Cross-products	5,2E+10	4335325
	Covariance	1,1E+09	88476,030
	N	50	50
Vendeurs	Pearson Correlation	,615**	1,000
	Sig. (2-tailed)	,000	
	Sum of Squares and Cross-products	4335325	964,080
	Covariance	88476,030	19,675
	N	50	50

** Correlation is significant at the 0,01 level (2-tailed).

Graphe 5.1.1

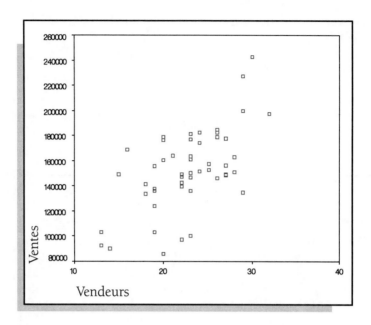

Exercice 5.2

En 1998, la société de transport métropolitain d'une grande ville canadienne a décidé de lancer une nouvelle carte, valable pour trois jours consécutifs. Afin de tester la réaction du marché, l'entreprise a mis en vente la nouvelle carte dans 25 stations de métro jugées homogènes. Le prix de vente de la nouvelle carte variait d'une station à l'autre.

Après deux semaines, les résultats des ventes furent colligés. La banque de données carte3j.sav, qui est reproduite à l'annexe 1 contient les variables suivantes :

— ventes, c'est-à-dire le nombre d'unités vendues (variable continue) ;

— prix, c'est-à-dire le prix unitaire de vente en $ (variable continue).

Remarque : Ainsi la première observation dans la base de données s'interprète comme suit :

dans la première station, 1050 unités furent vendues en deux semaines au prix de 7,50 $ l'unité.

À partir des résultats du test de marché, le directeur marketing de la société de transport, cherche à savoir s'il existe un lien entre le nombre d'unités vendues et le prix unitaire de la carte. La réponse à cette question va lui permettre de faire ses recommandations quant au prix de la carte qui sera commercialisée. Des analyses de la covariance et de la corrélation ont été réalisées et leurs résultats apparaissent dans le tableau 5.2.1.

1. Interprétez les valeurs de la covariance et de la corrélation entre les ventes de cartes et le prix.

2. Que pouvez-vous déduire de l'examen du graphe mettant en relation les ventes et le prix?

Tableau 5.2.1

Correlations

		Ventes	Prix
Ventes	Pearson Correlation	1,000	-,776**
	Sig. (2-tailed)		,000
	Sum of Squares and Cross-products	1762344	-2156,820
	Covariance	73431,000	-89,867
	N	25	25
Prix	Pearson Correlation	-,776**	1,000
	Sig. (2-tailed)	,000	
	Sum of Squares and Cross-products	-2156,820	4,385
	Covariance	-89,867	,183
	N	25	25

** Correlation is significant at the 0,01 level (2-tailed).

Graphe 5.2.1

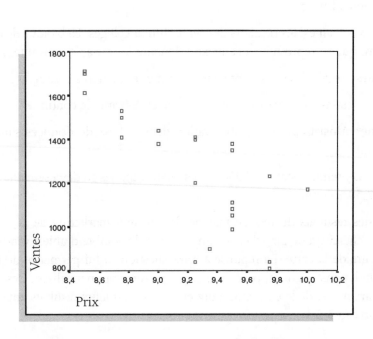

Exercice 5.3

Monsieur Martin, fraîchement embauché par une université de Montréal, désire acheter un condominium de 100 m² environ. Depuis quelques semaines, il consulte les journaux spécialisés pour se faire une idée des prix.

Il a alors relevé 28 annonces de ventes d'immobilier avec les prix et les surfaces correspondants. Un collègue de monsieur Martin lui propose :

1. d'interpréter les valeurs de la covariance et de la corrélation entre les prix et les surfaces des condominiums présentés dans le tableau 5.3.1 ;

2. d'interpréter le graphe mettant en relation les deux variables présentées dans le graphe 5.3.1

Tableau 5.3.1

Correlations

		Prix en (1000 $)	Surface (m²)
Prix en (1000 $)	Pearson Correlation	1,000	,931**
	Sig. (2-tailed)	,000	
	Sum of Squares and Cross-products	2937141	473458,000
	Covariance	108783,0	17535,481
	N	28	28
Surface (m²)	Pearson Correlation	,931**	1,000
	Sig. (2-tailed)	,000	
	Sum of Squares and Cross-products	473458,0	87963,714
	Covariance	17535,481	3257,915
	N	28	28

** Correlation is significant at the 0,01 level (2-tailed).

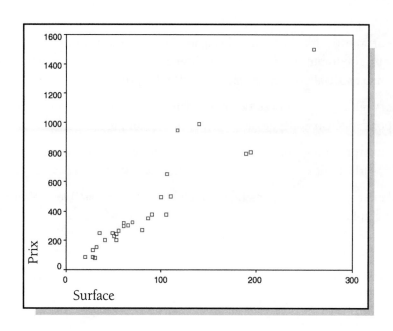

Chapitre 6

L'ANALYSE DE LA RÉGRESSION LINÉAIRE SIMPLE

Dans l'étude des associations bivariées entre deux variables continues, la régression linéaire simple constitue le troisième palier d'analyse. Comme nous l'avons mentionné à la fin du chapitre précédent, bien qu'elles permettent de détecter l'existence, le sens et l'intensité des relations, la covariance et la corrélation ne permettent pas d'effectuer des opérations de prédiction. Ainsi, même si on sait que la corrélation entre les ventes d'un magasin et la richesse du quartier où il est situé est de 0,93 et donc très forte, on ne peut prédire le volume des ventes qui pourraient être réalisées pour un magasin qui est situé dans un quartier où le revenu moyen est de 20 000 $ par exemple. De la même façon, nous ne pouvons pas non plus choisir le quartier ayant un niveau de richesse ou de revenu moyen, tel qu'il nous permettrait de réaliser un niveau des ventes de 1,5 million de dollars. Pour faire ce type de prédictions, un modèle formel qui mettrait en relation les deux variables est nécessaire. C'est le principal apport de la régression linéaire simple.

Donc, la régression linéaire simple est une technique statistique utilisée pour étudier l'existence et la nature de la relation entre deux variables continues, une dépendante (y) et l'autre indépendante (x). En plus, à partir des valeurs observées de x, on peut estimer ou prédire les valeurs correspondantes de y et vice versa. Dans les études de marché en marketing, cette analyse sert à comprendre, expliquer et prédire les phénomènes importants pour les gestionnaires de marketing, tels que les ventes, le taux d'adoption d'un nouveau produit, l'efficacité des vendeurs, etc.

D'un point de vue analytique, la régression linéaire simple revient à écrire un modèle qui mettrait en relation une variable dépendante y en fonction d'une variable indépendante x. Pour l'ensemble de la population, le modèle s'écrit comme suit :

$$y = \beta_0 + \beta_1 x + \varepsilon$$

avec

y, variable dépendante (à expliquer) continue ;

x, variable indépendante (explicative) continue ;

β_0, la constante ;

β_1, le coefficient de la régression, c'est la variation de y quand x augmente d'une unité ($\Delta y / \Delta x$) ;

ε : terme d'erreur aléatoire associé à la variable y. C'est une variable non observable qui prend en considération l'existence éventuelle d'autres facteurs pouvant expliquer la variation de y, de même que la présence d'erreurs possibles dans les observations.

D'un point de vue graphique, la régression linéaire simple revient à faire passer une droite à travers le nuage de points qui reflète le mieux le lien entre les deux variables continues (voir figure 6.1).

Figure 6.1

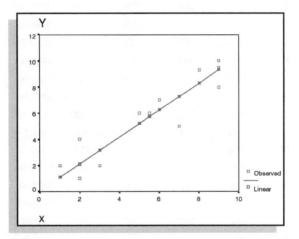

Pour faire le parallèle avec le modèle formel présenté dans le graphique de la figure 6.1, le paramètre β_0 correspond à l'ordonnée à l'origine, c'est la valeur de y quand x est égal à 0. Le paramètre β_1 est la pente et ε_i est l'écart entre une observation réelle (y_i) et la droite.

6.2

EXEMPLE D'ILLUSTRATION

L'exemple sur lequel nous allons travailler dans ce chapitre est celui de l'équipe de gestion d'une importante chaîne de boutiques de vêtements féminins qui opère plus de 80 boutiques au Québec et qui est à la recherche d'un outil de gestion qui lui permettrait de comprendre, d'expliquer et de prédire les ventes des différentes boutiques. On a recueilli des données sur un échantillon de 35 boutiques (voir tableau 6.1). Il s'agit des ventes annuelles en milliers de dollars pour 1999, de la circulation piétonnière moyenne devant la boutique par heure, de la superficie de la boutique en pieds carrés, de la superficie du centre commercial où la boutique est située en milliers de pieds carrés et du revenu moyen des habitants de la région.

Tableau 6.1

magasin	ventes	circulat	centacha	surface	revregio
1	1300	3700	200	1000	19700,00
2	1750	2000	275	1500	25200,00
3	950	3200	350	1000	18400,00
4	2000	4800	290	1500	25900,00
5	1350	1500	260	1200	20200,00
6	1600	2600	280	1400	23600,00
7	2150	3100	350	1900	31500,00
8	1100	3700	400	1000	20800,00
9	2200	2200	340	1600	32000,00
10	2350	2700	360	1800	32700,00
11	1900	2900	310	1600	26800,00
12	1500	3500	360	1450	21200,00
13	1800	3100	320	1700	24100,00
14	1650	4300	220	1500	23800,00
15	1200	3600	210	1200	20000,00
16	1760	2100	420	2400	24500,00
17	1880	1800	310	1750	22500,00
18	1950	2700	260	1900	26500,00
19	2050	3300	290	1900	27100,00
20	1720	4500	230	1700	22800,00
21	1340	1900	220	1700	21000,00
22	1460	2300	290	1600	23000,00
23	1820	2800	310	1450	25300,00
24	1990	2600	300	1400	27500,00
25	2060	3000	360	1650	28000,00
26	1850	2600	280	1800	28100,00
27	1450	1800	240	1700	21500,00
28	2100	2700	320	1400	29900,00
29	1050	3300	370	1000	19400,00
30	1800	2700	300	1400	24600,00
31	2300	2300	360	1700	31900,00
32	2000	2900	320	1600	28900,00
33	1600	4200	210	1500	24000,00
34	1400	3300	370	1450	22500,00
35	1550	4100	210	1500	24500,00

Encore une fois, l'exemple qui pourrait nous servir pour illustrer l'analyse de la régression linéaire simple est celui de l'association entre les ventes annuelles d'une boutique et la richesse du quartier où elle est située. Il s'agit alors d'arriver à un modèle formel qui mettrait en relation les deux variables. On pourrait ainsi comprendre la nature et l'intensité de l'association et effectuer en plus des prédictions.

6.3

ESTIMATION DU MODÈLE DE LA RÉGRESSION ET INTERPRÉTATION DES RÉSULTATS

L a première étape d'analyse consiste à trouver un estimé du modèle de la régression linéaire simple à partir des données de l'échantillon probabiliste. Estimer le modèle décrit précédemment, c'est estimer ses paramètres β_0 et β_1 par des paramètres qui seront notés b_0 et b_1. Le modèle estimé au niveau de l'échantillon s'écrit alors comme suit :

$$y = b_0 + b_1 x + e$$

où

$$b_1 = \frac{S_{xy}}{S_x^2}$$
$$b_o = \bar{y} - b_1 \bar{x}$$
$$e = \text{terme d'erreur}$$

Notons que les paramètres b_0 et b_1, ainsi que le terme d'erreur e, se définissent de la même façon que dans le modèle de régression décrit précédemment pour la population.

Pour estimer les valeurs b_0 et b_1 à partir d'un échantillon probabiliste, plusieurs techniques existent. L'une d'elles est la méthode des moindres carrés. Sans entrer dans les détails de la théorie statistique, sachez que cette méthode consiste à trouver les valeurs b_0 et b_1 qui minimisent la somme des carrés des écarts entre les y_i observés et les y_i obtenus par le modèle[1]. Graphiquement, il s'agit de tracer la droite qui passe le plus près du maximum de points et donc qui minimise la distance entre les points du nuage et la droite de régression.

Comme le montre le tableau 6.2, l'estimation par SPSS V.12.0 du modèle de régression linéaire simple, dans le cas de l'exemple de la chaîne de boutiques de vêtements féminins donne, pour les paramètres b_0 et b_1, les valeurs respectives de –440,251 et de 0,0866. Le modèle s'écrit alors comme suit :

---

1 Pour plus de détails sur le modèle de régression linéaire simple, le lecteur peut consulter Martel et Nadeau (1988) et Neter, Wasserman et Kutner (1990).

$$Y = -440,251 + 0,0866x + e_i$$

- $b_0 = -440,251$, c'est l'ordonnée à l'origine, soit les ventes réalisées en milliers de dollars si le revenu moyen est égal à zéro. Dans ce cas, il s'agit de perte d'opportunité.

- $b_1 = 0,0866$, c'est l'effet de la variable *revenu moyen du quartier* sur les ventes de la boutique.

Tableau 6.2

Coefficients[a]

Model		B	Std. Error	Beta	t	Sig.
		Unstandardized Coefficients		Standardized Coefficients		
1	(Constant)	-440,251	146,271		-3,010	,005
	Revenu moyen du quartier (en $)	8,666E-02	,006	,933	14,889	,000

a. *Dependent Variable*: Ventes d'un magasin (en 000 $)

Lors de l'analyse du coefficient de la régression, deux éléments doivent être interprétés : le signe du paramètre et sa valeur. Le premier élément indique que le signe est dans ce cas positif. Le lien entre les ventes et la richesse du quartier est positif ; les deux variables évoluent donc dans le même sens. Le deuxième élément est la valeur du paramètre. Il s'agit de la variation des unités de vente si le revenu moyen augmente d'une unité. Dans ce cas, une augmentation (ou une diminution) du revenu moyen d'une unité en dollars génèrerait une augmentation (ou une diminution) des ventes de la boutique de 0,0866 unités (milliers de dollars). En d'autres termes, une variation dans la richesse d'un quartier de 1000 $ pourrait se traduire par une variation dans le même sens des ventes d'une boutique de 86,60 $.

La figure 6.2 illustre graphiquement la droite de régression estimée dans cet exemple.

Figure 6.2

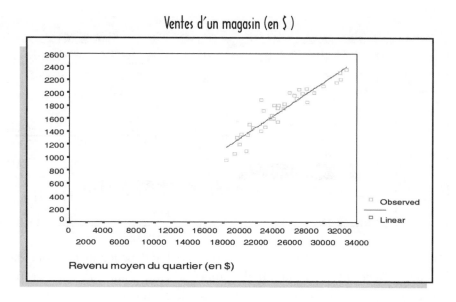

NB: Sur *SPSS V.12.0*, pour obtenir l'estimation des paramètres et toutes les données relatives à la régression linéaire simple, faire:

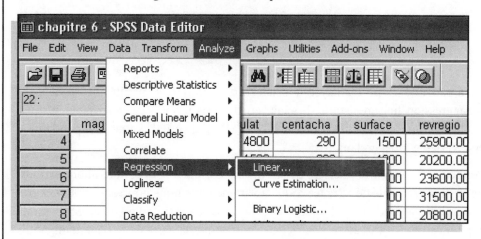

Dans le menu «*Linear Regression*», entrer la variable dépendante continue dans l'espace «*Dependant*» et la variable indépendante continue dans l'espace «*Independant(s)*» (voir annexe 6, fenêtre 6.1).

<u>NB</u> : Sur *SPSS V.12.0*, pour obtenir une représentation graphique de la droite de régression linéaire, faire :

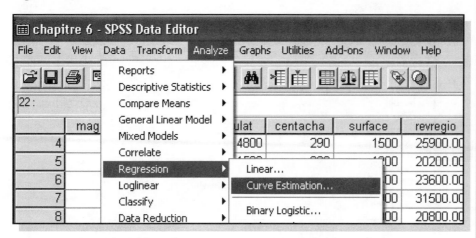

Dans le menu « *Curve Estimation* », entrer la variable dépendante continue dans l'espace « *Dependants* » et la variable indépendante continue dans l'espace « *Independant* ». La droite linéaire sera obtenue automatiquement puisque ce choix est présélectionné par défaut dans « *Models* » (voir annexe 6, fenêtre 6.2).

6.4

QUALITÉ DU MODÈLE

La seconde étape d'analyse consiste à déterminer la qualité du modèle de régression linéaire estimé. Il s'agit, en d'autres termes, de déterminer jusqu'à quel point un modèle linéaire reflète bien la relation entre la variable dépendante *y* et la variable indépendante *x*.

Pour cela, et sans entrer dans les détails de la théorie statistique, nous allons extraire de la variance totale de *y* (notée SST), la variance que nous pourrons expliquer par la variable dépendante *y* (notée SSR). La variance résiduelle (notée SSE) serait expliquée par les variations des facteurs autres que la variable retenue dans notre modèle, c'est-à-dire *x*.

Selon les données collectées dans notre échantillon, nous pourrons estimer les trois types de variance, SST, SSR et SSE : SST = SSR + SSE.

À partir de là, on pourra calculer le rapport entre SSR et SST, noté R^2, c'est le coefficient de détermination :

$$R^2 = SSR / SST$$

Ce coefficient varie entre 0 et 1. Il pourrait être interprété comme le pourcentage de variation de y expliqué par la variation de x. Plus ce coefficient est proche de 1, plus la variance de y est due à la variation de x (SSE / SST serait très faible). Plus le coefficient est proche de 0, plus la variation de y est due à la variation de facteurs autres que x (dans ce cas, SSE / SST serait très élevé).

Donc, plus le R^2 est proche de 1, plus la relation linéaire entre les deux variables y et x est forte. On pourrait retenir l'échelle d'interprétation suivante :

si $0 \leq R^2 \leq 0,3$, le modèle linéaire est mauvais ;

si $0,3 < R^2 \leq 0,5$, le modèle linéaire est acceptable ;

si $0,5 < R^2 \leq 0,7$, le modèle linéaire est bon ;

si $0,7 < R^2 \leq 1$, le modèle linéaire est très bon.

Graphiquement, un R^2 élevé signifie un nuage de points bien linéaires. Si le $R^2 = 1$, le nuage de points sera une droite linéaire. Par contre, un R^2 faible signifie des écarts élevés entre les points et la droite de régression linéaire estimée.

Dans notre exemple d'illustration, les résultats du tableau de décomposition de la variance (voir tableau 6.3) donnent, pour les estimations de la variance totale, celle expliquée par le modèle et la variance résiduelle, les valeurs respectives suivantes : 4406417 (SST), 3835467 (SSR) et 570950,2 (SSE). Ce qui donne un coefficient de détermination du modèle estimé de 0,87. Le modèle linéaire, mettant en relation les ventes d'une boutique en fonction de la richesse d'un quartier est un très bon modèle. Sans faire le calcul, la valeur du R^2 peut être lue directement dans le tableau 6.4 (*R Square*)

Tableau 6.3

ANOVA[b]

Model		Sum of Squares	df	Mean Square	F	Sig.
1	Regression	3835467	1	3835467	221,684	,000[a]
	Residual	570950,2	33	17301,522		
	Total	4406417	34			

a. *Predictors :* (*Constant*), revenu moyen du quartier (en $)
b. *Dependent Variable :* Ventes d'un magasin (en 000 $)

Tableau 6.4

Model Summary

Model	R	R Square	Adjusted R Square	Std. Error of the Estimate
1	,933[a]	,870	,867	131,54

a. *Predictors :* (*Constant*), revenu moyen du quartier (en $)

6.5

GÉNÉRALISATION
DE L'ENSEMBLE
DU MODÈLE :
TEST SUR LE R^2

Une fois que le modèle de la régression linéaire simple est estimé au niveau de l'échantillon et que sa qualité est admise, l'analyste doit passer à la phase d'inférence. Dans le cas de l'analyse de la régression, cette phase comprend deux niveaux d'inférence. Le premier niveau porte sur la généralisation de l'ensemble du modèle. Le deuxième niveau est une généralisation des paramètres du modèle. Le premier est un test sur le coefficient de détermination (R^2), le deuxième un test sur le coefficient de la régression (β_1).

Commençons d'abord par le premier test sur le R^2 dans la section suivante. Le test d'inférence sur le R^2 consiste à savoir si le modèle linéaire mettant en relation y et x tels qu'estimés au niveau de l'échantillon, est adéquat pour être appliqué à l'ensemble de la population. Il comprend quatre étapes.

- **1re étape :** énoncer les hypothèses.

    H_0 : le modèle linéaire mettant en relation y et x, estimés au niveau de l'échantillon n'est pas adéquat pour l'ensemble de la population, $R^2 = 0$.

    H_1 : le modèle est adéquat, $R^2 > 0$.

- **2e étape :** définir et calculer la statistique et la probabilité associée.

    Dans ce cas, la statistique est F_0,

    $$F_0 = R^2 / [1 - R^2 / n - 2]$$

    Cette statistique suit une loi de Fisher, avec 1 et ($n-2$) degrés de liberté. Ce qui nous permet d'obtenir $p(F_0)$ qui est la probabilité de faire une erreur si nous rejetons H_0 et généralisons ainsi le modèle estimé à l'ensemble de la population[2].

---

2 Pour plus de détails sur le test d'inférence rattaché au coefficient de détermination (R^2), le lecteur peut consulter Martel et Nadeau (1988) et Neter, Wasserman et kutner (1990).

- **3e étape**: fixer un seuil de signification statistique a.

- **4e étape**: décision d'acceptation ou de rejet.

  Il s'agit de rejeter H_0 si $p(F_0)<\alpha$.

Dans le cas de l'étude portant sur les boutiques de vêtements féminins, la valeur du F_0 correspondant au test du R^2 est de 221,684, et celle du $p(F_0)$ est de 0,000 (voir tableau 6.4). Cette probabilité est inférieure à la marge d'erreur tolérée ($\alpha = 0,05$). Donc, on peut affirmer que le modèle de la régression estimé au niveau de l'échantillon pourrait être généralisé à l'ensemble des boutiques de la chaîne. Il pourrait alors servir, par exemple, à faire des prédictions sur des niveaux de ventes espérés pour une nouvelle boutique qui se situerait à un endroit où le revenu moyen des résidants est connu.

Supposons qu'une nouvelle boutique est prévue dans un quartier où le revenu moyen des résidants est de 32 000 $. À l'aide du modèle estimé, on pourrait prédire que les ventes annuelles seraient de 2332869 $ ($y = -440 + 0,08666 = 32000$).

Par ailleurs, le modèle peut servir aussi à sélectionner des sites qui permettent de réaliser le niveau de ventes requis. Ainsi, supposons que la chaîne ne tolère pas qu'une boutique vende pour moins de 1000 000 $ par année. Selon le modèle estimé, pour installer de nouvelles boutiques, il faut alors viser des quartiers où le revenu moyen des résidants est au moins égal à 16 616 $ ($x = 1000 + 440 / 0,08$).

6.6

GÉNÉRALISATION DES PARAMÈTRES DU MODÈLE: TEST SUR LE β_1

Dans l'analyse de la régression linéaire simple, le deuxième niveau d'inférence porte sur le principal paramètre du modèle, à savoir le coefficient de régression b_1. Pour l'analyste, il s'agit de vérifier si l'effet linéaire (positif ou négatif) de la variable explicative sur la variable à expliquer, qui est observé au niveau de l'échantillon, pourrait être généralisé à l'ensemble de la population. Cela revient donc à faire un test sur le coefficient b_1. Ce test comprend quatre étapes.

- **1re étape** : énoncer les hypothèses.

  H_0 : l'effet linéaire (positif ou négatif) de la variable indépendante (x) sur la variable dépendante (y) n'est pas significatif pour l'ensemble de la population, $\beta_1 = 0$.

  H_1 : l'effet linéaire (positif ou négatif) de la variable indépendante (x) sur la variable dépendante (y) est significatif pour l'ensemble de la population, $\beta_1 > 0$ ou $\beta_1 < 0$.

- **2e étape** : définir et calculer la statistique et la probabilité associée.

Dans ce cas, la statistique est t_0, avec $t_0 = \beta_1 - \beta_1 / s(\beta_1)$. Cette statistique suit une loi de Student avec ($n-2$) degrés de liberté. Ce qui nous permet d'obtenir $p(t_0)$, qui est la probabilité de faire une erreur si nous rejetons H_0 et généralisons l'existence de l'effet observé au niveau de l'échantillon pour l'ensemble de la population[3].

- **3e étape** : fixer un seuil de signification statistique.

- **4e étape** : décision d'acceptation ou de rejet. Il s'agit de rejeter H_0 si $p(t_0) < \alpha$.

Dans le cas de l'exemple portant sur les boutiques de vêtements féminins, la valeur du t_0 correspondant au test sur le β_1 est de 14,889 et celle du $p(t_0)$ est de 0,000 (voir tableau 6.2). Cette probabilité est inférieure à la marge d'erreur tolérée ($\alpha = 0,05$). Donc, on peut rejeter H_0 et affirmer l'existence, pour l'ensemble des boutiques, d'un effet linéaire positif du revenu moyen du quartier sur les ventes d'une boutique.

6.7

MISE EN GARDE

Une façon de voir si le modèle de la régression ainsi défini est approprié pour un certain type de données, consiste à étudier les résidus e_i. Il s'agit essentiellement de vérifier six conditions que nous présentons brièvement dans ce qui suit[4].

---

3 Pour plus de détails sur le test d'inférence rattaché au coefficient de la régression, le lecteur peut consulter Martel et Nadeau (1988) et Neter, Wasserman et Kutner (1990).

4 Pour plus de détails sur l'analyse des résidus dans le cas de la régression linéaire simple, le lecteur peut consulter Martel et Nadeau (1988) et Neter, Wasserman et Kutner (1990).

- Condition 1 : LA FONCTION DE LA RÉGRESSION EST LINÉAIRE.

La fonction de la régression est linéaire lorsque la représentation graphique de e_i sur x donne un nuage de points linéaire (bande horizontale).

- Condition 2 : LA VARIANCE DES ERREURS (e_i) EST CONSTANTE.

La variance des e_i est constante lorsque le graphique des e_i sur x_i, ou des e_i sur y_i donne une dispersion moyenne autour de $e = 0$, qui demeure constante pour toutes les valeurs de y.

- Condition 3 : LES ERREURS (e_i) SONT INDÉPENDANTES.

Les erreurs e_i sont indépendantes lorsque le graphique des e_i sur x_i (classés par ordre chronologique) ne dégage pas de tendance particulière.

- Condition 4 : IL N'Y A PAS D'OBSERVATIONS ABERRANTES.

Une manière de détecter les observations aberrantes consiste à faire le graphique des erreurs standardisées (e_i / s_e) en fonction de x.

- Condition 5 : LES ERREURS (e_i) SONT DISTRIBUÉES NORMALEMENT.

Pour vérifier si les erreurs e_i sont distribuées normalement, on construit un histogramme des fréquences pour les résidus e_i.

- Condition 6 : VÉRIFIER SI UNE OU PLUSIEURS VARIABLES INDÉPENDANTES ONT ÉTÉ OMISES DANS LE MODÈLE.

Pour ce faire, on construit le graphique des e_i en fonction des n observations que l'on obtiendra pour x^*, la variable que l'on cherche à introduire.

En ce qui concerne l'exemple de la relation entre les ventes des boutiques et la richesse des quartiers, l'analyse des graphiques de la distribution de fréquence des résidus (figure 6.3), celle des résidus en fonction des valeurs de y prédites par le modèle (figure 6.4) et celle des résidus en fonction des valeurs de la variable indépendante x (figure 6.5), montrent que les six conditions mentionnées ci-dessus sont globalement vérifiées.

Figure 6.3

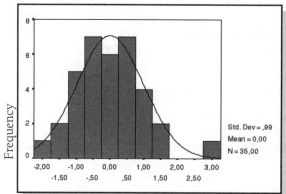

Histogram

Dependant Variable : Ventes d'un magasin (XXXX $)

Regresssion Standardized Residual

Figure 6.4

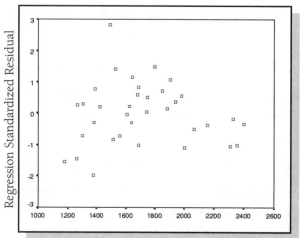

Regresssion Adjusted (Press) Predicted Value

Figure 6.5

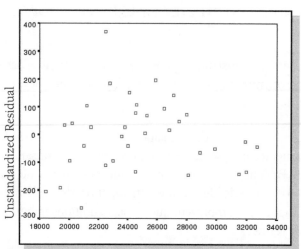

Revenu moyen du quartier (en $)

<u>NB</u> : Sur *SPSS V.12.0*, pour obtenir les graphiques permettant l'analyse des résidus relative à la régression linéaire simple, retourner dans le menu *« Linear Regression »* (voir annexe 6, fenêtre 6.2), cliquer sur la commande *« Plots »*, d'abord dans l'espace *« Standard Residuals Plots »* sélectionner les choix *« Histogram »* et *« Normal Probability Plot »*, ensuite dans l'espace *« Scatter »* entrer respectivement pour chacun des graphiques requis, les différents éléments nécessaires pour son obtention en tenant compte de l'axe horizontal (X) et vertical (Y) (voir annexe 6, fenêtre 6.2).

6.8

RÉSUMÉ

Dans une analyse de la régression linéaire simple, l'analyste en marketing cherche à étudier la nature de la relation pouvant exister entre deux variables continues. Il doit :

1. déterminer l'équation de la relation entre les deux variables continues intégrées dans l'étude et tracer la droite correspondante ;

2. interpréter les paramètres de la régression et analyser la nature de la relation ;

3. interpréter le coefficient de détermination (R^2) obtenu ;

4. se demander si le modèle estimé est adéquat pour l'ensemble de la population ($\alpha = 0,05$) ;

5. se demander s'il peut généraliser l'effet observé de la variable indépendante sur la variable dépendante ;

6. faire l'analyse des résidus ;

7. fournir les recommandations managériales et/ou faire des prévisions.

ANNEXE 6

COMMANDES DE *SPSS*
SOUS *WINDOWS V.12.0*
POUR L'ANALYSE DE
LA RÉGRESSION
LINÉAIRE SIMPLE

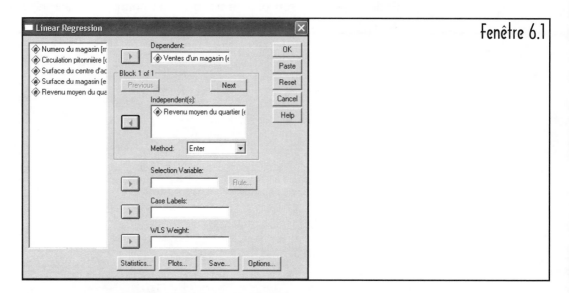

Fenêtre 6.1

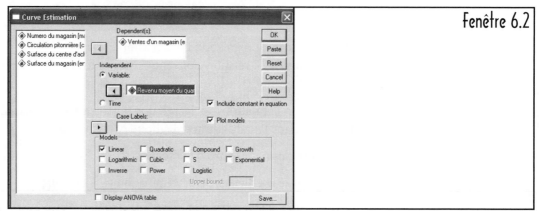

Fenêtre 6.2

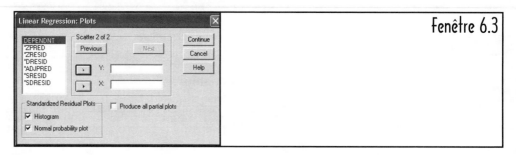

Fenêtre 6.3

► EXERCICES D'APPLICATION

Exercice 6.1

La compagnie A&N inc. dessert plusieurs villes du Québec. Cette compagnie désire étudier l'impact de ses stratégies marketing sur les ventes. L'analyste chargé de ce travail croit que le nombre de vendeurs par territoire pourrait expliquer les ventes. Il obtient alors les données relatives à 50 territoires desservis par la compagnie où les vendeurs travaillent actuellement.

1. Déterminez l'équation de la relation entre le nombre de vendeurs et les ventes et interprétez les paramètres de la régression (sans faire de test d'hypothèse).

2. Quelle est la valeur du coefficient de détermination ? Donnez sa signification dans le cadre de ce problème.

3. Peut-on utiliser l'équation obtenue pour faire des prédictions ? Expliquez pourquoi.

4. Sans faire de calcul, montrez comment le directeur de la compagnie peut utiliser les résultats de cette analyse s'il projette de réaliser des ventes annuelles de 200 000 $.

Tableau 6.1.1

Coefficients[a]

Model		Unstandardized Coefficients		Standardized Coefficients	t	Sig.
		B	Std. Error	Beta		
1	(Constant)	50871,833	19250,476	2,643	,011	
	Vendeurs	4496,852	831,898	,615	5,406	,000

a. *Dependent Variable*: Ventes

Tableau 6.1.2

Model Summary[b]

Model	R	R Square	Adjusted R Square	Std. Error of the Estimate
1	,615[a]	,378	,365	25830,1179

a. *Predictors*: (Constant), vendeurs
b. *Dependent Variable*: Ventes

Tableau 6.1.3

ANOVA[b]

Model		Sum of Squares	df	Mean Square	F	Sig.
1	Regression	1,95E+10	1	1,950E+10	29,220	,000[a]
	Residual	3,20E+10	48	667194993,2		
	Total	5,15E+10	49			

a. *Predictors : (Constant)*, vendeurs
b. *Dependent Variable :* Ventes

Exercice 6.2

En 1998, la société de transport métropolitain d'une grande ville canadienne a décidé de lancer une nouvelle carte valable pour trois jours consécutifs. Afin de tester la réaction du marché, l'entreprise a mis en vente la nouvelle carte dans 25 stations de métro jugées homogènes. Le prix de vente de la nouvelle carte variait d'une station à l'autre.

Après deux semaines, les résultats des ventes furent colligés. La base de données de l'étude comprend deux variables :

- ventes, c'est-à-dire le nombre d'unités vendues en deux semaines par station (variable continue) ;

- prix, c'est-à-dire le prix unitaire de vente en $ (variable continue).

À partir des résultats du test de marché, le directeur marketing de la société de transport, cherche à savoir s'il existe un lien entre le nombre d'unités vendues et le prix unitaire de la carte. La réponse à cette question va lui permettre de faire ses recommandations quant au prix de la carte qui sera commercialisée. Des analyses de la régression linéaire simple ont été réalisées et les résultats apparaissent dans le tableau 6.2.1.

1. Déterminez l'équation de la relation entre le nombre de cartes vendues par station et le prix et interprétez les paramètres de la régression (sans faire de test d'hypothèse).

2. Quelle est la valeur du coefficient de détermination ? Donnez sa signification dans le cadre de ce problème.

3. Peut-on alors utiliser l'équation obtenue pour faire des prédictions ? Expliquez pourquoi.

Tableau 6.2.1

Coefficients[a]

Model		Unstandardized Coefficients		Standardized Coefficients		
		B	Std. Error	Beta	t	Sig.
1	(Constant)	5795,317	772,545		7,502	,000
	Prix	-491,908	83,397	-,776	-5,898	,000

a. *Dependent Variable*: Ventes

Tableau 6.2.2

Model Summary

Model	R	R Square	Adjusted R Square	Std. Error of the Estimate
1	,776[a]	,602	,585	174,6284

a. *Predictors*: (Constant), prix

Tableau 6.2.3

ANOVA[b]

Model		Sum of Squares	df	Mean Square	F	Sig.
1	Regression	1060957	1	1060957	34,791	,000[a]
	Residual	701386,9	23	30495,082		
	Total	1762344	24			

a. *Predictors*: (Constant), prix
b. *Dependent Variable*: Ventes

Exercice 6.3

Monsieur Martin, fraîchement embauché par une université de Montréal désire acheter un condominium de 100 m^2 environ. Depuis quelques semaines, il consulte les journaux spécialisés pour se faire une idée des prix.

Il a relevé 28 annonces de ventes d'immobilier avec les prix et les surfaces correspondants. Un collègue de monsieur Martin lui propose d'utiliser la régression linéaire simple.

1. Déterminez l'équation de la relation entre le prix des maisons et la surface. Interprétez les paramètres de la régression (sans faire de tests d'hypothèse).

2. Quelle est la valeur du coefficient de détermination? Donnez sa signification dans le cadre de ce problème.

3. Peut-on alors utiliser l'équation obtenue pour faire des prédictions? Expliquez pourquoi.

Tableau 6.3.1

Coefficients[a]

Model		Unstandardized Coefficients		Standardized Coefficients		
		B	Std. Error	Beta	t	Sig.
1	(Constant)	-33,647	41,050	-,820	,420	
	Surface (m^2)	5,382	,412	,931	13,054	,000

a. *Dependent Variable:* Prix en (1000 $)

Tableau 6.3.2

Model Summary[b]

Model	R	R Square	Adjusted R Square	Std. Error of the Estimate
1	,931[a]	,868	,863	122,28428 $

a. *Predictors:* (Constant), surface (m^2)
b. *Dependant Variable:* Prix en (1000 $)

Tableau 6.3.3

ANOVA[b]

Model		Sum of Squares	df	Mean Square	F	Sig.
1	Regression	2548352	1	2548351,665	170,419	,000[a]
	Residual	388789,6	26	14953,446		
	Total	2937141	27			

a. *Predictors:* (Constant), surface (m^2)
b. *Dependent Variable:* Prix en (1000 $)

Chapitre 7

LES TECHNIQUES D'ANALYSE MULTIVARIÉES :
L'ANALYSE DE LA RÉGRESSION LINÉAIRE MULTIPLE

Les techniques d'analyse multivariées constituent un ensemble de techniques qui intègrent dans une même analyse plus que deux variables. Plusieurs types d'analyses existent et visent souvent des objectifs très différents. Leur utilisation en marketing est très courante, principalement pour résoudre des problèmes spécifiques comme les prévisions de ventes, la segmentation des marchés, le positionnement des produits, etc. Les techniques multivariées peuvent être classées en deux groupes : les techniques de dépendance et les techniques d'interdépendance. Dans le premier groupe, on cherche à expliquer une ou plusieurs variables dépendantes (continues ou discrètes) par une ou plusieurs variables indépendantes (continues ou discrètes), c'est le cas de techniques comme la régression multiple, l'analyse discriminante, l'analyse Logit, l'analyse de la variance multiple (MANOVA) et l'analyse canonique. Dans le deuxième groupe, l'objectif global est d'analyser les interdépendances qui peuvent exister entre un groupe de variables sans qu'il y ait de variable à expliquer, c'est le cas de techniques comme l'analyse en composantes principales, l'analyse factorielle, l'analyse de regroupement et l'analyse des échelles multidimensionnelles.

Dans le cadre de ce manuel, nous allons aborder les techniques multivariées que nous retrouvons couramment dans les études de marché en marketing, à savoir la régression linéaire multiple, l'analyse discriminante à deux groupes, l'analyse discriminante à plusieurs groupes, l'analyse factorielle en composantes principales, l'analyse de la variance à plusieurs facteurs et l'analyse typologique[1].

La première technique sera étudiée dans le présent chapitre, les autres feront l'objet des chapitres suivants.

Notons que d'un point de vue méthodologique, comme c'est le cas généralement pour les analyses univariées ou bivariées, le choix d'une technique multivariée va dépendre aussi principalement de l'objectif de l'étude et de l'échelle de mesure des variables dépendantes et/ou indépendantes impliquées. Le tableau 7.1 présente un guide de choix d'une technique multivariée pour celles qui seront couvertes dans ce manuel.

---

1 Pour plus de détails sur les autres techniques multivariées, le lecteur peut consulter Green (1978), Dillon et Goldstein (1984), Evard, Pras et Roux (2003), Hair, Anderson, Tatham et Black (2006) et Malhotra (2004).

Tableau 7.1

Nom de la technique	Variables dépendantes	Variables indépendantes	But de l'analyse
La régression linéaire multiple (Chapitre 7)	Continue	Majoritairement continue	Décrire sous forme d'une équation l'étendue, la direction et la forme de la relation entre plusieurs variables indépendantes pour la plupart continues et une variable dépendante obligatoirement continue.
L'analyse discriminante à deux groupes (Chapitre 8)	Discrète à deux catégories	Théoriquement toutes continues mais peuvent parfois en pratique être discrètes	Comprendre comment une ou plusieurs variables indépendantes pour la plupart continues peuvent être utilisées pour différencier entre deux catégories d'une variable discrète (ou deux groupes).
L'analyse discriminante à plusieurs groupes (Chapitre 9)	Discrète à plusieurs catégories	Théoriquement toutes continues mais peuvent parfois en pratique être discrètes	Comprendre comment une ou plusieurs variables indépendantes pour la plupart continues peuvent être utilisées pour différencier entre deux catégories d'une variable discrète (ou plusieurs groupes).
L'analyse factorielle en composantes principales (Chapitre 10)	Aucune variable	Toutes continues	Réduire le nombre de variables utilisées pour décrire des objets en quelques dimensions appelés facteurs ou composantes.
L'analyse de la variance à plusieurs facteurs (Chapitre 11)	Continue	Toutes discrètes	Décrire la relation entre une variable dépendante continue et plusieurs variables dépendantes toutes discrètes.
L'analyse typologique (Chapitre 12)	Aucune variable	Tout types	Identifier, parmi un ensemble d'objets hétérogènes, des regroupements qui sont similaires à l'intérieur de chaque groupe et assez différents d'un groupe à un autre.

7.1 INTRODUCTION:

DÉFINITION ET UTILITÉ EN MARKETING

La régression linéaire multiple est une technique statistique utilisée pour étudier l'effet de plusieurs variables indépendantes (pour la majorité continues) sur une variable dépendante continue (y). Il s'agit d'une généralisation de la régression linéaire simple, elle poursuit par conséquent les mêmes objectifs : décrire l'étendue, la direction et la forme de la relation entre plusieurs variables indépendantes (plutôt qu'une seule) et une variable dépendante continue.

En pratique, le modèle de régression linéaire multiple le plus simple est celui qui permet, non seulement d'expliquer la variabilité de y en fonction de plusieurs variables, mais aussi d'établir une relation linéaire de la forme :

$$y = \beta_0 + \beta_1 x_1 + \beta_2 x_2 + \ldots + \beta_k x_k + \varepsilon$$

avec

y, variable dépendante (à expliquer) continue ;

x_i ($i = 1, \ldots k$), variable indépendante (explicative) continue ;

β_0, la constante ;

β_i ($i = 1, \ldots k$), le coefficient de la régression pour la variable x_i. C'est l'effet de la variable x_i sur la variable y, c'est aussi la variation de y quand x_i augmente d'une unité ;

ε, terme d'erreur aléatoire associé à la variable y.

Dans les études de marché en marketing, les modèles de régression linéaires multiples sont souvent utilisés pour faire des prévisions et pour expliquer et décrire la variation d'un phénomène par plusieurs variables intégrées dans un seul et même modèle.

7.2

**EXEMPLE
D'ILLUSTRATION**

L'exemple sur lequel nous allons travailler pour illustrer l'application de l'analyse de la régression linéaire multiple en marketing est le suivant. Un consultant en marketing a été sollicité par le directeur d'une compagnie canadienne de textiles (vêtements féminins) pour développer un bon outil de gestion qui lui permettrait de comprendre, d'expliquer et de prédire les ventes de sa compagnie. Le consultant a recueilli des données sur 38 semestres portant sur :

1. le marché total du secteur textile au Canada, MT (000 000 $) ;

2. les remises accordées aux grossistes, RG (000 $) ;

3. les prix unitaires moyens, P ($) ;

4. le budget de recherche, BR (000 $) ;

5. les investissements, I (000 $) ;

6. le budget de publicité, PUB (000 $) ;

7. les frais de vente, FV (000 $) ;

8. le total du budget de publicité du secteur, TPUB (000 $) ;

9. les ventes, V (000 $).

Les données recueillies sont présentées dans le tableau 7.2. Selon le consultant, le modèle de la régression linéaire multiple, où la variable ventes est la variable dépendante et les huit autres variables recueillies sont des variables indépendantes, constitue la solution adéquate pour le gestionnaire de cette compagnie. Voyons dans ce qui suit les différentes étapes d'élaboration de ce modèle.

Tableau 7.2

semestre	mt	rg	prix	br	inv	pub	fv	tpub	ventes
1,00	398,00	138,00	56,00	12,00	50,00	77,00	229,00	98,00	5540,00
2,00	369,00	118,00	59,00	9,00	17,00	89,00	177,00	225,00	5439,00
3,00	268,00	129,00	57,00	29,00	89,00	51,00	166,00	263,00	4290,00
4,00	484,00	111,00	58,00	13,00	107,00	40,00	258,00	321,00	5502,00
5,00	394,00	146,00	59,00	13,00	143,00	52,00	209,00	407,00	4872,00
6,00	332,00	140,00	60,00	11,00	61,00	21,00	180,00	247,00	4708,00
7,00	336,00	136,00	60,00	25,00	-30,00	40,00	213,00	328,00	4627,00
8,00	383,00	104,00	60,00	21,00	-45,00	32,00	201,00	298,00	4110,00
9,00	285,00	105,00	63,00	8,00	-28,00	12,00	176,00	218,00	4123,00
10,00	277,00	135,00	62,00	11,00	76,00	68,00	175,00	410,00	4842,00
11,00	456,00	128,00	65,00	22,00	144,00	52,00	253,00	93,00	5741,00
12,00	355,00	131,00	65,00	24,00	113,00	77,00	208,00	307,00	5094,00
13,00	364,00	120,00	64,00	14,00	128,00	96,00	195,00	107,00	5383,00
14,00	320,00	147,00	66,00	15,00	10,00	48,00	154,00	305,00	4888,00
15,00	311,00	143,00	67,00	22,00	-25,00	27,00	181,00	60,00	4033,00
16,00	362,00	145,00	67,00	23,00	117,00	73,00	220,00	239,00	4942,00
17,00	408,00	131,00	66,00	13,00	120,00	62,00	235,00	141,00	5313,00
18,00	433,00	124,00	68,00	8,00	122,00	25,00	258,00	291,00	5140,00
19,00	359,00	106,00	69,00	27,00	71,00	74,00	196,00	414,00	5397,00

Tableau 7.2
(suite)

semestre	mt	rg	prix	br	inv	pub	fv	tpub	ventes
20,00	476,00	138,00	71,00	18,00	4,00	63,00	279,00	206,00	5149,00
21,00	415,00	148,00	69,00	8,00	47,00	29,00	207,00	80,00	5151,00
22,00	420,00	136,00	70,00	10,00	8,00	91,00	213,00	429,00	4989,00
23,00	536,00	111,00	73,00	27,00	128,00	74,00	296,00	273,00	5927,00
24,00	432,00	152,00	73,00	16,00	-50,00	16,00	245,00	309,00	4704,00
25,00	436,00	123,00	73,00	32,00	100,00	43,00	276,00	280,00	5366,00
26,00	415,00	119,00	75,00	20,00	-40,00	41,00	211,00	315,00	4630,00
27,00	462,00	112,00	73,00	15,00	68,00	93,00	283,00	212,00	5712,00
28,00	429,00	125,00	74,00	11,00	88,00	83,00	218,00	110,00	5095,00
29,00	517,00	142,00	74,00	27,00	27,00	75,00	307,00	345,00	6124,00
30,00	328,00	123,00	77,00	20,00	59,00	88,00	211,00	141,00	4787,00
31,00	418,00	135,00	79,00	35,00	142,00	74,00	270,00	83,00	5036,00
32,00	515,00	120,00	77,00	23,00	126,00	21,00	328,00	398,00	5288,00
33,00	412,00	149,00	78,00	36,00	30,00	26,00	258,00	124,00	4647,00
34,00	455,00	126,00	78,00	22,00	18,00	95,00	233,00	118,00	5316,00
35,00	554,00	138,00	81,00	20,00	42,00	93,00	324,00	161,00	6180,00
36,00	441,00	120,00	80,00	16,00	-22,00	50,00	267,00	405,00	4801,00
37,00	417,00	120,00	81,00	35,00	148,00	83,00	257,00	111,00	5512,00
38,00	461,00	132,00	82,00	27,00	-18,00	91,00	267,00	170,00	5272,00

7.3

ESTIMATION DU MODÈLE DE LA RÉGRESSION ET INTERPRÉTATION DES RÉSULTATS

La première étape d'analyse consiste à trouver un estimé du modèle de la régression linéaire multiple à partir des données de l'échantillon. Il s'agit donc de trouver des estimations pour les paramètres β_0 et β_i ($i = 1,...k$), qui seront notés b_0 et b_i.

Le modèle estimé au niveau de l'échantillon s'écrit alors comme suit :

$$y = b_0 + b_1 x_1 + b_2 x_2 + ... + b_k x_k + e$$

Notons que les paramètres β_0 et β_i, ainsi que le terme d'erreur se définissent de la même façon que dans le modèle de régression écrit précédemment pour la population.

Plusieurs techniques d'estimation sont utilisées pour calculer les valeurs b_0 et b_i ($i = 1,...k$). L'une d'elles est la méthode des moindres carrés. Elle consiste à minimiser les erreurs et donc à capturer le maximum de la variance y qui pourrait être du aux différentes variables explicatives retenues[2].

Comme le montrent les résultats du tableau 7.3, l'estimation par *SPSS V.12.0* du modèle de la régression linéaire multiple, dans le cas de l'exemple de la compagnie de textiles, nous permet d'écrire le modèle comme suit :

ventes = 3125 − 3,4 BR + 1,4 FV + 1,9 I + 4,4 MT − 13,5 P + 8,5 Pub + 1,68 RG − 0,01 TPub + e

---

2   Pour plus de détails sur l'estimation de ce modèle, le lecteur peut consulter Green (1978), Dillon et Goldstein (1984), Evard, Pras et Roux (2003), Hair, Anderson, Tatham et Black (2006) et Malhotra (2004).

Coefficients[a]

Tableau 7.3

Model	B	Std. Error	Beta	t	Sig.
	Unstandardized Coefficients		Standardized Coefficients		
1 (Constant)	3125,486	641,564		4,872	,000
Marché total de la branche	4,424	1,588	,605	2,785	,009
Remises aux grossistes	1,685	3,291	,043	,512	,613
Prix	-13,505	8,309	-,201	-1,625	,115
Budget de recherche	-3,404	6,569	-,053	-,518	,608
Investissements	1,926	,778	,234	2,476	,019
Publicité	8,550	1,827	,434	4,681	,000
Frais de ventes	1,493	2,771	,130	,539	,594
Total du budget pub. de la branche	-1,55E-02	,400	-,003	-,039	,969

a. *Dependent Variable*: Ventes

Pour illustrer la façon dont les paramètres du modèle devraient être interprétés, nous allons présenter le cas de la constante b_0, et les coefficients de la régression pour les variables marché Total (MT), investissement (I), prix (P) et publicité (Pub).

- b_0 : ce sont les ventes réalisées (en milliers de dollars) si l'ensemble des variables du modèle est mis à zéro.

- $b_{MT} = 4,4$: c'est l'effet linéaire du marché total du secteur sur les ventes de l'entreprise. Le signe du paramètre est positif ; les ventes augmentent de façon proportionnelle à la croissance du marché total. La valeur du paramètre indique que, si le marché total augmente d'une unité (1 million de dollars), les ventes de l'entreprise augmenteront de 4,4 unités (c'est-à-dire 4400 $). Ce paramètre indique la part de croissance des ventes de l'entreprise dans la croissance de l'ensemble du secteur.

- $b_I = 1,926$: c'est l'effet linéaire des dépenses d'investissement de l'entreprise sur ses ventes annuelles. Le signe du paramètre est positif ; les ventes augmenteront de façon proportionnelle avec les dépenses d'investissement. La valeur du paramètre indique que, si l'entreprise augmente son budget d'investissement d'une unité (1000 $), ses ventes annuelles augmenteront de 1,926 unités (c'est-à-dire 1926 $). Ce paramètre indique le retour sur investissement exprimé en termes des ventes annuelles.

- $b_p = -13,5$: c'est l'effet linéaire des prix sur les ventes annuelles. Le signe du paramètre est négatif ; les ventes augmentent de façon inversement proportionnelle aux variations des prix. La valeur du paramètre indique que si les prix augmentent d'une unité (1 $), les ventes annuelles diminueront de 13,5 unités (c'est-à-dire 13 500 $).

• $b_{pub} = 8,5$: c'est l'effet linéaire des dépenses de publicité sur les ventes annuelles. Le signe du paramètre est positif ; les ventes augmentent de façon proportionnelle aux variations des dépenses publicitaires. La valeur du paramètre indique que, si le budget annuel de publicité augmente d'une unité (1000 $), les ventes augmenteront aussi de 8,5 unités (c'est-à-dire 8500 $). Ce paramètre donne une idée de la rentabilité des dépenses de publicité engagées annuellement par l'entreprise de textiles.

<u>NB</u> : Sur *SPSS V.12.0*, pour obtenir l'estimation des paramètres et toutes les données relatives à la régression linéaire multiple, faire :

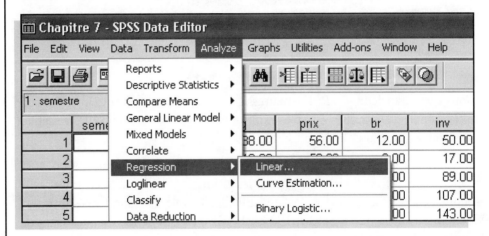

Dans le menu « *Linear Regression* », entrer la variable dépendante continue dans l'espace « *Dependant* » et la ou les variables indépendantes continues dans l'espace « *Independant(s)* » (voir annexe 7, fenêtre 7.1).

7.4

QUALITÉ DU MODÈLE

Dans l'analyse de la régression linéaire multiple, la deuxième étape consiste à évaluer la qualité du modèle estimé. Il s'agit en d'autres termes de déterminer jusqu'à quel point un modèle linéaire reflète bien la capacité des variables indépendantes retenues (x_i) pour expliquer la variation de la variable dépendante y.

Sans entrer dans les détails de la théorie statistique ou revenir sur les détails présentés dans le chapitre précédent (section 6.4), la qualité du modèle de la régression linéaire multiple sera aussi évaluée à partir du coefficient de détermination (noté R^2). Ce coefficient est calculé à partir de la décomposition de la variance totale (SST) en variance expliquée par le modèle (SSR) et en variance résiduelle (SSE). Il s'agit encore une fois de pourcentage de la variation de y expliquée par la variation de l'ensemble des variables explicatives (x_i, $i = 1,...k$).

On pourrait alors retenir la même échelle d'interprétation présentée dans le chapitre précédent :

si $0 \leq R^2 \leq ,30$, le modèle linéaire est mauvais ;

si $,30 < R^2 \leq ,50$, le modèle linéaire est acceptable ;

si $,50 < R^2 \leq ,70$, le modèle linéaire est bon ;

si $,70 < R^2 \leq 1$, le modèle linéaire est très bon.

Notons que des valeurs du R^2 inférieures à ,50 requièrent souvent l'introduction dans le modèle de nouvelles variables explicatives. L'ajout de ces nouvelles variables ne pourrait qu'améliorer la valeur du R^2.

Dans notre exemple d'illustration, les résultats du tableau de décomposition de la variance (voir tableau 7.4) donnent, pour les estimations de la variance totale, celle expliquée par le modèle et la variance résiduelle, les valeurs respectives suivantes : 9808203 (SST), 7903283 (SSR) et 1904921 (SSE). Ce qui donne un coefficient de détermination du modèle estimé de 0,806 (SSR / SST). Le modèle linéaire mettant en relation les ventes annuelles de la compagnie de textiles en fonction des huit variables retenues est un très bon modèle. Notons que la valeur du R^2 peut être obtenue directement dans le tableau 7.5 (R Square).

Tableau 7.4

ANOVA[b]

Model		Sum of Squares	df	Mean Square	F	Sig.
1	Regression	7903283	8	987910,3	15,040	,000[a]
	Residual	1904921	29	65686,918		
	Total	9808203	37			

a. *Predictors :* (*Constant*), total du budget pub. de la branche, marché total de la branche, remises aux grossistes, budget de recherche, investissements, publicité, prix, frais de ventes
b. *Dependent Variable :* Ventes

Tableau 7.5

Model Summary

Model	R	R Square	Adjusted R Square	Std. Error of the Estimate
1	,898$_a$	,806	,752	256,2946

a. *Predictors: (Constant),* total du budget pub. de la branche, marché total de la branche, remises aux grossistes, budget de recherche, investissements, publicité, prix, frais de ventes

En pratique, il arrive que l'on soit amené à comparer plusieurs modèles de régressions différentes de la même variable expliquée (y). Ces régressions sont différentes soit par le nombre de variables explicatives intégrées au modèle, soit par le nombre d'observations utilisées lors de l'estimation. Dans ce cas, pour choisir le meilleur modèle, il est préférable d'utiliser un coefficient de détermination ajusté au nombre de variables et/ou d'observations plutôt que d'utiliser celui décrit en début de section.

Le coefficient de détermination ajusté noté $\overline{R^2}$ est calculé comme suit:

$$\overline{R^2} = 1 - \frac{(n-1)}{(n-k-1)}\left(1 - R^2\right)$$

avec

R^2, coefficient de détermination estimé par la régression

n, taille de l'échantillon

k, nombre de variables explicatives

Dans notre exemple d'illustration, les résultats du tableau de la décomposition de la variance (voir tableau 7.4) donnent un coefficient de détermination ajusté de 0,752.

Notez bien que le R^2 ajusté n'est utilisé que pour comparer plusieurs régressions différentes de la même variable explicative. Il ne peut en aucun cas être utilisé pour mesurer la qualité d'un modèle unique.

Dans l'analyse de la régression linéaire multiple, l'étape présentée dans la section précédente nous permet, certes, de conclure sur la qualité du modèle dans son ensemble, mais elle ne donne aucune idée de l'importance de chaque variable. D'où la nécessité de recourir au coefficient de régression standardisé, noté b_i^*. Globalement, nous allons obtenir autant de coefficients que de variables explicatives retenues dans le modèle. Chaque coefficient standardisé est obtenu comme suit :

$$b_i^* = b_i * Sx_i / Sy$$

avec b_i, le coefficient de régression de la variable x_i

Sx_i, l'écart type de la variable x_i

S_y, l'écart type de la variable y

Les valeurs de ces coefficients seront mutuellement comparées. L'importance de chaque variable sera évaluée proportionnellement à l'importance de la valeur du coefficient de la régression standardisé, prise en valeur absolue.

Dans notre exemple d'illustration, les résultats des coefficients standardisés sont présentés dans le tableau 7.3 (*standardized coefficients : beta*). Les valeurs obtenues montrent que les variables les plus importantes sont, par ordre décroissant : *marché total* (,605), *publicité* (,434), *investissements* (,234) et *prix* (−,201). Ce sont là les variables clés du modèle de gestion des ventes de la compagnie de textiles. Pour ce qui est des autres variables retenues, les valeurs du coefficient standardisé montrent clairement leur impact très faible sur les ventes.

Une fois le modèle de la régression linéaire multiple estimé et sa qualité et l'importance de chacune des variables déterminées, l'analyste doit passer à la phase d'inférence. Comme nous l'avons mentionné dans le cas de la régression linéaire simple, deux niveaux d'inférence doivent être réalisés. Le premier niveau porte sur l'ensemble du modèle ; c'est le test sur le R^2. Le deuxième niveau concerne chacune des variables explicatives retenues ; ce sont les tests sur les coefficients de régression β_i *(i = 1,...k)*.

Commençons d'abord par le premier test sur le R^2. L'autre test sera abordé dans la section suivante. Comme nous l'avons mentionné dans le chapitre 6, le test d'inférence sur le R^2 consiste à savoir si le modèle linéaire mettant en relation la variable dépendante y avec l'ensemble des variables indépendantes (x_i, *i = 1,...k*), tel qu'estimé au niveau de l'échantillon, est adéquat pour être appliqué à l'ensemble de la population. Il comprend quatre étapes.

- **1re étape** : énoncer les hypothèses.

  H_0 : le modèle linéaire mettant en relation y et x_i ($i = 1,...k$), estimé au niveau de l'échantillon, n'est pas adéquat pour l'ensemble de la population, $R^2 = 0$.

  H_1 : le modèle est adéquat, $R^2 > 0$.

- **2e étape** : définir et calculer la statistique et la probabilité associée.

  Dans ce cas, la statistique est F_0.

  $F_0 = [R^2 / k] / [1- R^2 /n{-}k{-}1]$

  Cette statistique suit la loi de Fisher, avec k et $(n{-}k{-}1)$ degrés de liberté. Ce qui nous permet d'obtenir $p(F_0)$ qui est la probabilité de faire une erreur si nous rejetons H_0 et nous généralisons ainsi le modèle estimé à l'ensemble de la population [3].

- **3e étape** : fixer un seuil de signification statistique a.

- **4e étape** : décision d'acceptation ou de rejet.

  Il s'agit de rejeter H_0 si $p(F_0) < \alpha$.

Dans le cas de notre exemple portant sur le modèle des ventes de la compagnie de textiles, la valeur du F_0 correspondant au test du R^2 est de 15,04, et celle du $p(F_0)$ est de 0,000 (voir tableau 7.4). Cette probabilité est inférieure à la marge d'erreur tolérée ($\alpha = 0,05$). Donc, on peut affirmer que le modèle de régression estimé au niveau de l'échantillon pourrait être utilisé pour faire des prédictions sur d'autres observations

7.7

GÉNÉRALISATION DES PARAMÈTRES DU MODÈLE : TEST SUR LE β_i

Dans l'analyse de la régression linéaire multiple, le deuxième niveau d'inférence porte sur le principal paramètre du modèle, à savoir le coefficient de la régression β_i ($i = 1,...k$). Pour l'analyste, il s'agit de vérifier si l'effet linéaire (positif ou négatif) de chaque variable explicative sur la variable à expliquer, qui est observé au niveau de l'échantillon, pourrait être généralisé à l'ensemble de la population. Cela revient donc à faire autant de tests qu'il y a de coefficients β_i. Chaque test comprend quatre étapes.

---

3 Pour plus de détails sur le test sur le R^2, le lecteur peut consulter Green (1978), Dillon et Goldstein (1984), Evard, Pras et Roux (2003), Hair, Anderson, Tatham et Black (2006) et Malhotra (2004).

- **1e étape** : énoncer les hypothèses.

  H_0 : l'effet linéaire (positif ou négatif) de la variable indépendante (x_i) sur la variable dépendante (y) n'est pas significatif pour l'ensemble de la population, $\beta_i = 0$.

  H_1 : l'effet linéaire (positif ou négatif) de la variable indépendante (x_i) sur la variable dépendante (y) est significatif pour l'ensemble de la population, $\beta_i > 0$ ou $\beta_i < 0$.

- **2e étape** : définir et calculer la statistique et la probabilité associée.

  Dans ce cas, la statistique est t_0, avec $t_0 = b_i - b_i / s(b_i)$. Cette statistique suit une loi de Student avec h $(n–k–1)$ degrés de liberté. Ce qui nous permet d'obtenir $p(t_0)$, qui est la probabilité de faire une erreur si nous rejetons H_0 en généralisant l'existence de l'effet observé de la variable x_i au niveau de l'échantillon pour l'ensemble de la population[4].

- **3e étape** : fixer un seuil de signification statistique α.

- **4e étape** : décision d'acceptation ou de rejet.

  Il s'agit de rejeter H_0 si $p(t_0) < \alpha$.

Concernant le test d'inférence effectué sur chacun des coefficients de la régression dans notre exemple d'illustration, le tableau 7.3 montre que les seuls effets significatifs et généralisables sont ceux du *marché total* (p = 0,009), de la *publicité* (p = 0,000) et de *l'investissement* (p = 0,019). Tous les autres effets ne sont pas généralisables ; les variables correspondantes doivent, par conséquent, être retirées du modèle. On aurait ainsi un modèle plus simple avec trois variables explicatives que l'on devrait analyser de nouveau pour s'assurer de la qualité du modèle (R^2).

7.8

MISE EN GARDE

Les modèles de la régression multiple doivent respecter plusieurs conditions, basées sur l'analyse des résidus, parmi lesquelles on retrouve les six conditions abordées dans le cadre de la régression linéaire simple au chapitre 6 (voir section 6.7). Dans le cas de la régression linéaire multiple, une autre condition vient s'ajouter : l'absence de multicolinéarité entre les variables indépendantes du modèle[5].

---

4 Pour plus de détails sur les tests sur les coefficients de la régression, le lecteur peut consulter Green (1978), Dillon et Goldstein (1984), Evard, Pras et Roux (2003), Hair, Anderson, Tatham et Black (2006) et Malhotra (2004).

5 Pour plus de détails sur l'analyse des conditions d'application de la régression multiple, le lecteur peut consulter Green (1978), Dillon et Goldstein (1984), Evard, Pras et Roux (2003), Hair, Anderson, Tatham et Black (2006) et Malhotra (2004).

Pour ce qui est des six premières conditions, le lecteur peut se référer à la section 6.7 du chapitre précédent. Concernant la nouvelle condition, l'idée principale est qu'un modèle de régression pertinent est un modèle qui explique bien la variation de la variable dépendante y avec le minimum de variables explicatives (x_i). Cela revient, entre autres, à éliminer non seulement les variables non significatives ou peu importantes, mais aussi les variables dont les effets sont redondants. Il s'agit des variables qui expliqueraient une variation déjà captée par une autre variable présente dans le modèle.

Pour éliminer la redondance du modèle, ainsi que les variables peu importantes ou non significatives, nous recommandons le recours à la méthode pas à pas (*Stepwise Regression*). Cette méthode consiste à introduire successivement dans le modèle les variables explicatives en fonction de leur contribution marginale à l'amélioration de la qualité du modèle. L'ordre d'entrée reflète ainsi l'importance relative de chaque variable. Le processus s'arrête lorsqu'il n'y a plus d'amélioration de la qualité du modèle ou si l'effet de la nouvelle variable sur la variable dépendante est non significatif. On obtient ainsi le modèle le plus économique.

Dans notre exemple d'illustration, les résultats de la méthode pas à pas apparaissent dans les tableaux 7.6 a, b, c et d.

Tableau 7.6 a

Variables Entered/Removed [a]

Model	Variables Entered	Variables Removed	Method
1	Marché total de la branche	,	Stepwise (Criteria : Probability-of-F-to-enter <= ,050, Probability-of-F-to-remove = ,100).
2	Publicité	,	Stepwise (Criteria : Probability-of-F-to-enter <= ,050, Probability-of-F-to-remove >=,100).
3	Investissements	,	Stepwise (Criteria : Probability-of-F-to-enter <= ,050, Probability-of-F-to-remove >= ,100).

a. *Dependent Variable* : Ventes

Model Summary

Tableau 7.6 b

Model	R	R Square	Adjusted R Square	Std. Error of the Estimate
1	,721[a]	,520	,506	361,7926
2	,840[b]	,706	,690	286,8781
3	,881[c]	,776	,757	253,9402

a. *Predictors*: *(Constant)*, marché total de la branche
b. *Predictors*: *(Constant)*, marché total de la branche, publicité
c. *Predictors*: *(Constant)*, marché total de la branche, publicité, investissements

ANOVA[d]

Tableau 7.6 c

Model		Sum of Squares	df	Mean Square	F	Sig.
1	Regression	5096024	1	5096024	38,932	,000[a]
	Residual	4712179	36	130893,9		
	Total	9808203	37			
2	Regression	6927737	2	3463868	42,089	,000[b]
	Residual	2880467	35	82299,045		
	Total	9808203	37			
3	Regression	7615692	3	2538564	39,366	,000[c]
	Residual	2192512	34	64485,634		
	Total	9808203	37			

a. *Predictors*: *(Constant)*, marché total de la branche
b. *Predictors*: *(Constant)*, marché total de la branche, publicité
c. *Predictors*: *(Constant)*, marché total de la branche, publicité, investissements
d. *Dependent Variable*: ventes

Coefficients[a]

Tableau 7.6 d

Model		Unstandardized Coefficients		Standardized Coefficients		
		B	Std. Error	Beta	t	Sig.
1	(Constant)	2956,891	347,907		8,499	,000
	Marché total de la branche	5,268	,844	,721	6,240	,000
2	(Constant)	2705,802	280,955		9,631	,000
	Marché total de la branche Publicité	4,624	,683	,633	6,766	,000
		8,683	1,840	,441	4,718	,000
3	(Constant)	2730,026	248,808		10,972	,000
	Marché total de la branche Publicité	4,423	,608	,605	7,275	,000
		7,492	1,669	,381	4,487	,000
	Investissements	2,260	,692	,274	3,266	,002

a. *Dependent Variable*: Ventes

Le modèle final est un très bon modèle ($R^2 = 77,6\ \%$). Il est adéquat ($p(F_0) < ,05$) et contient seulement trois variables, qui sont, par ordre d'importance décroissante, le marché total, la publicité et les investissements. Les autres variables enlevées sont soit non significatives, soit redondantes. En éliminant ces variables du modèle initial, nous avons à peine perdu 3 % de qualité. Le modèle obtenu est donc un modèle très économique.

NB : Sur *SPSS V.12.0*, pour obtenir l'estimation des paramètres et toutes les données relatives à la régression linéaire pas à pas, retourner dans le menu « *Linear Regression* » (voir annexe 7, fenêtre 7.1), entrer la variable dépendante continue dans l'espace « *Dependant* » et l'ensemble des variables indépendantes continues dans l'espace « *Independant(s)* » et modifier dans le menu déroulant « *Method* », la sélection retenue par défaut « *Enter* » par le choix « *Stepwise* » (voir annexe 7, fenêtre 7.2).

Pour le modèle final à trois variables, l'analyse des graphiques de la distribution des fréquences des résidus (voir figure 7.1), celle des résidus en fonction des valeurs prédites d'un côté (voir figure 7.2), et celle des résidus en fonction de chacune des trois variables explicatives (voir figures 7.3 a-b-c), montrent que les six conditions de l'analyse de la régression sont globalement respectées.

Figure 7.1

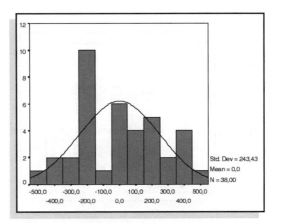

Unstandardized Residual

Figure 7.2

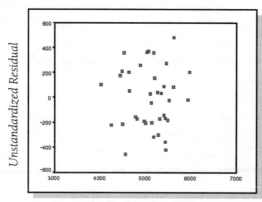

Unstandardized Predicted Value

Figure 7.3 a

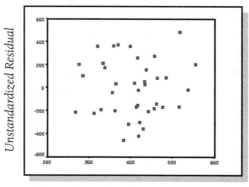

Marché total de la branche

Figure 7.3 b

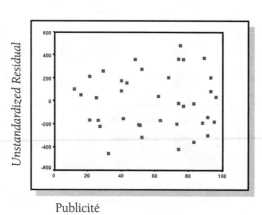

Publicité

Figure 7.3 c

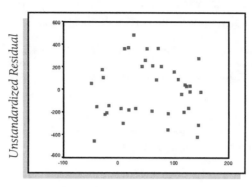

Investissements

NB : Sur *SPSS V.12.0*, pour obtenir les graphiques permettant l'analyse des résidus relative à la régression linéaire multiple, retourner dans le menu *« Linear Regression »* (voir annexe 7, fenêtre 7.1), cliquer sur la commande *« Plots »*, d'abord dans l'espace *« Standard Residuals Plots »* sélectionner les choix *« Histogram »* et *« Normal Probability Plot »*, ensuite dans l'espace *« Scatter »* entrer respectivement, pour chacun des graphiques requis, les différents éléments nécessaires pour son obtention en tenant compte de l'axe horizontal (X) et vertical (Y) (voir annexe 7, fenêtre 7.3).

7.9

RÉSUMÉ

Dans une analyse de la régression linéaire multiple, l'analyste en marketing cherche à étudier l'effet de plusieurs variables indépendantes (pour la majorité continues) sur une variable dépendante continue. Il doit :

1. analyser les corrélations entre la variable dépendante et chacune des variables indépendantes. Tirer une première conclusion ;

2. déterminer l'équation analytique mettant en relation la variable dépendante avec les différentes variables explicatives intégrées dans l'étude ;

3. interpréter les paramètres de la régression et analyser la nature de l'effet respectif de chaque variable explicative sur la variable dépendante ($\alpha = 0,05$) ;

4. déterminer laquelle des variables indépendantes explique la variable dépendante avec le plus de précision (brève explication) ;

5. déterminer laquelle des variables indépendantes est la plus importante pour expliquer la variable dépendante (brève explication) ;

6. interpréter le coefficient de détermination (R^2) obtenu ;

7. déterminer si le modèle est adéquat ($\alpha = 0{,}05$) ;

8. faire l'analyse des résidus ;

9. présenter la ou les démarches nécessaires pour obtenir le meilleur modèle, capable d'expliquer la variable dépendante ;

10. faire les recommandations de gestion.

ANNEXE 7

COMMANDES DE *SPSS*
SOUS *WINDOWS V.12.0*
POUR L'ANALYSE
DE LA RÉGRESSION
LINÉAIRE MULTIPLE

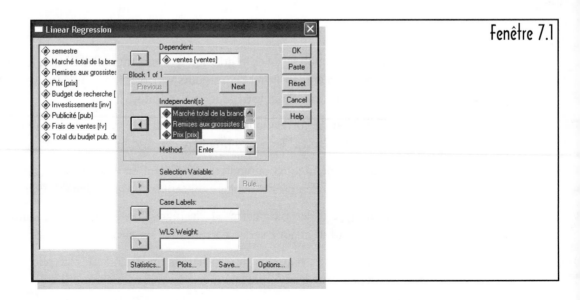

Fenêtre 7.1

Fenêtre 7.2

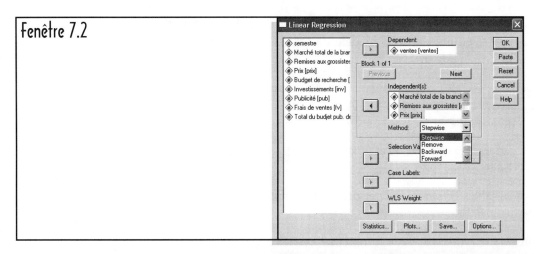

Fenêtre 7.3

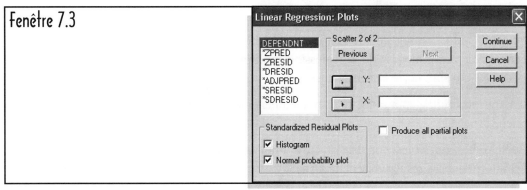

▸ EXERCICES D'APPLICATION

Exercice 7.1

Un consultant en marketing a été sollicité par le directeur d'une chaîne de magasins d'alimentation au Québec pour développer un bon outil de gestion qui lui permettrait de comprendre, d'expliquer et de prédire les ventes de ses magasins en fonction de certains éléments de marketing mix à savoir : la publicité, la promotion, la force de vente et le prix. Le consultant a recueilli des données sur 50 magasins.

- Les ventes annuelles, v (en 000 $).
- Les dépenses annuelles en promotion, *prom* (en $).
- Les dépenses en publicité, *pub* (en $).
- Le nombre de vendeurs en magasin, *fv*.
- Le prix moyen, *prix* (en $).

1. Dans un premier temps, on décide de garder toutes les variables mentionnées ci-dessus et de les introduire dans un modèle de régression multiple pour expliquer les ventes des magasins.

1.1 Déterminer l'équation de la relation entre les ventes et les variables explicatives retenues. Interpréter les paramètres de la régression et analyser l'effet de chaque variable explicative sur les ventes. ($\alpha = 0,05$).

1.2 Laquelle des variables (*prom, pub, fv* et *prix*) explique les ventes avec le plus de précision (brève explication)?

1.3 Laquelle des variables (*prom, pub, fv* et *prix*) est la plus importante pour expliquer les ventes (brève explication)?

1.4 Quels commentaires vous inspire le R^2 obtenu?

1.5 Le modèle est-il adéquat ($\alpha = 0,05$)?

2. Dans un deuxième temps, nous décidons tout de même d'examiner la possibilité d'enlever de notre modèle de la régression multiple certaines des variables explicatives qui sont corrélées entre elles.

2.1 Quelle est la raison fondamentale qui peut nous amener à entreprendre cette démarche?

2.2 Une des démarches possibles consiste à faire une analyse *Stepwise*. Présentez et interprétez les résultats de cette analyse.

2.3 Suite à cela, quelles sont les implications marketing pour la chaîne de magasins qui a commandé cette étude?

Tableau 7.1.1

Coefficients[a]

Model		Unstandardized Coefficients		Standardized Coefficients		
		B	Std. Error	Beta	t	Sig.
1	(Constant)	-206,613	112,509		-1,836	,073
	Dépenses annuelles de promotion en $	2,930E-06	,000	,002	,043	,966
	Dépenses annuelles en publicité	5,391E-03	,001	,580	6,586	,000
	Taille de la force de vente	32,427	6,818	,418	4,756	,000
	Prix moyen	-,408	,343	-,051	-1,190	,240

a. *Dependent Variable*: Ventes annuelles en 000 $

Tableau 7.1.2

Model Summary[b]

Model	R	R Square	Adjusted R Square	Std. Error of the Estimate
1	,960[a]	,922	,915	102,2658

a. *Predictors :* *(Constant)*, Prix moyen, Dépenses annuelles de promotion en $, Taille de la force de vente, Dépenses annuelles en publicité

b. *Dependent Variable :* Ventes annuelles en 000 $

Tableau 7.1.3

Variables Entered/Removed [a]

Model	Variables Entered	Variables Removed	Method
1	Dépenses annuelles en publicité	,	Stepwise (Criteria : Probability-of-F-to-enter <= ,050 Probability-of-F-to-remove >= ,100).
2	Taille de la force de vente	,	Stepwise (Criteria : Probability-of-F-to-enter <= ,050, Probability-of-F-to-remove >= ,100).

a. *Dependent Variable :* Ventes annuelles en 000 $

Tableau 7.1.4

Model Summary[c]

Model	R	R Square	Adjusted R Square	Std. Error of the Estimate
1	,939[a]	,881	,879	122,1952
2	,959[b]	,920	,916	101,6627

a. *Predictors :* *(Constant)*, Dépenses annuelles en publicité

b. *Predictors :* *(Constant)*, Dépenses annuelles en publicité, Taille de la force de vente

c. *Dependent Variable :* Ventes annuelles en 000 $

Tableau 7.1.5

*ANOVA*c

Model		Sum of Squares	df	Mean Square	F	Sig.
1	Regression	5323042	1	5323042,304	356,494	,000a
	Residual	716719,7	48	14931,660		
	Total	6039762	49			
2	Regression	5554003	2	2777001,411	268,691	,000b
	Residual	485759,2	47	10335,302		
	Total	6039762	49			

a. *Predictors*: *(Constant)*, Dépenses annuelles en publicité
b. *Predictors*: *(Constant)*, Dépenses annuelles en publicité, Taille de la force de vente
c. *Dependent Variable*: Ventes annuelles en 000 $

Tableau 7.1.6

*Coefficients*a

Model		Unstandardized Coefficients		Standardized Coefficients		
		B	Std. Error	Beta	t	Sig.
1	(Constant)	-460,075	116,614		-3,945	,000
	Dépenses annuelles en publicité	8,725E-03	,000	,939	18,881	,000
2	(Constant)	-244,412	107,210		-2,280	,027
	Dépenses annuelles en publicité	5,346E-03	,001	,575	6,586	,000
	Taille de la force de vente	31,993	6,768	,413	4,727	,000

a. *Dependent Variable*: Ventes annuelles en 000 $

Exercice 7.2

SEI-Canada est l'une des filiales d'un groupe informatique américain spécialisé dans le développement et la commercialisation de logiciels éducatifs, de jeux et de bureautique. Ce développeur de logiciels s'est assuré, depuis sa création en 1979, une part non négligeable du marché canadien. Au début de 1996, la directrice marketing de SEI-Canada, madame Amela, s'est proposé d'améliorer la procédure de suivi des ventes de ses logiciels de jeux. Elle souhaitait notamment disposer d'un système qui lui permette de mieux contrôler l'efficacité de son programme marketing opérationnel et en particulier de la publicité et du prix de ce type de logiciels.

À titre de test, madame Amela a tenté d'expliquer l'évolution de la part de marché de ses logiciels de jeux au Canada. À cet effet, elle a fait rassembler par son service de recherche marketing toutes les informations directement accessibles et nécessaires à la construction du système de prévision de la part de marché pour ses produits. Les données recueillies portent sur 63 périodes (mois) de ventes et concernent les différents facteurs susceptibles d'avoir une influence sur la part de marché de ses produits, notamment, la part de marché de l'ensemble de ses logiciels en concurrence au Canada, le degré de nouveauté et les politiques de prix et de promotion mises en œuvre pour les logiciels de jeux au Canada. Les variables mesurées à travers les 63 périodes sont :

1. la part de marché de SEI-Canada, pour les logiciels de jeux au Canada, *pmljc* (en %) ;

2. la part de marché de SEI-Canada pour l'ensemble de ses logiciels au Canada, *pmlc* (en %) ;

3. l'âge du logiciel de jeux, *âge* (en nombre de mois depuis son lancement) ;

4. le prix du logiciel de jeux, *prix* (en $) ;

5. les dépenses mensuelles en publicité pour les logiciels de jeux au Canada, *pub* (en 1000 $).

1. Dans un premier temps, on décide de garder toutes les variables mentionnées ci-dessus et de les introduire dans un modèle de régression multiple pour expliquer la part de marché de SEI pour ses logiciels de jeux au Canada.

   1.1 Déterminez l'équation de la relation entre la part de marché de SEI pour ses logiciels de jeux et les variables explicatives retenues par la directrice marketing. Interprétez les paramètres de la régression et analysez l'effet de chaque variable explicative sur les ventes ($\alpha = 0{,}10$).

   1.2 Laquelle des variables (*pmlc, âge, prix et pub*) explique la part de marché de SEI pour ses logiciels de jeux avec le plus de précision (brève explication) ?

   1.3 Le modèle est-il adéquat ($\alpha = 0{,}05$) ?

2. Dans un deuxième temps, nous décidons tout de même d'examiner la possibilité d'améliorer notre modèle de régression multiple pour obtenir un modèle économique.

   2.1 Une des démarches possibles consiste à faire une analyse *Stepwise*. Sans faire l'analyse, la directrice marketing nous informe de sa certitude que les variables *pmlc, âge* et *prix* seront certainement retenues et que le R^2 du modèle final dépassera 0,50. À quoi vous fait penser ce commentaire ?

   2.2 Suite à cela, quelles sont les implications marketing pour la directrice marketing de la société SEI-Canada qui a commandé cette étude ?

Tableau 7.2.1

Coefficients[a]

Model		Unstandardized Coefficients		Standardized Coefficients		
		B	Std. Error	Beta	t	Sig.
1	(Constant)	102,046	51,529		1,980	,076
	La part de marché de SEI-Canada pour l'ensemble de ses logiciels au Canada	,236	,188	,310	1,252	,239
	L'âge du logiciel de jeux	-,195	,103	-1,557	-1,888	,088
	Prix du logiciel de jeux	-,866	,440	-1,552	-1,971	,077
	Dépenses mensuelles en publicité	,155	,174	,235	,888	,396

a. *Dependent Variable:* La part de maché de SEI-Canada pour les logiciels de jeux au Canada

Tableau 7.2.2

Model Summary

Model	R	R Square	Adjusted R Square	Std. Error of the Estimate
1	,671[a]	,450	,230	1,2005

a. *Predictors: (Constant)*, Dépenses mensuelles en publicité, La part de marché de SEI-Canada pour l'ensemble de ses logiciels au Canada, Prix du logiciel de jeux. L'âge du logiciel de jeux

Tableau 7.2.3

ANOVA[b]

Model		Sum of Squares	df	Mean Square	F	Sig.
1	Regression	11,807	4	2,952	2,048	,163[a]
	Residual	14,412	10	1,441		
	Total	26,219	14			

a. *Predictors: (Constant)*, Dépenses mensuelles en publicité, La part de marché de SEI-Canada pour l'ensemble de ses logiciels du Canada, Prix du logiciel de jeux, L'âge du logiciel de jeux
b. *Dependent Variable:* La part de marché de SEI-Canada pour les logiciels de jeux au Canada

Exercice 7.3

L'équipe de gestion d'une importante chaîne de boutiques au Québec est à la recherche d'un outil de gestion qui lui permettrait de comprendre, d'expliquer et de prédire les ventes des différentes boutiques. On a recueilli des données sur un échantillon de 35 boutiques.

- Les ventes annuelles pour chaque boutique en milliers de dollars pour 1999.

- La superficie de la boutique en pieds carrés.

- La superficie du centre commercial où la boutique est située, en milliers de pieds carrés.

- Les revenus moyens des habitants de la région.

1) Dans un premier temps, on décide de garder toutes les variables mentionnées ci-dessus et de les introduire dans un modèle de régression multiple pour expliquer les ventes des boutiques.

  1.1 Déterminez l'équation de la relation entre les ventes et les variables explicatives retenues. Interprétez les paramètres de la régression et analysez l'effet de chaque variable explicative sur les ventes ($\alpha = 0{,}05$).

  1.2 Laquelle des variables *(superficie de la boutique, superficie du centre commercial, revenus moyens des habitants de la région)* explique les ventes avec le plus de précision (brève explication)?

  1.3 Laquelle des variables *(superficie de la boutique, superficie du centre commercial, revenu moyen des habitants de la région)* est la plus importante pour expliquer les ventes (brève explication)?

  1.4 Quels commentaires vous inspire le R^2 obtenu?

  1.5 Le modèle est-il adéquat ($\alpha = 0{,}05$)?

2) Dans un deuxième temps, on décide tout de même d'examiner la possibilité d'enlever de notre modèle de régression multiple certaines des variables explicatives qui sont corrélées entre elles.

  2.1 Quelle est la raison fondamentale qui peut nous amener à entreprendre cette démarche?

  2.2 Une des démarches possible consiste à faire une analyse *Stepwise*. Présentez et interprétez les résultats de cette analyse.

  2.3 Suite à cela, quelles sont les implications marketing pour la chaîne de magasins qui a commandé cette étude?

Tableau 7.3.1

Coefficients[a]

Model		Unstandardized Coefficients		Standardized Coefficients		
		B	Std. Error	Beta	t	Sig.
1	(Constant)	-483,516	155,019		-3,119	,004
	Centre commercial	-,421	,360	-,069	-1,170	,251
	Surface	,235	,081	,193	2,904	,007
	Revregio	7,891E-02	,006	,850	12,379	,000

a. *Dependent Variable:* Ventes

Tableau 7.3.2

Model Summary[b]

Model	R	R Square	Adjusted R Square	Std. Error of the Estimate
1	,950[a]	,902	,892	118,19

a. *Predictors:* (*Constant*), Revregio, Centre commercial Surface
b. *Dependent Variable:* Ventes

Tableau 7.3.3

Variables Entered/Removed [a]

Model	Variables Entered	Variables Removed	Method
1	Revregio		Stepwise (Criteria: Probability-of-F-to-enter <= ,050, Probability-of-F-to-remove >= ,100)
2	Surface		Stepwise (Criteria: Probability-of-F-to-enter <= ,050, Probability-of-F-to-remove >= ,100).

a. *Dependent Variable:* Ventes

Tableau 7.3.4

Model Summary[c]

Model	R	R Square	Adjusted R Square	Std. Error of the Estimate
1	,933[a]	,870	,867	131,54
2	,947[b]	,897	,891	118,87

a. *Predictors : (Constant)*, Revregio
b. *Predictors : (Constant)*, Revregio, Surface
c. *Dependent Variable :* Ventes

Tableau 7.3.5

ANOVA[c]

Model		Sum of Squares	df	Mean Square	F	Sig.
1	Regression	3835467	1	3835466,902	221,684	,000[a]
	Residual	570950,2	33	17301,522		
	Total	4406417	34			
2	Regression	3954282	2	1977140,850	139,933	,000[b]
	Residual	452135,4	32	14129,233		
	Total	4406417	34			

a. *Predictors : (Constant)*, Revregio
b. *Predictors : (Constant)*, Revregio, Surface
c. *Dependent Variable :* Ventes

Tableau 7.3.6

Coefficients[a]

Model		Unstandardized Coefficients B	Std. Error	Standardized Coefficients Beta	t	Sig.
1	(Constant)	-440,251	146,271		-3,010	,005
	Revregio	8,666E-02	,006	,933	14,889	,000
2	(Constant)	-565,542	139,065		-4,067	,000
	Revregio	7,707E-02	,006	,830	12,405	,000
	Surface	,236	,081	,194	2,900	,007

a. *Dependent Variable :* Ventes

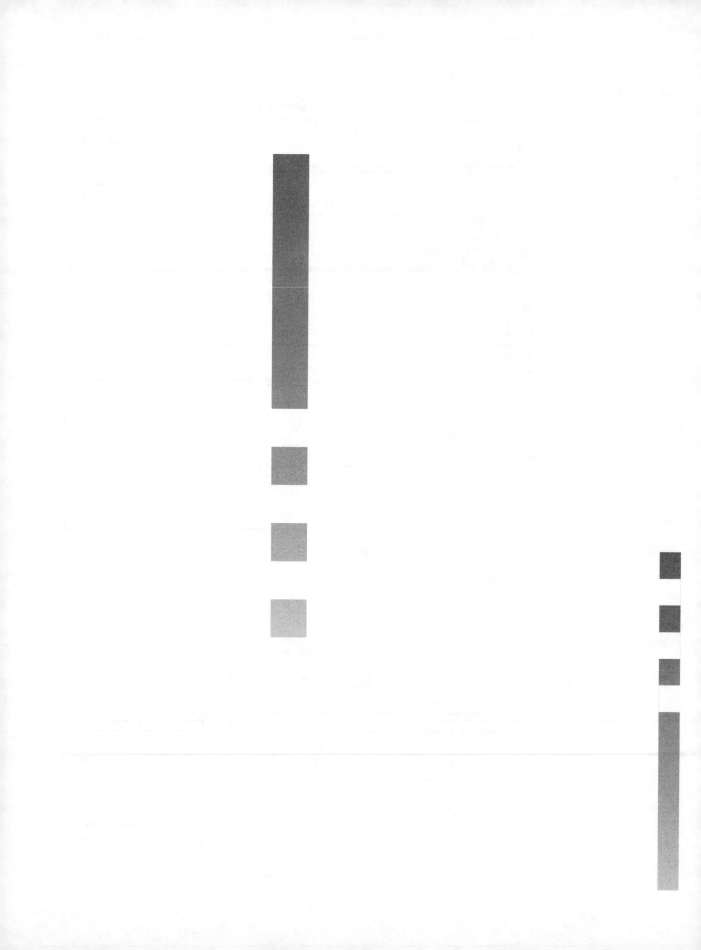

Chapitre 8

L'ANALYSE DISCRIMINANTE À DEUX GROUPES

8.1 INTRODUCTION :

DÉFINITION
ET UTILITÉ
EN MARKETING

L'analyse discriminante est une technique qui permet de développer un modèle mathématique permettant de comprendre une classification de sujets en plusieurs groupes. Il s'agit principalement de savoir, si ces groupes sont différents, ce qui les unit et ce qui les différencie et de prédire l'appartenance de nouveaux éléments à l'un de ces groupes.

En marketing, l'analyse discriminante est surtout utilisée dans les études de segmentation de marché pour dégager le profil des segments. Cette analyse permet d'abord de voir si les sujets appartenant à plusieurs groupes sont globalement similaires ou différents, ensuite de savoir sur quelles variables ils se différencient le plus (les variables de profil) et de faire des prédictions sur de nouveaux sujets quant à leur appartenance à l'un des groupes.

Dans une analyse discriminante, les données dont dispose l'analyste sont surtout des informations sur des sujets dont l'appartenance à un groupe parmi plusieurs est connue d'avance. En plus, ces sujets sont évalués sur un ensemble de variables à partir desquelles la comparaison entre les groupes sera réalisée.

Pour des considérations pédagogiques, nous allons aborder, au niveau de ce chapitre, le cas particulier de l'analyse discriminante à deux groupes. Le chapitre 9 sera, quant à lui, consacré à la généralisation de l'analyse discriminante au cas de plusieurs groupes.

8.2

**EXEMPLE
D'ILLUSTRATION**

L'exemple sur lequel nous allons travailler pour illustrer l'application de l'analyse discriminante à deux groupes en marketing est celui d'une étude effectuée par une chaîne d'épiceries auprès d'un échantillon de 48 personnes, où l'on a identifié préalablement deux segments de clients représentés chacun par un groupe de 24 répondants.

- Groupe 1 : les personnes qui achètent souvent des produits vendus en promotion.

- Groupe 2 : les personnes qui font leurs achats indépendamment des promotions.

Dans la base de données de l'étude, ces deux segments de marché sont définis par la variable *catégorie* (1 : groupe 1, 0 : groupe 2).

On a aussi mesuré 4 variables indépendantes pour chercher à comprendre le comportement d'achat des produits en promotion.

- *Revenu* : le revenu annuel net du ménage de la personne (en milliers de dollars) ;

- *Âge* : l'âge du répondant ;

- *Taille* : la taille du ménage du répondant ;

- *Dépenses* : les dépenses mensuelles en produits d'épicerie (en $).

Les données sont présentées dans le tableau 8.1.

1. Ces quatre variables peuvent-elles différencier les deux segments de consommateurs ?

2. Si oui, laquelle ou lesquelles des variables discriminent le plus ?

3. Peut-on utiliser un modèle pour prédire la sensibilité des consommateurs de produits d'épicerie à l'achat des produits en promotion ?

Tableau 8.1

	categori	revenu	age	tailmen	depenses	dis_1	dis1_1
1	1	15,0	45	5,00	62,0	1	1,91777
2	1	23,5	23	4,00	54,0	1	,58503
3	1	16,6	34	4,00	78,0	1	1,76737
4	1	15,5	45	3,00	74,0	1	,63169
5	1	24,0	23	4,00	88,0	1	2,26001
6	1	31,7	15	5,00	66,0	1	2,11483
7	1	31,0	17	6,00	58,0	1	2,65934
8	1	22,6	19	2,00	82,0	1	,08717
9	1	18,0	36	4,00	70,0	1	1,37326
10	1	26,0	45	5,00	74,0	1	2,50894
11	1	12,0	60	3,00	80,0	1	,92727
12	1	22,0	54	4,00	70,0	1	1,37326
13	0	20,0	23	1,00	68,0	0	-1,54115
14	0	12,6	27	2,00	74,0	0	-,30694
15	0	16,6	35	1,00	56,0	0	-2,13232
16	0	9,4	56	3,00	72,0	1	,53316
17	0	23,0	70	1,00	58,0	0	-2,03380
18	0	11,4	24	2,00	58,0	0	-1,09517
19	0	14,8	35	3,00	50,0	0	-,55065
20	0	17,0	56	2,00	62,0	0	-,89811
21	0	10,8	34	1,00	52,0	0	-2,32938
22	0	6,0	35	1,00	64,0	0	-1,73821
23	0	12,0	67	1,00	40,0	0	-2,92055
24	0	16,0	43	1,00	44,0	0	-2,72349
25	1	15,0	42	1,00	62,0	0	-1,83674
26	1	23,5	32	5,00	54,0	1	1,52366
27	1	16,6	34	4,00	78,0	1	1,76737
28	1	15,5	28	5,00	74,0	1	2,50894
29	1	24,0	29	4,00	88,0	1	2,26001
30	1	31,7	20	5,00	66,0	1	2,11483
31	1	31,0	35	4,00	58,0	1	,78209
32	1	22,6	34	5,00	82,0	1	2,90305
33	1	18,0	23	3,00	70,0	1	,43463
34	1	26,0	38	3,00	74,0	1	,63169
35	1	12,0	45	3,00	80,0	1	,92727
36	1	22,0	46	5,00	70,0	1	2,31188
37	0	20,0	48	2,00	68,0	0	-,60253
38	0	12,6	35	2,00	74,0	0	-,30694
39	0	16,6	43	2,00	56,0	0	-1,19370
40	0	9,4	46	1,00	72,0	0	-1,34410
41	0	23,0	67	1,00	58,0	0	-2,03380
42	0	11,4	54	2,00	58,0	0	-1,09517
43	0	14,8	34	1,00	50,0	0	-2,42791
44	0	17,0	57	3,00	62,0	1	,04052
45	0	10,8	23	2,00	52,0	0	-1,39075
46	0	6,0	24	1,00	64,0	0	-1,73821
47	0	12,0	25	1,00	40,0	0	-2,92055
48	0	16,0	26	2,00	44,0	0	-1,78487

8.3

INTERPRÉTATION
GRAPHIQUE
(cas de deux
variables)

Pour comprendre le fonctionnement de l'analyse discriminante à deux groupes, nous allons d'abord effectuer une interprétation graphique. Notons que cette dernière reste facile avec deux variables (graphique à deux dimensions). Au-delà, elle devient difficile (c'est le cas avec trois variables), voire même impossible (plus que trois variables).

Comme le montre la figure 8.1, chaque observation est d'abord représentée par un point et les observations de chaque groupe sont par la suite délimitées formant un nuage par groupe. Plus les nuages de points sont éloignés, plus les deux groupes sont différents, ce qui implique que les variables utilisées pour décrire les individus permettent de bien les distinguer.

Graphiquement, l'analyse discriminante nous permet d'obtenir une autre représentation graphique où l'ensemble des variables indépendantes (appelées aussi prédicateurs), sont remplacées par une nouvelle variable ou un nouvel axe (y) appelé fonction discriminante. Sur cette fonction, les observations sont projetées et les centres de gravité ou centroïdes des groupes sont calculés. La distance entre ces centroïdes détermine la capacité des variables à différencier les deux groupes. Plus les centroïdes sont proches, plus les groupes sont confondus. La nouvelle variable ne permet donc pas de faire la distinction entre les deux groupes. Or, puisque cette nouvelle variable est une combinaison linéaire des variables de base (x_1, x_2), on peut alors affirmer que celles-ci ne discriminent pas entre les deux groupes.

Par contre, plus les deux centroïdes sont éloignés, plus les deux groupes sont différents. La nouvelle variable permet donc de faire la distinction entre les deux groupes et implicitement, les deux variables de base (x_1, x_2) permettent aussi de différencier entre les deux groupes. Dans notre exemple, le graphique qui représente 48 répondants sur les deux variables, *dépenses mensuelles en épicerie* et *taille du ménage*, est présenté dans la figure 8.2. Les nuages de points démontrent clairement que sur les deux variables retenues, le groupe de personnes qui achètent les produits en promotion diffère de celui de personnes qui achètent indépendamment des promotions.

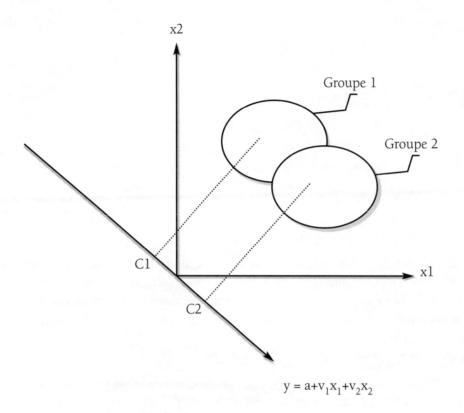

Figure 8.1

$$y = a + v_1 x_1 + v_2 x_2$$

Figure 8.2

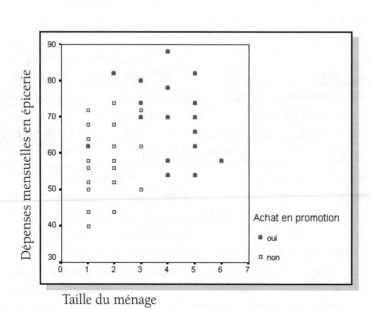

8.4

**MODÈLE
ANALYTIQUE**

Sans entrer dans les détails de la théorie statistique, l'analyse discriminante à deux groupes consiste, d'un point de vue analytique, à trouver une combinaison linéaire de variables indépendantes (appelée fonction discriminante ou fonction canonique) que l'on utilisera comme base de classification des sujets dans l'un des groupes.

Dans le cas de deux groupes nous avons une seule fonction discriminante qui s'écrit comme suit :

$$y = a + v_1 x_1 + v_2 x_2 + \ldots + v_k x_k$$

avec

y, nouvelle variable

x_i $(i = 1, \ldots, k)$, variables indépendantes

a et v_i $(i = 1, \ldots, k)$, les coefficients de la fonction discriminante.

L'estimation du modèle au niveau d'un échantillon consiste à trouver les coefficients a et v_i $(i=1, \ldots k)$ de manière à ce que la variation entre les groupes soit supérieure à la variation à l'intérieur des groupes. Ceci afin de pouvoir dire que la fonction discriminante obtenue permet de bien séparer les deux groupes[1].

Dans l'exemple des acheteurs de produits en promotion et des acheteurs de produits indépendamment des promotions, les résultats de l'estimation des paramètres de la fonction discriminante apparaissent dans le tableau 8.2. La fonction discriminante s'écrit donc comme suit : $y = -6,418 + 0,059$ *(revenu)* $- 0,007$ *(âge)* $+ 0,778$ *(taille)* $+ 0,054$ *(dépenses)*.

---

1 Pour plus de détails sur l'estimation du modèle d'analyse discriminante à deux groupes, le lecteur peut consulter Green (1978), Dillon et Goldstein (1984), Evard, Pras et Roux (2003), Hair, Anderson, Tatham et Black (2006), Lanchenbruch (1975), Malhotra (2004).

Tableau 8.2

Canonical Discriminant Function Coefficients

	Function 1
Revenu	,059
Âge du répondant	-,007
Taille du ménage	,778
Dépenses mensuelles en épicerie	,054
(Constant)	-6,418

Unstandardized Coefficients

À partir de cette fonction discriminante, on peut calculer, pour chacune des 48 observations, un score discriminant (y_i) en remplaçant ses données pour les quatre variables. Les résultats apparaissent sur une nouvelle colonne de notre base de données (voir tableau 8.1, colonne dis 1_1). Par exemple, pour la première observation, dont le revenu est 15 000 $, 45 ans d'âge, un ménage de 5 personnes et des dépenses mensuelles en épicerie de 62 $, le score obtenu est de 1,335.

Ensuite, en calculant la moyenne des scores obtenus pour les observations du premier groupe (acheteurs de produits en promotion) et pour ceux du deuxième groupe (acheteurs indépendamment des promotions), on obtient les centroïdes des deux groupes qui sont respectivement 1,517 et −1,517. Ces résultats apparaissent aussi sur la sortie *SPSS* (voir tableau 8.3). Les deux centroïdes sont relativement éloignés. On peut alors comprendre que les deux groupes sont différents sur la nouvelle fonction. Par conséquent, les variables qui composent cette fonction devraient *a priori* différencier les acheteurs de produits en promotion des acheteurs indépendamment des promotions.

Tableau 8.3

Functions at Group Centroids

	Function 1
Revenu	,059
non	-1,517
oui	-1,517

Unstandardized canonical discriminant functions evaluated at group means.

NB : Sur *SPSS V.12.0*, pour obtenir les résultats de l'analyse discriminante à deux groupes, faire :

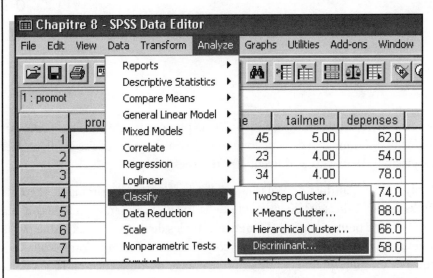

Dans le menu *« Discriminant Analysis »*, entrer d'abord la variable discrète de classification dans l'espace *« Groupping Variable »* en précisant le chiffre de codification de chacun des groupes et ensuite l'ensemble des variables descriptives des groupes dans l'espace *« Independant(s) »*. (voir annexe 8, fenêtre 8.1).

Pour obtenir les coefficients non standardisés de la fonction discriminante, cliquer dans le menu *« Discriminant Analysis »*, sur la commande *« Statistics »* et sélectionner dans *« Function Coefficients »* le choix *« Unstandardized »* (voir annexe 8, fenêtre 8.2).

Pour obtenir les scores discriminants et les faire ajouter comme nouvelle variable dans la base de données, cliquer dans le menu *« Discriminant Analysis »*, sur la commande *« Save »* et sélectionner dans *« Function Coefficients »* le choix *« Discriminant Scores »* (voir annexe 8, fenêtre 8.3).

8.5

ANALYSE
DE L'ESPACE
DISCRIMINANT

Une fois la fonction discriminante estimée, la phase suivante consiste à analyser la qualité discriminante de cette fonction, c'est-à-dire sa capacité à différencier les deux groupes. Deux choses doivent être réalisées[2] :

1. Analyser la valeur du λ de Wilks associée à la fonction discriminante. Le λ de Wilks est un indicateur de la qualité de la fonction. On interprète le 1-λ qui représente le pourcentage de différence entre les deux groupes expliqué par la fonction discriminante. Le 1-λ est compris entre 0 et 1. Notons que 1-λ pourrait être interprété comme le pourcentage de différence entre les deux groupes que nous cherchons à capturer avec notre fonction discriminante. De façon informelle, on peut prévoir l'échelle d'évaluation suivante :

   - si $0 \leq 1-\lambda \leq ,30$: mauvais modèle ;

   - si $,30 < 1-\lambda \leq ,50$: modèle moyen ;

   - si $,50 < 1-\lambda \leq ,70$: bon modèle ;

   - si $,70 < 1-\lambda \leq 1$: très bon modèle.

   Notons que plus le λ de Wilks est faible (1-λ de Wilks est élevé), plus la qualité discriminante de la fonction est bonne et plus la capacité des variables indépendantes qui composent cette fonction, à discriminer entre les deux groupes, est élevée.

2. Tester la signification statistique de la fonction discriminante pour voir si on peut généraliser les résultats à l'ensemble de la population et faire des prédictions. Quatre étapes caractérisent ce test.

---

2 Pour plus de détails sur l'interprétation des résultats de l'analyse discriminante à deux groupes, le lecteur peut consulter Green (1978), Dillon et Goldstein (1984), Evard, Pras et Roux (2003), Hair, Anderson, Tatham et Black (2006), Lanchenbruch, (1975), Malhotra (2004).

- **1re étape** : définir les hypothèses.

H_0 : $c_1 = c_2$, les centroïdes ne sont pas différents.

H_1 : $c_1 = c_2$, les centroïdes sont différents.

- **2e étape** : calcul de la statistique ($\chi2_o$) et de la probabilité associée $p(x_0)$.
- **3e étape** : fixer un niveau de signification α.
- **4e étape** : décision d'acceptation ou de rejet, rejeter H_0 si p ($\chi2_o$) < α.

Dans l'exemple des promotions, la valeur du λ de Wilks relative à la fonction discriminante créée se trouve dans le tableau 8.4. La valeur du λ est de ,294, ce qui correspond à 1-λ = ,706. Cela signifie que 70,6 % de ce qui différencie les acheteurs de produits en promotion et les acheteurs indépendamment des promotions pourrait être capturé par la fonction discriminante et donc expliqué par les quatre variables du modèle. Notre fonction discriminante est très bonne. En plus, selon les données du même tableau, les résultats du test sur le λ de Wilks montrent que cette fonction discriminante est significative. En effet la probabilité associée à ce test est de 0,000.

Tableau 8.4

Wilks' Lambda

Test of Function(s)	Wilks' Lambda	Chi-square	df	Sig.
1	,294	53,848	4	,000

8.6

ANALYSE DU POUVOIR DISCRIMINANT DE CHAQUE VARIABLE

Une fois la qualité discriminatoire de la fonction discriminante établie, l'analyste doit procéder à l'étude de la valeur discriminatoire de chaque variable. En effet, bien que l'analyse du λ de Wilks nous permette de conclure que les variables indépendantes différencient globalement les deux groupes, elle ne dit rien sur l'importance de chaque variable dans la différenciation des deux groupes. C'est l'objectif de cette phase d'analyse.

Deux méthodes peuvent être utilisées :

1. l'analyse des coefficients standardisés (*Loadings*) ;

2. l'analyse discriminatoire pas à pas (*Stepwise*).

La première méthode consiste à comparer mutuellement les valeurs des coefficients standardisés, calculées pour chaque variable. La qualité discriminatoire de chaque variable est proportionnelle à la valeur du coefficient standardisé. La valeur la plus élevée correspond alors à la variable qui discrimine le plus.

Dans notre exemple sur les acheteurs de produits en promotion et les acheteurs indépendamment des promotions, les résultats des coefficients standardisés apparaissent dans le tableau 8.5. Les valeurs montrent que la variable *taille du ménage* a le pouvoir discriminatoire le plus élevé suivie par *dépenses mensuelles en épicerie*, *revenu* et *âge du répondant*.

Toutefois, sans entrer dans les détails de la théorie statistique, cette méthode présente certaines limites. En effet, l'existence de multicolinéarité introduit un biais lors du calcul des coefficients standardisés. D'où la nécessité à recourir à la seconde méthode, à savoir l'analyse discriminante pas à pas.

Tableau 8.5

Standardized Canonical Discriminant Function coefficients

	Function 1
Revenu	,318
Âge du répondant	-,101
Taille du ménage	,740
Dépenses mensuelles en épicerie	,740

L'analyse discriminatoire pas à pas (*Stepwise*) consiste à introduire successivement dans une fonction les variables indépendantes, en fonction de leur pouvoir de différenciation des deux groupes. La première variable qui est retenue étant celle qui différencie le plus et ainsi de suite. Le processus s'arrête quand l'ajout d'une nouvelle variable n'améliore plus la qualité discriminatoire de la fonction. On obtient ainsi le meilleur modèle discriminatoire.

Dans notre exemple d'illustration, les résultats de la méthode pas à pas apparaissent dans les tableaux 8.6 et 8.7. Le modèle discriminatoire final est un bon modèle. Son λ de Wilks est de ,31 (tableau 8.7) et contient deux des quatre variables de départ qui sont, par ordre de capacité discriminatoire décroissant, *taille du ménage* et *dépenses mensuelles en épicerie*. Cette fonction est statistiquement significative (tableau 8.7). Notons que les variables éliminées sont soit non significatives, soit redondantes.

Tableau 8.6

Variables in the Analysis

Step		Tolerance	F to Remove	Wilks' Lambda
1	Taille du ménage	1,000	74,802	
2	Taille du ménage	,997	53,593	,693
	Dépenses mensuelles en épicerie	,997	9,158	,381

Tableau 8.7

Wilks' Lambda

Step	Number of Variables	Lambda	df1	df2	df3	Exact F Statistic	df1	df2	Sig.
1	1	,381	1	1	46	74,802	1	46,000	7,323E-13
2	2	,316	2	1	46	48,613	2	45,000	,000

NB : Sur *SPSS V.12.0*, pour obtenir les résultats de l'analyse discriminante à deux groupes de type pas à pas, retourner dans le menu « *Discriminant Analysis* » (voir annexe 8, fenêtre 8.1.), entrer d'abord la variable discrète de classification dans l'espace « *Groupping Variable* » en précisant le chiffre de codification de chacun des groupes et ensuite l'ensemble des variables descriptives des groupes dans l'espace « *Independant(s)* » et modifier sur le même menu, la sélection retenue par défaut « *Enter Independants Together* » par le choix « *Use Stepwise Method* » (voir annexe 8, fenêtre 8.4).

8.7

PRÉDICTION
AVEC LE MODÈLE

La dernière phase dans l'analyse discriminante consiste à utiliser le modèle ainsi estimé, pour faire des prédictions. En pratique, il s'agit de classer un nouveau sujet, connaissant son profil, dans l'un des deux groupes. Trois étapes doivent être suivies.

1. Calculer les centroïdes relatifs à chaque groupe.

2. Calculer le score du nouveau sujet à partir de la fonction discriminante en intégrant les données de celui-ci.

3. Assigner le nouveau sujet au groupe pour lequel son score est le plus proche des centroïdes.

Dans notre exemple, le modèle épuré pourrait être utilisé pour prédire si une personne dont le ménage est composé de 3 personnes et ayant 70 $ de dépenses en épicerie serait potentiellement un acheteur de produits en promotion. En remplaçant les données dans la fonction discriminante, on obtient pour cette personne un score de

$$0,417 = -5,830 + (0,939 * 3) + (0,049 * 70)$$

Les coefficients du modèle épuré sont transcrits dans le tableau 8.8.

Tableau 8.8

Canonical Discriminant Function Coefficients

	Function 1
Taille du ménage	,939
Dépenses mensuelles en épicerie	,049
(Constant)	-5,830

Ce score est beaucoup plus proche des centroïdes du groupe des acheteurs de produits en promotion (1,439) que celui de l'autre groupe. On pourrait donc prédire qu'il sera un acheteur potentiel de produits en promotion.

Les centroïdes des groupes selon le modèle épuré sont présentés dans le tableau 8.9.

Tableau 8.9

Functions at Group Centroids

Achat en promotion	Function 1
non	-1,439
oui	1,439

Unstandardized canonical discriminant functions evaluated at group means

Dans la phase de prédiction, l'analyste pourrait toujours essayer d'évaluer la qualité prédictive de son modèle, c'est-à-dire l'exactitude des prédictions obtenues. Plusieurs techniques existent. Celle que nous proposons est basée sur la matrice de confusion. Cette méthode consiste à partir des données de l'échantillon, pour tenter de les reclasser dans les deux groupes potentiels en utilisant la fonction discriminante ainsi développée. Ensuite, il s'agit de comparer le classement prédit par le modèle à la situation réelle que l'on connaît déjà. Il s'agit alors de calculer le pourcentage de sujets qui ont été bien classés, c'est-à-dire classés dans le même groupe de départ. Ce pourcentage sera alors comparé à la probabilité aléatoire de bien classer un individu dans deux groupes possibles, qui est de 50 %. Plus le pourcentage d'individus bien classés obtenu par la matrice de confusion est élevé par rapport à 50 %, plus la qualité prédictive de notre modèle discriminatoire est élevée.

Dans notre exemple, les 48 sujets ont été reclassés sur *SPSS* en utilisant notre modèle discriminatoire épuré. Les résultats apparaissent dans la base de données, avec une nouvelle colonne « dis_1 » (tableau 8.1).

En comparant le classement prédit avec le classement initial (variable catégorie), on pourrait faire ressortir 3 sujets mal classés. Le pourcentage de sujets biens classés est donc de 93,8 % (48_3), largement supérieur à 50 %. La qualité prédictive de notre modèle est très bonne. Les résultats de la matrice de confusion sont aussi donnés par *SPSS V.12.0* et apparaissent dans le tableau 8.10.

Tableau 8.10

Classification results[a]

		Achat en promotion	Predicted Group Membership non	oui	Total
Original	Count	non	22	2	24
		oui	1	23	24
	%	non	91,7	8,3	100,0
		oui	4,2	95,8	100,0

a. *93,8% of original grouped cases correctly classified.*

NB : Sur *SPSS V.12.0*, pour obtenir les prédictions de classification des sujets, retourner dans le menu « *Discriminant Analysis* » (voir annexe 8, fenêtre 8.1), cliquer sur la commande « *Save* » et sélectionner dans « *Function Coefficients* » le choix « *Predicted Group Membership* » (voir annexe 8, fenêtre 8.3).

Pour obtenir les résultats de la matrice de confusion, retourner dans le menu « *Discriminant Analysis* » (voir annexe 8, fenêtre 8.1), cliquer sur la commande « *Classify* » et sélectionner dans « *Display* » le choix « *Summary Table* » (voir annexe 8, fenêtre 8.5).

8.8

MISE EN GARDE

Pour pouvoir utiliser les résultats de l'analyse discriminante à deux groupes et s'assurer de la validité du test sur le λ de Wilks, il est nécessaire de vérifier *a priori* l'homogénéité entre les deux groupes. Il faudrait en effet s'assurer que les deux groupes comparés sont équivalents dans leur structure par rapport aux variables utilisées dans le modèle discriminant. Pour vérifier l'homogénéité des groupes, l'analyste doit effectuer le test du *M de Box* qui vérifie l'égalité des matrices carrées de variances/covariances des deux groupes obtenues sur les différentes variables du modèle discriminant. Les étapes de ce test sont présentées dans ce qui suit :

- **1re étape** : définir les hypothèses.

  H_0 : Les matrices de variances/covariances des deux groupes sont égales : les deux groupes sont homogènes.

  H_1 : Les matrices de variances/covariances des deux groupes sont égales : les deux groupes ne sont pas homogènes.

- **2e étape** : déterminer la statistique et la probabilité qui lui est associée $(F_0, p(F_0))$.

- **3e étape** : choisir une marge d'erreur : α.

- **4e étape** : règle de décision : acceptation ou rejet. L'idéal pour nous est d'accepter H_0 car les deux groupes doivent être homogènes pour pouvoir les comparer. On accepte H_0 si $p > \alpha$. C'est la probabilité de faire une erreur si on décide de rejeter H_0 selon laquelle les deux groupes sont homogènes.

Dans notre exemple d'illustration, le tableau 8.11 donne les résultats du test d'homogénéité des groupes pour le modèle discriminant obtenu à partir de l'analyse pas à pas, avec une statistique $F_0=2,473$ et une probabilité $p(F_0)=0.06$. Avec un seuil α de 5 %, nous pouvons donc ne pas rejeter H_0 et affirmer que les deux groupes sont homogènes. Les résultats de notre analyse discriminante peuvent donc être interprétés sans problèmes.

Tableau 8.11

Résultats du test d'égalité des matrices de variances/covariances du *M de Box*

Test Results

Box's M		7,786
F	Approx.	2,473
	df1	3
	df2	380880,0
	Sig.	,060

Tests null hypothesis of equal population covariance matrices.

NB: Sur *SPSS V.12.0*, pour obtenir les résultats du test d'égalité des matrices de variances/covariances du *M de Box*, retourner au menu principal « *Discriminant analysis* » (Voir Annexe 8, Fenêtre 8.1), cliquer sur la commande « *Statistics…* » et sélectionner dans le sous-menu *Descriptives* le choix « *Box's M* » (voir annexe 8, fenêtre 8.2).

8.9

RÉSUMÉ

Dans une analyse discriminante à deux groupes, l'analyste en marketing cherche souvent à comprendre une classification faite *a priori* sur un ensemble de variables indépendantes. On se pose souvent les questions suivantes :

1. Au niveau α, peut-on affirmer que sur un ensemble de variables (appelées prédicateurs), il y ait une différence significative entre deux groupes de personnes ou d'objets ? Donnez une brève explication.

2. Si la réponse à la question 1 s'avère positive, il y aurait intérêt à découvrir, au moyen d'une analyse discriminante, la ou les variables selon lesquelles ces deux groupes se distinguent le mieux. Donnez alors l'expression analytique de la fonction discriminante et décrivez brièvement sa signification.

3. Précisez si, au niveau α, cette fonction discriminante est significative.

4. Donnez les coordonnées exactes des centroïdes des deux groupes.

5. Quelles sont les variables qui discriminent le plus entre les deux groupes ?

6. Expliquez brièvement comment évaluer si l'analyse discriminante peut être considérée comme un bon outil de classification.

7. Assurez-vous de la condition d'application de l'analyse discriminante en ce qui a trait à l'homogénéité des deux groupes.

ANNEXE 8

COMMANDES SPSS
sous Windows V.12.0
POUR L'ANALYSE
DISCRIMINANTE À
DEUX GROUPES

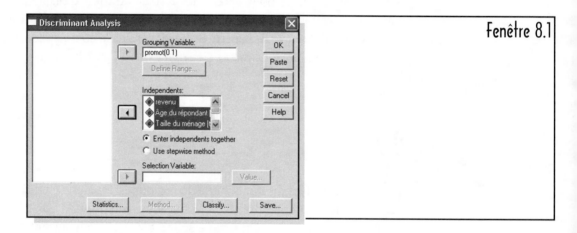

Fenêtre 8.1

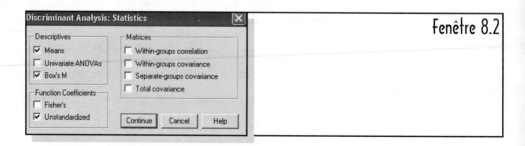

Fenêtre 8.2

Fenêtre 8.3

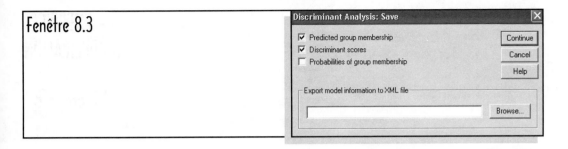

Fenêtre 8.4

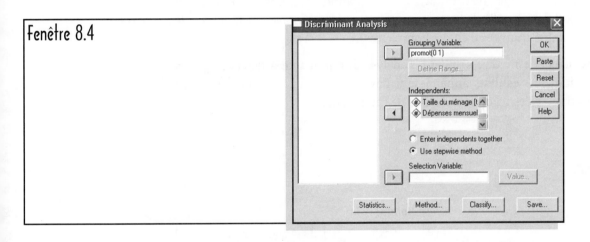

Fenêtre 8.5

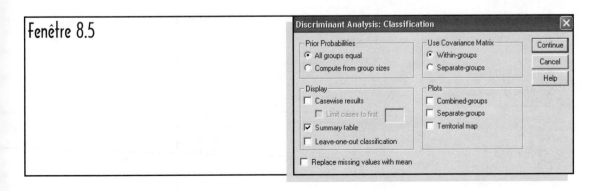

Dans une enquête réalisée auprès d'un échantillon de 100 répondants, les gestionnaires d'une marque de shampoing masculin se posent des questions sur la nature de la relation qui pourrait exister entre la fidélité à la marque mesurée par la variable discrète à deux catégories (1 = *fidèle à une ou à quelques marques de shampoing* / 2 = *fidèle à aucune marque*) et plusieurs variables sociodémographiques mesurées sur des échelles métriques : l'*âge* (en nombre d'années), le *revenu* (en milliers de dollars), la *taille du ménage* (en nombre de personnes) et le *niveau de scolarité* (le nombre d'années d'études complétées).

En supposant que le modèle standard d'analyse discriminante à deux catégories s'applique dont les résultats apparaissent dans les tableaux suivants, veuillez ressortir les principales recommandations de cette étude.

Discriminant

Group Statistics

Fidélité		Mean	Std. Deviation	Valid N (listwise) Unweighted	Weighted
Fidèle à une ou plusieurs marques	Âge	38,20	10,986	20	20,000
	Revenu	55,80	17,999	20	20,000
	Taille du ménage	1,80	,834	20	20,000
	Nombre d'années de scolarité	13,60	2,113	20	20,000
Fidèle à aucune marque	Âge	28,00	9,026	20	20,000
	Revenu	39,70	16,550	20	20,000
	Taille du ménage	2,80	1,056	20	20,000
	Nombre d'années de scolarité	13,75	2,613	20	20,000
Total	Âge	33,10	11,188	40	40,000
	Revenu	47,75	18,914	40	40,000
	Taille du ménage	2,30	1,067	40	40,000
	Nombre d'années de scolarité	13,68	2,347	40	40,000

Analysis 1
Box's Test of Equality of Covariance Matrices

Log Determinants

Fidélité	Rank	Log Determinant
Fidèle à une ou plusieurs marques	4	10,535
Fidèle à aucune marque	4	11,237
Pooled Within-groups	4	11,112

The ranks and natural logarithms of determinants printed are those of the group covariance matrices.

Test Results

Box's M		8,592
F	Approx.	,761
	df1	10
	df2	6903,586
	Sig.	,667

Tests null hypothesis of equal population covariance matrices.

Summary of
Canonical Discriminant Functions

Eigenvalues

Function	Eigenvalue	% of Variance	Cumulative %	Canonical Correlation
1	,955[a]	100,0	100,0	,699

a. First 1 canonical discriminant functions were used in the analysis.

Wilks' Lambda

Test of Function(s)	Wilks' Lambda	Chi-square	df	Sig.
1	,512	24,132	4	,000

Standardized Canonical Discriminant Function Coefficients

	Function 1
Âge	-,271
Revenu	-,722
Taille du ménage	,893
Nombre d'années de scolarité	,301

Structure Matrix

	Function 1
Taille du ménage	,552
Âge	-,533
Revenu	-,489
Nombre d'années de scolarité	,033

Pooled within-groups correlations between discriminating
variables and standardized canonical discriminant functions
Variables ordered by absolute size of correlation within function.

Functions at Group Centroids

Fidélité	Function 1
Fidèle à une ou plusieurs marques	-,952
Fidèle à aucune marque	,952

Unstandardized canonical discriminant
functions evaluated at group means

Classification Statistics

Classification Processing Summary

Processed		40
Excluded	Missing or out-of-range group codes	0
	At least one missing discriminating variable	0
Used in Output		40

Prior Probabilities for Groups

Fidélité	Prior	Cases Used in Analysis	
		Unweighted	Weighted
Fidèle à une ou plusieurs marques	,500	20	20,000
Fidèle à aucune marque	,500	20	20,000
Total	1,000	40	40,000

Classification Function Coefficients

	Fidélité	
	Fidèle à une ou plusieurs marques	Fidèle à aucune marque
Âge	,337	,286
Revenu	-,068	-,148
Taille du ménage	2,082	3,870
Nombre d'années de scolarité	2,373	2,615
(Constant)	-23,231	-25,149

Fisher's linear discriminant functions

Classification Results[a]

		Fidélité	Predicted Group Membership		Total
			Fidèle à une ou plusieurs marques	Fidèle à aucune marque	
Original	Count	Fidèle à une ou plusieurs marques	18	2	20
		Fidèle à aucune marque	3	17	20
	%	Fidèle à une ou plusieurs marques	90,0	10,0	100,0
		Fidèle à aucune marque	15,0	85,0	100,0

a. 87,5% of original grouped cases correctly classified

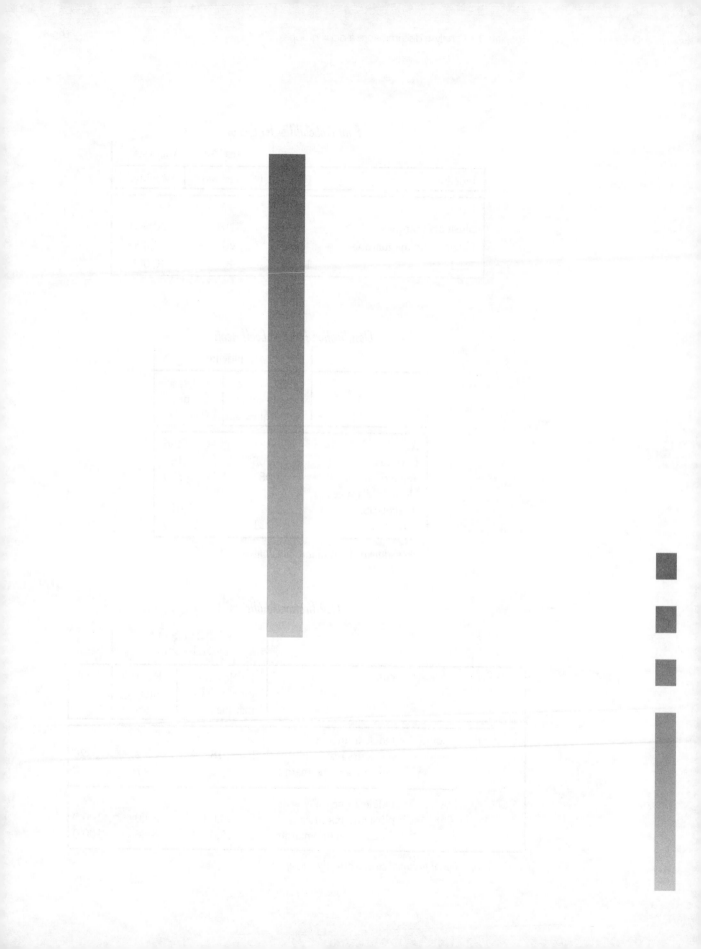

Chapitre 9

L'ANALYSE DISCRIMINANTE À PLUSIEURS GROUPES

9

Comme nous l'avons mentionné dans le chapitre précédent, l'analyse discriminante permet de développer un modèle analytique permettant de comprendre une classification de sujets en plusieurs groupes. Il s'agit principalement de savoir, s'ils sont différents, ce qui les unit et ce qui les différencie et de prédire l'appartenance de nouveaux éléments à l'un de ces groupes.

En marketing, cette technique est surtout utilisée dans les études de segmentation des marchés. Cependant, elle pourrait aussi être ouverte à d'autres utilisations, notamment les problèmes de positionnement des marques.

Dans le cadre de ce chapitre, nous allons généraliser le cas particulier de l'analyse discriminante à deux groupes pour considérer la situation où nous disposons de plusieurs (*p*) groupes.

Pour éviter les redondances avec le chapitre précédent, nous allons passer brièvement sur les éléments d'analyses valables aussi bien pour l'analyse discriminante à deux groupes que pour celle à plusieurs groupes et insister longuement sur les éléments spécifiques à la deuxième.

L'exemple sur lequel nous allons travailler pour illustrer l'application de l'analyse discriminante à plusieurs groupes est celui d'une étude effectuée par une analyste en marketing d'une société de jeux de hasard, pour tenter d'établir un modèle permettant de comprendre et de prédire les dépenses pour l'achat de billets de loterie de la population. Elle a mesuré auprès d'un échantillon représentatif de 50 personnes, le montant dépensé mensuellement pour l'achat de billets de loterie (*dépenses*). Elle a aussi mesuré les différentes variables indépendantes pouvant expliquer les dépenses pour l'achat de billets de loterie. Il s'agit du revenu annuel du ménage du répondant (*revenu* en $) ; de son âge (*âge* en nombre d'années) ; de son niveau de scolarité (*scolarit* en nombre d'années) ; du nombre d'enfants dans le ménage (*nombenfa*) et d'une évaluation de la tendance à prendre des risques (*risque*) avec une échelle croissante allant de 1 à 8. Les données figurent dans le tableau 9.1.

Tableau 9.1

	depenses	revenu	age	scolarit	nombenfa	risque	groupe	dis_1	dis1_1	dis2_1
1	15	28900	38	11	2	8	2	2.00	-1.2175	.76016
2	5	35000	33	14	1	2	1	1.00	2.14576	-1.3079
3	35	26000	45	10	3	8	3	3.00	-2.0122	-.14818
4	0	55000	40	18	3	1	1	1.00	4.49049	-.43636
5	50	23000	55	9	2	8	3	3.00	-2.3830	-1.7512
6	36	36800	39	11	1	7	3	2.00	-.05314	.07534
7	7	39000	32	14	3	3	1	1.00	1.70418	-.13817
8	15	30000	35	11	2	8	2	2.00	-1.0936	1.09123
9	20	26700	41	9	3	8	2	3.00	-2.1535	-.04723
10	27	24500	36	11	2	7	2	3.00	-1.2400	.27282
11	10	38900	32	13	2	3	2	1.00	1.68485	-.65634
12	40	32000	38	11	1	7	3	2.00	-.42710	.05938
13	45	22000	27	11	2	6	3	2.00	-1.0268	.54167
14	50	23000	55	8	2	8	3	3.00	-2.6280	-2.0729
15	10	27690	31	12	2	6	2	2.00	-.37185	.59693
16	0	40000	35	15	2	2	1	1.00	2.53525	-.87273
17	33	26700	37	13	2	5	3	2.00	.03005	-.29644
18	42	28900	40	11	3	8	3	3.00	-1.4749	.75139
19	0	39000	32	16	1	1	1	1.00	3.27661	-1.0478
20	37	28900	33	11	3	8	3	2.00	-1.3920	1.46113
21	41	26790	44	8	2	8	3	3.00	-2.1931	-.86494
22	22	35610	37	12	2	6	2	2.00	.19369	.18221
23	5	36780	29	13	1	4	1	1.00	1.47617	-.01546
24	55	26800	45	10	2	7	3	3.00	-1.4066	-.90519
25	28	35600	35	12	2	6	2	2.00	.21657	.38475
26	5	40000	37	14	1	4	1	1.00	2.24045	2.61559
27	26	31000	33	13	2	4	2	2.00	.73053	-.36831
28	10	26700	28	11	2	7	2	2.00	-.96841	1.13773
29	22	29800	25	11	1	5	2	2.00	.16500	.15858
30	5	38900	31	15	2	3	1	1.00	2.18669	.08849
31	33	26500	38	11	2	5	3	3.00	-.48786	-1.0462
32	40	25600	27	11	3	6	3	2.00	-.97118	.82369
33	5	40000	41	15	1	3	1	1.00	2.39041	-1.0925
34	43	35600	28	10	3	7	3	2.00	-.73177	1.22760
35	28	28900	33	11	1	6	2	2.00	-.30956	-.09200
36	0	42300	45	16	2	2	1	1.00	2.84672	-1.5087
37	15	32000	32	12	3	7	2	2.00	-.57848	1.37747
38	27	34500	43	9	2	6	2	3.00	-.70156	-1.4184
39	48	26500	55	8	3	8	3	3.00	-2.5804	-1.7933
40	38	28900	25	11	1	6	3	2.00	-.21485	.71913
41	5	29000	22	11	1	7	1	2.00	-.47880	1.60830
42	37	28000	42	10	2	6	3	3.00	-.96716	-1.1542
43	25	34500	32	13	1	7	2	2.00	.33487	1.37229
44	18	37800	28	14	2	6	2	2.00	.96627	1.79171
45	18	32500	30	13	1	6	2	2.00	.50531	.94363
46	0	42300	35	16	0	3	1	1.00	3.12502	-.30025
47	8	35600	39	13	2	6	1	2.00	.41421	.30090
48	42	26500	41	11	1	7	3	3.00	-.90469	-.37925
49	35	30000	45	9	2	8	3	3.00	-1.7019	-.56613
50	28	26700	36	11	3	6	2	3.00	-.98932	-.06194

Pour atteindre l'objectif de recherche mentionné plus tôt, l'analyste a d'abord pensé effectuer une segmentation comportementale de son marché. La base de segmentation utilisée étant les dépenses hebdomadaires en billets de loterie. Elle peut alors regrouper les individus en fonction de leur niveau de dépenses. Ensuite, elle pourra procéder à une analyse discriminante à plusieurs groupes en utilisant les variables indépendantes de type sociodémographique retenues, à savoir le revenu, l'âge, le niveau de scolarité, le nombre d'enfants et le risque. En procédant ainsi, elle pourra répondre aux trois questions suivantes.

1. Est-ce que les groupes identifiés, dont les niveaux de dépenses sont disparates présentent assez de différences compte tenu les variables indépendantes identifiées ?

2. Si oui, sur quelles variables se différencient-ils le plus afin de réduire le modèle ?

3. Est-ce que le modèle discriminatoire obtenu serait un bon outil pour prédire le comportement d'achat de billets de loterie pour de nouveaux sujets dont on connaîtrait le profil sociodémographique et psychographique ?

À partir de la variable *dépenses hebdomadaires en billets de loterie*, l'analyste va tenter de classer les répondants en plusieurs catégories (segments). Le problème serait de déterminer le nombre de groupes à former. Plusieurs possibilités existent. Celle qui est retenue se base sur l'observation de l'histogramme des fréquences (figure 9.1). Ce graphique montre clairement trois tranches de consommateurs que l'on peut facilement dissocier : ceux qui dépensent moins de 10 $ par semaine en billets de loterie, ceux qui dépensent entre 11 $ et 30 $ par semaine et ceux qui dépensent plus de 30 $. Les trois groupes seront qualifiés respectivement de faible, moyen et grand utilisateur de billets de loterie. Ce sont les trois groupes que nous allons étudier dans notre analyse discriminante. Le tableau 9.2 présente la taille de chaque groupe.

Figure 9.1

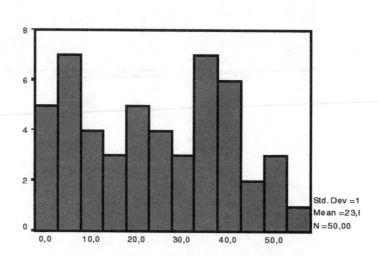

Tableau 9.2

Groupe d'utilisateurs de billets

		Frequency	Percent	Valid Percent	Cumulative Percent
Valid	Faible	13	26,0	23,0	26,0
	Moyen	18	36,0	36,0	62,0
	Grand	19	38,0	38,0	100,0
	Total	50	100,0	100,0	

9.3

MODÈLE ANALYTIQUE

D'un point de vue analytique, l'analyse discriminante à plusieurs groupes consiste à trouver des combinaisons linéaires de variables indépendantes (appelées fonctions discriminantes ou fonctions canoniques) que l'on utilisera comme base de classification des sujets dans chacun des groupes. Il s'agit de créer de nouvelles variables sur lesquelles chaque sujet aura des scores.

Dans le cas de p groupes nous avons à créer $p-1$ fonctions discriminantes qui s'écrivent comme suit :

$$y_1 = a_1 + v_{11}x_1 + v_{21}x_2 + \ldots + v_{k1}x_k$$

$$y_2 = a_2 + v_{12}x_1 + v_{21}x_2 + \ldots + v_{k2}x_k$$

$$\vdots$$

$$y_{p-1} = a_1 + v_{1p-1}x_1 + v_{2p-1}x_2 + \ldots + v_{kp-1}x_k$$

avec

y_j $(j = 1,\ldots,p-1)$, fonction discriminante j ;

x_i $(i = 1,\ldots,k)$, variables indépendantes prédicateurs ;

v_{ij} $(i = 1,\ldots,k)$, $(j = 1,\ldots,p-1)$ et a_j, les coefficients de la fonction discriminante j.

L'estimation du modèle au niveau d'un échantillon consiste à trouver les coefficients $a_{j\,(j=1,\ldots p-1)}$ et $v_{ij\,(i=1,\ldots k,\,et\,j=1,\ldots p-1)}$ de manière à ce que la variation intergroupe soit supérieure à la variation intra-groupes[1].

---

1 Pour plus de détails sur l'estimation du modèle d'analyse discriminante à plusieurs groupes, le lecteur peut consulter Green (1978), Dillon et Goldstein (1984), Evard, Pras et Roux (2003), Hair, Anderson, Tatham et Black (2006), Lanchenbruch, (1975), Malhotra (2004).

Dans l'exemple de la société de jeux, les résultats de l'estimation des paramètres des deux (3 – 1) fonctions discriminantes apparaissent dans le tableau 9.3. Les fonctions discriminantes nouvellement créées s'écrivent alors comme suit :

$$y_1 = -3,617 + 0,000 \text{ revenu} + 0,005 \text{ âge} + 0,277 \text{ scolarit} - 0,265 \text{ nombenfa} - 0,307 \text{ risque}$$

$$y_2 = -1,814 + 0,000 \text{ revenu} - 0,132 \text{ âge} + 0,16 \text{ scolarit} + 0,141 \text{ nombenfa} + 0,467 \text{ risque}.$$

Tableau 9.3

Classification Function Coefficients

	Function	
	1	2
Revenu annuel du ménage	,000	,000
Âge	,005	-,132
Niveau de scolarité	,277	,160
Nombre d'enfants dans le ménage	-,265	,141
Évaluation de la tendance à prendre des risques	-,307	,467
(Constant)	-3,617	-1,814

Unstandardized coefficients

En remplaçant, dans la fonction estimée, les données sociodémographiques et psychographiques, on obtient pour chaque répondant deux nouveaux scores, ce sont les scores discriminants. En calculant une moyenne par groupe pour chacune des deux fonctions, on obtient alors les centroïdes des trois groupes d'utilisation de billets de loterie (faible, moyen et grand).

Pour le calcul des scores discriminants, *SPSS V.12.0* crée au niveau de la base de données deux nouvelles colonnes notées « dis1_1 » et « dis 2_1 » (voir tableau 9.1). Pour ce qui est des centroïdes, les résultats apparaissent dans le tableau 9.4.

Tableau 9.4

Functions at Group Centroids

Groupe d'utilisateurs de billets	Function	
	1	2
Faible	2,191	-,186
Moyen	-,312	,510
Grand	-1,203	-,357

Unstandardized canonical discriminant functions evaluated at group means

Les scores discriminants des 50 répondants, ainsi que les centroïdes des trois groupes pourraient être présentés dans un graphique, qui permet de juger a priori du degré de similitude ou de différenciation entre les groupes (figure 9.2). L'analyse du graphique montre clairement que les centroïdes sont globalement éloignés. On peut donc affirmer que les fonctions discriminantes créées permettent de différencier les trois groupes d'utilisateurs de billets de loterie. Implicitement, on pourrait comprendre que les variables sociodémographiques et psychographiques qui composent ces deux fonctions différencient à leur tour les différents groupes d'utilisateurs de billets de loterie. L'analyse du graphique nous permet aussi de constater que la première fonction discriminante permet de mieux différencier les trois groupes de la deuxième fonction ; les coordonnées des centroïdes sur la deuxième fonction étant plus rapprochées que celles observées sur la première fonction.

<u>NB</u> : Sur *SPSS V.12.0*, pour obtenir les résultats de l'analyse discriminante à plusieurs groupes, faire :

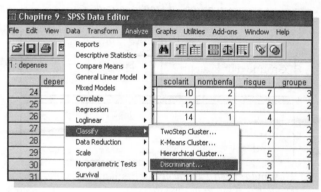

Dans le menu « *Discriminant Analysis* », entrer d'abord la variable discrète de classification dans l'espace « *Grouping Variable* » en précisant les valeurs de codification minimale et maximale des groupes et ensuite l'ensemble des variables descriptives des groupes dans l'espace « *Independant(s)* » (voir annexe 9, fenêtre 9.1).

Pour obtenir les coefficients non standardisés de la fonction discriminante, cliquer dans le menu « *Discriminant Analysis* », sur la commande « *Statistics* », et sélectionner dans « *Function Coefficients* » le choix « *Unstandardized* » (voir annexe 9, fenêtre 9.2).

Pour obtenir les scores discriminants et les faire rajouter comme nouvelle variable dans la base de données, cliquer dans le menu « *Discriminant Analysis* », sur la commande « *Save* » et sélectionner dans « *Function Coefficients* » le choix « *Discriminant Scores* » (voir annexe 9, fenêtre 9.3).

Pour la représentation graphique des scores discriminants, cliquer dans le menu « *Discriminant Analysis* », sur la commande « *Classify* », et sélectionner dans « *Plots* » le choix « *Combined groups* » (voir annexe 9, fenêtre 9.4).

**ANALYSE
DE L'ESPACE
DISCRIMINANT**

9.4

Une fois les *p-1* fonctions discriminantes estimées, la phase suivante consiste à analyser la qualité discriminatoire de ces fonctions, c'est-à-dire leur capacité à différencier entre les *p* groupes. La question principale est de savoir si l'analyste doit garder toutes les fonctions discriminantes créées ou en éliminer certaines, notamment celles qui capturent très peu et de façon non significative les différences entre les groupes. Deux étapes doivent être réalisées[2].

1. Analyser la valeur du λ_j de Wilks associée à chaque fonction discriminante.

   Rappelons que l'analyste doit interpréter le complémentaire à *1* du λ de Wilks $(1-\lambda_j)$, ce dernier étant le pourcentage de différence entre les *p* groupes, expliqué par la fonction discriminante *j*.

Dans l'exemple du chapitre, puisque l'analyse discriminante porte sur trois groupes, deux fonctions discriminantes sont créées. Les résultats de la variance expliquée par chaque fonction sont présentés dans le tableau 9.5. Ils démontrent clairement l'importance de la première fonction qui, à elle seule, explique 92,4 % de la variance totale.

Tableau 9.5

Eigenvalues

Function	Eigenvalue	% of Variance	Cumulative %	Canonical Correlation
1	1,950[a]	92,4	92,4	,813
2	,161[a]	7,6	100,0	,372

a. First 2 canonical discriminant functions were used in the analysis.

Pour ce qui est des résultats du λ de Wilks, le tableau 9.6 montre qu'ensemble, les deux fonctions expliquent 86,2 % (1 – 0,862) de ce qui différencie les trois groupes d'utilisateurs de billets de loterie. On devrait donc comprendre implicitement que les cinq variables indépendantes retenues dans le modèle capturent à leur tour 70 % de ce qui différencie ces trois groupes.

---

2 Pour plus de détails sur l'interprétation des résultats de l'analyse discriminante à plusieurs groupes, le lecteur peut consulter Green (1978), Dillon et Goldstein (1984), Evard, Pras et Roux (2003), Hair, Anderson, Tatham et Black (2006), Lanchenbruch, (1975), Malhotra (2004).

Tableau 9.6

Wilks' Lambda

Test of Function(s)	Wilks' Lambda	Chi-square	df	Sig.
1 through 2	,292	55,389	10	,000
2	,862	6,706	4	,152

Par ailleurs, on voit aussi que la deuxième fonction discriminante explique à peine 10 % des différences entre les groupes. Encore une fois, on observe clairement l'apport relativement faible de la deuxième fonction par rapport à la première. Toutefois, avant de décider de garder les deux fonctions ou d'en éliminer une (certainement la deuxième fonction), nous devons procéder à des tests. C'est l'objectif de la deuxième étape.

2. Tester la signification statistique des différents axes de discrimination afin de réduire l'espace nécessaire pour décrire les différences entre les groupes.

Contrairement à l'analyse discriminante à deux groupes où un seul test est requis, dans l'analyse discriminante à p groupes, plusieurs tests seront effectués. Ces tests seront réalisés en cascade, afin de déterminer le nombre de dimensions selon lesquelles les groupes se différencient significativement.

Le premier niveau du test porte sur l'hypothèse nulle d'égalité des centroïdes, en gardant toutes les fonctions discriminantes. Il s'agit toujours d'un test sur le λ de Wilks où l'on calcule une statistique x_0 qui suit une loi de khi-deux, avec $p_{(k-1)}$ degrés de liberté. Ce qui nous permet d'obtenir la probabilité $p(x_0)$ qui lui est associée. $p(x_0)$ sera alors comparée à un niveau de signification statistique a pour décider d'accepter H_0, si $p(x_0) > \alpha$, ou de rejeter H_0 si $p(x_0) < \alpha$.

Si ce test est significatif (si $p(x_0) < \alpha$), on doit conclure qu'il y a des différences significatives entre les groupes au moins sur la première fonction discriminante. La question qui se pose alors est : existe-t-il des différences sur les autres fonctions de l'espace discriminant ? Ce qui nous amène aux autres tests.

Les tests suivants portent sur la même hypothèse nulle d'égalité des centroïdes, mais en éliminant successivement la première, la deuxième, jusqu'à la $j-1^e$ fonction discriminante. Pour chaque test, une statistique x_0 et une probabilité $p(x_0)$ seront calculées. Cette dernière sera comparée au seuil de signification a pour dire si on retient ou non la fonction discriminante du niveau de la cascade j comme une fonction significative qui contribue à la différenciation entre les groupes. Pour l'exemple de la société de jeux, les résultats des tests en cascade sont présentés dans le tableau 9.6. La première ligne du tableau correspond au premier test qui consiste à évaluer la capacité des deux fonctions discriminantes à différencier les centroïdes des trois groupes d'utilisateurs de billets de loterie. La probabilité associée $p(x_0) = 0,000$ est inférieure au seuil de signification $\alpha = 0,05$; on peut donc affirmer que la première fonction sera retenue dans notre modèle discriminant.

La deuxième ligne du tableau correspond au deuxième test, qui consiste à évaluer la capacité de la fonction discriminante qui reste (après élimination de la première fonction) à différencier les centroïdes des trois groupes. La probabilité associée au test $p(x_0) = 0,152$ est supérieure au seuil de signification $\alpha = 0,05$. On peut donc affirmer que la deuxième fonction n'arrive pas à discriminer de façon significative entre les trois groupes et doit, par conséquent, être éliminée de notre modèle. Seule la première fonction sera retenue comme significative dans l'espace discriminant.

9.5

ANALYSE
DU POUVOIR
DISCRIMINANT DE
CHAQUE VARIABLE

Une fois la qualité de l'espace discriminant établie et le nombre de fonctions discriminantes significatives connu, l'analyste doit procéder à l'analyse de la valeur discriminatoire de chaque variable indépendante.

Les deux méthodes identifiées lors de la présentation de l'analyse discriminante à deux groupes (voir section 8.6) s'appliquent aussi au cas de plusieurs groupes. Il s'agit, rappelons-le, de l'analyse des coefficients standardisés (*Loadings*) et de l'analyse discriminante pas à pas (*Stepwise*). Celle que nous allons recommander est la seconde, puisqu'elle nous permet simultanément d'évaluer la qualité discriminatoire de chaque variable et de faire ressortir le meilleur modèle, en éliminant les variables dont la capacité à discriminer entre les groupes est très faible.

Pour notre exemple, les résultats de la méthode pas à pas apparaissent dans les tableaux 9.7 et 9.8. Le modèle discriminatoire final présente un λ de Wilks de ,394, ce qui correspond à un bon modèle. De plus, la variable *niveau de scolarité* a été retenue comme ayant le pouvoir de discrimination le plus élevé entre les trois groupes d'utilisateurs de billets de loterie. Les autres variables seraient soit non significatives, soit redondantes.

Tableau 9.7

Variables in the Analysis

Step		Tolerance	F to Remove
1	Niveau de scolarité	1,000	36,142

Tableau 9.8

Wilks' Lambda

Test of Function(s)	Wilks' Lambda	Chi-square	df	Sig.
1	,394	43,774	2	,000

<u>NB</u> : Sur *SPSS V.12.0*, pour obtenir les résultats de l'analyse discriminante à plusieurs groupes de type pas à pas, retourner dans le menu « *Discriminant Analysis* » (voir annexe 9, fenêtre 9.1.), entrer d'abord la variable discrète de classification dans l'espace « *Groupping Variable* » en précisant les valeurs de codification minimale et maximale des groupes et ensuite, l'ensemble des variables descriptives des groupes dans l'espace « *Independant(s)* » et modifier sur le même menu, la sélection retenue par défaut « *Enter Independants Together* » par le choix « *Use Stepwise Method* » (voir annexe 9, fenêtre 9.5).

9.6

PRÉDICTION AVEC LE MODÈLE

La dernière phase dans l'analyse discriminante à p groupes est d'utiliser le modèle pour faire des prédictions. En pratique, il s'agit de classer un nouveau sujet dans l'un des p groupes. Pour ce faire, on doit suivre trois étapes.

1. Calculer les centroïdes relatifs à chaque groupe ;

2. Calculer le score du nouveau sujet à partir des fonctions discriminantes significatives en intégrant les données de celui-ci ;

3. Assigner le nouveau sujet au groupe dont le score est le plus proche du centroïde.

Dans l'exemple de la société de deux, le modèle estimé avec une seule fonction discriminante significative pourrait être utilisé pour prédire si une personne âgée de 35 ans, avec un revenu brut de 35 000 $, 14 ans de scolarité, un enfant à charge et qui n'est pas du tout prête à prendre des risques, appartiendrait au groupe des faibles, moyens ou grands utilisateurs de billets de loterie. En remplaçant les données de cette personne dans la première fonction discriminante, on obtient un score de −8,65. Ce score est beaucoup plus proche du centroïde du groupe 1. On pourrait donc prédire qu'il s'agit d'un faible utilisateur de billets de loterie.

Dans la phase de prédiction, l'analyste pourrait, dans l'analyse discriminante à plusieurs groupes, évaluer la qualité prédictive de son modèle. La technique que nous proposons est celle qui se base sur la matrice de confusion. Cette dernière consiste à utiliser le modèle discriminatoire (c'est-à-dire les fonctions significatives) pour classer de nouveau les observations de l'échantillon et obtenir ainsi des prédictions sur l'appartenance de chaque observation à l'un des groupes existants. Ensuite, il s'agit de comparer le classement prédit au classement initial. L'analyste pourra alors calculer le pourcentage de sujets qui ont été bien classés, c'est-à-dire classés dans leur groupe initial.

Ce pourcentage sera par la suite comparé à la probabilité aléatoire de bien classer un objet dans un des p groupes (qui est de $1/p$). Plus le pourcentage de sujets bien classés obtenu par la matrice de confusion est élevé par rapport au pourcentage donné par le classement aléatoire, plus la qualité prédictive du modèle discriminatoire est bonne.

Dans l'exemple du chapitre, les résultats de la classification prédite par le modèle apparaissent dans la dernière colonne de la base de données (tableau 9.1). Les résultats de la matrice de confusion sont présentés dans le tableau 9.9. Le pourcentage de sujets bien classés est de 70 %, qui est de loin supérieur à 33 %. La qualité prédictive du modèle discriminatoire avec les cinq variables indépendantes est très bonne. Ce modèle améliore bien la méthode de classement basée sur le hasard.

Tableau 9.9

Classification results[a]

		Groupe d'utilisateurs de billets	Predicted Group Membership			Total
			Faible	Moyen	Grand	
Original	Count	Faible	11	2	0	13
		Moyen	1	13	4	18
		Grand	0	8	11	19
	%	Faible	84,6	15,4	,0	100,0
		Moyen	5,6	72,2	22,2	100,0
		Grand	,0	42,1	57,9	100,0

a. 70,0% of original grouped cases correctly classified

NB : Sur *SPSS V.12.0*, pour obtenir les prédictions de classification des sujets, retourner dans le menu « *Discriminant Analysis* » (voir annexe 9, fenêtre 9.1), cliquer sur la commande « *Save* » et sélectionner dans « *Function Coefficients* » le choix « *Predicted Group Membership* » (voir annexe 8, fenêtre 9.3).

Pour obtenir les résultats de la matrice de confusion, retourner dans le menu « *Discriminant Analysis* » (voir annexe 9, fenêtre 9.1), cliquer sur la commande « *Classify* », et sélectionner dans « *Display* » le choix « *Summary Table* » (voir annexe 9, fenêtre 9.4).

9.7

MISE EN GARDE

Pour pouvoir utiliser les résultats de l'analyse discriminante à plusieurs (p) groupes et s'assurer de la validité des différents tests sur le λ de Wilks, il est nécessaire de vérifier *a priori* l'homogénéité entre les différents groupes. Il faudrait en effet s'assurer que tous les groupes comparés sont équivalents dans leur structure par rapport aux variables utilisées dans le modèle discriminant. Pour vérifier l'homogénéité des groupes, l'analyste doit effectuer le test du *M de Box* qui vérifie l'égalité des matrices carrées de variances/covariances des p groupes obtenues sur les différentes variables du modèle discriminant. Les étapes de ce test sont présentées dans ce qui suit :

- **1re étape :** Définir les hypothèses :

  H_0 : Les matrices de variances/covariances des p groupes sont égales : les p groupes sont homogènes.

  H_1 : Il existe au moins deux groupes pour lesquels les matrices de variances/covariances sont égales : les p groupes ne sont pas homogènes.

- **2e étape :** Déterminer la statistique et la probabilité qui lui est associée (F_0, $p(F_0)$).

- **3e étape :** Choisir une marge d'erreur : α.

• **4ᵉ étape** : Règle de décision : acceptation ou rejet. L'idéal pour nous est d'accepter H_0 car les deux groupes doivent être homogènes pour pouvoir les comparer. On accepte H_0 si $p > \alpha$. C'est la probabilité de faire une erreur si on décide de rejeter H_0 selon laquelle les p groupes sont homogènes.

Dans notre exemple d'illustration, le tableau 9.10 donne les résultats du test d'homogénéité des groupes pour le modèle discriminant obtenu à partir de l'analyse pas à pas, avec une statistique $F_0 = 0{,}756$ et une probabilité $p(F^0) = 0.47$. Avec un seuil a de 5 %, nous pouvons donc ne pas rejeter H_0 et affirmer que les trois groupes sont homogènes. L'interprétation des résultats de notre analyse discriminante peut donc se faire sans problèmes.

Tableau 9.10

Résultats du test d'égalité des matrices de variances/covariances du *M de Box*

Test Results

Box's M		1,556
F	Approx.	,756
	df1	2
	df2	4625,822
	Sig.	,470

Tests null hypothesis of equal population covariance matrices.

<u>NB</u> : Sur *SPSS V.12.0*, pour obtenir les résultats du test d'égalité des matrices de variances/covariances du *M de Box*, retourner au menu principal « *Discriminant analysis* » (Voir Annexe 9, Fenêtre 9.1), cliquez sur la commande « *Statistics…* » et sélectionner dans le sous-menu « *Descriptives* » le choix « *Box's M* » (Voir Annexe 8, Fenêtre 9.2).

9.8

RÉSUMÉ

Dans une analyse discriminante à plusieurs groupes, l'analyste en marketing cherche souvent à comprendre une classification faite *a priori* sur un ensemble de variables indépendantes. On se pose souvent les questions suivantes :

1. Au niveau α, peut-on affirmer que, sur un ensemble de variables (appelées prédicateurs), il y ait une différence significative entre p groupes ? Donner une brève explication.

2. Si la réponse à la question 1 s'avère positive, il y aurait intérêt à découvrir, au moyen d'une analyse discriminante, la ou les dimensions selon lesquelles ces p groupes se distinguent le mieux. Donner alors les expressions analytiques de ces fonctions discriminantes et décrire brièvement leur signification.

3. Préciser si, au niveau α, chacune de ces fonctions discriminantes est significative.

4. Dans l'espace des fonctions discriminantes significatives, donner les coordonnées exactes des centroïdes des p groupes.

5. Quelles sont les variables qui discriminent le plus entre les p groupes ?

6. Expliquer brièvement comment on peut évaluer si l'analyse discriminante peut être considérée comme un bon outil de classification.

ANNEXE 9

COMMANDES *SPSS*
Sous *Windows V.12.0*
POUR L'ANALYSE
DISCRIMINANTE À
PLUSIEURS *(p)* GROUPES

Fenêtre 9.1

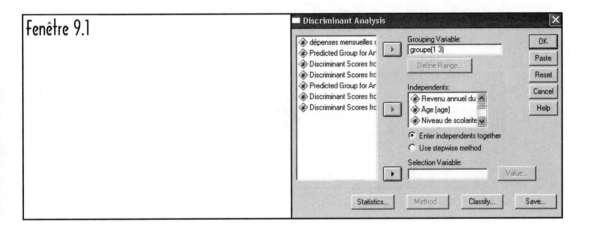

Fenêtre 9.2

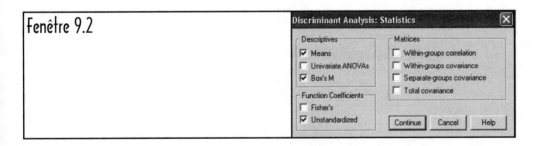

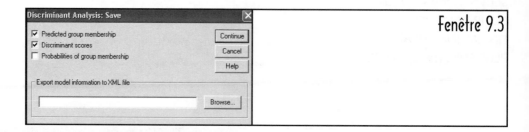

Fenêtre 9.3

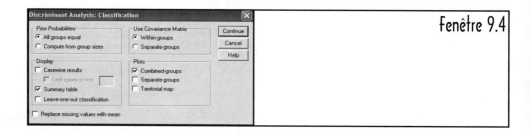

Fenêtre 9.4

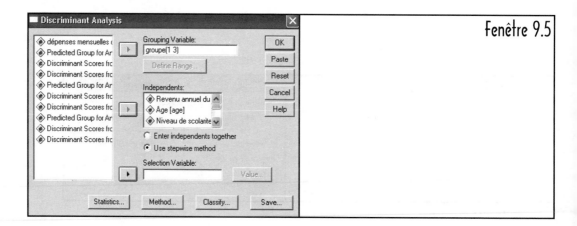

Fenêtre 9.5

▸ EXERCICES D'APPLICATION

Exercice 9.1

Dans une problématique de marketing international on s'intéresse aux données de 70 pays pour comparer les opportunités au niveau des quatre continents : l'Amérique, l'Europe, l'Asie et l'Afrique. Chaque pays est identifié par 10 éléments de nature sociodémographique, économique et politique. (X_2, X_3, X_4, X_5, X_6, X_7, X_8, X_9, X_{10}, X_{11}). Dans cet exercice, nous avons procédé à une analyse discriminante pour vérifier si les variables utilisées pour décrire le profil de chaque pays permettent de définir des différences entre les quatres continents. Les résultats de cette analyse apparaissent dans les tableaux présentés ci-dessous.

Le libellé des variables est le suivant :

X_2 = Taille de la population

X_3 = Produit national brut

X_4 = Cotation du risque politique

X_5 = Nombre de groupes politiques

X_6 = Taux d'alphabétisation

X_7 = Taux de croissance économique

X_8 = Densité de la population

X_9 = Volume des exportations

X_{10} = Déficit de la balance commercial

X_{11} = Taux de chômage

X_{12} = Continent

1. Au niveau $\alpha = 0,05$, peut-on affirmer qu'il y ait une différence significative entre les quatre groupes de pays (quatre continents)? Donnez une brève explication.

2. Donnez les expressions analytiques de ces fonctions discriminantes. Décrivez brièvement leur signification.

   2.1. Donnez les expressions analytiques de ces fonctions discriminantes. Décrivez brièvement leur signification.

   2.2. Précisez si, au niveau de signification $\alpha = 0,01$, chacune de ces fonctions discriminantes est significative.

3. Dans l'espace des fonctions discriminantes canoniques, donnez les coordonnées exactes des centroïdes des quatre régions.

4. D'après la sortie *SPSS* quelles sont les variables qui discriminent le plus entre les 4 continents?

5. Évaluez si l'analyse discriminante peut être considérée comme un bon outil de classification dans le cadre de ce problème.

Tableau 9.1.1

Wilks' Lambda

Test of Function(s)	Wilks' Lambda	Chi-square	df	Sig.
1 through 3	,158	114,569	30	,000
2 through 3	,558	36,184	18	,007
3	,853	9,879	8	,274

Tableau 9.1.2

Canonical Discriminant Functions Coefficients

	Function		
	1	2	3
X2	,000	,000	,000
X3	,007	-,006	-,001
X4	,010	,031	-,012
X5	-,052	,086	,106
X6	,000	,000	,001
X7	,000	,000	,000
X8	,143	-,072	-,031
X9	-,005	,015	,001
X10	,000	,000	,000
X11	,000	,000	,000
(Constant)	-8,274	1,835	1,161

Unstandardized coefficients

Tableau 9.1.3

Functions at Group Centroids

X12	Function		
	1	2	3
1	-1,435	-1,120	,318
2	-,245	-8,2E-02	-,681
3	-,646	,811	,223
4	3,129	-,240	,172

Unstandardized canonical discriminant functions evaluated at group means

Tableau 9.1.4

Variables Entered/Removed[a,b,c,d]

Step		Wilks' Lambda							
		Entered	Statistic	df1	df2	df3	Exact F Statistic	df1	df2	Sig.
1	X8	,528	1	3	66,000	19,689	3	66,000	,000
2	X2	,447	2	3	66,000	10,729	61	30,000	,000

At each step, the variable that minimizes the overall Wilks' Lambda is entered
   a. Maximum number of steps is 20.
   b. Minimum partial F to enter is 3,84
   c. Maximum partial F to remove is 2,71
   d. F level, tolerance, or VIN insufficient for further computation.

Exercice 9.2

Dans une étude réalisée auprès d'un échantillon de 1 000 répondants montréalais, les responsables de l'association des produits artistiques et culturels s'intéressent à la segmentation de ce marché. Trois groupes de consommateurs ont été formés : les dévoués, les non impliqués et les pratiquants. Les responsables ont alors identifié 12 variables susceptibles d'influencer le comportement de consommation artistique et culturelle parmi lesquelles on retrouve l'attachement à 9 valeurs personnelles (1. *respect de soi*, 2. *amusement et joie de vivre*, 3. *plaisir et jouissance*, 4. *quête de sensations fortes*, 5. *épanouissement personnel*, 6. *sentiment d'appartenance*, 7. *recherche de sécurité*, 8. *sens de l'accomplissement*, 9. *volonté d'établir des relations chaleureuses avec les autres*) et trois variables démographiques (*revenu, âge, niveau de dépenses mensuelles en shampoing*).

En utilisant les résultats de l'analyse discriminante, présentés ci-dessous, donner les principaux résultats de cette étude.

Discriminant Analysis 1
Box's Test of Equality of Covariance Matrices

Test Results

Box's M		439,373
F	Approx.	2,762
	df1	156
	df2	1 716 906
	Sig.	,000

Tests null hypothesis of equal population covariance matrices

Canonical Discriminant Functions Coefficients

	Function	
	1	2
q2. 1.1 Respect de soi	-,567	-,718
q2. 1.2 Amusement et joie de vivre	-,399	,122
q2. 1.3 Plaisir et jouissance	-,225	,142
q2. 1.4 Quête de sensations fortes	,260	-,067
q2. 1.5 Épanouissement personnel	,197	-,175
q2. 1.6 Sentiment d'appartenance	,053	-,086
q2. 1.7 Recherche de sécurité	-,347	,102
q2. 1.8 Sens de l'accomplissement	,441	,351
q2. 1.9 Volonté d'établir des relations chaleureuses avec les autres	-,116	,154
Taille du ménage	-,180	-,025
Niveau de scolarité complété	,496	-,277
Âge	,014	,056
(Constant)	-1,343	,037

Unstandardized coefficients

Summary of Canonical Discriminant Functions

Eigenvalues

Function	Eigenvalue	% of Variance	Cumulative %	Canonical Correlation
1	,199[a]	85,9	85,9	,407
2	,033[a]	14,1	100,00	,178

a. First 2 canonical discriminant functions were used in the analysis.

Wilks' Lambda

Test of Function(s)	Wilks' Lambda	Chi-square	df	Sig.
1 through 2	,808	188,936	24	,000
2	,968	28,362	11	,003

Functions at Group Centroids

Cluster Number of Case	Function	
	1	2
1	,600	,155
2	-,574	,154
3	1,238E-0	-,210

Unstandardized canonical discriminant functions
evaluated at group means

Classification Statistics

Classification Results[a]

		Cluster number of Case	Predicted Group Membership			Total
			1	2	3	
Original	Count	1	142	50	59	251
		2	39	152	72	263
		3	112	122	145	379
		Ungrouped cases	8	6	7	21
	%	1	56,6	19,9	23,5	100,0
		2	14,8	57,8	27,4	100,0
		3	29,6	32,2	38,3	100,1
		Ungrouped cases	38,1	28,6	33,3	100,0

a. 49,2% of original grouped cases correctly classified.

Discriminant Analysis 1
Box's Test of Equality of Covariance Matrices

Test Results

Box's M		196,718
F	Approx.	3,472
	df1	56
	df2	1 835 136
	Sig.	,000

Tests null hypothesis of equal population covariance matrices.

Stepwise Statistics

Variables Entered/Removed[a,b,c,d]

Step	Entered	Wilks' Lambda							
		Statistic	df1	df2	df3	Exact F			
						Statistic	df1	df2	Sig.
1	Niveau de scolarité complété	,922	1	2	890,000	37,659	2	890,00	,000
2	Taille du ménage	,899	2	2	890,000	24,361	4	1778,000	,000
3	q2. 1.4 Quête de sensations fortes	,879	3	2	890,000	19,696	6	1776,000	,000
4	q2. 1.1 Respect de soi	,863	4	2	890,000	16,938	8	1774,000	,000
5	Âge	,846	5	2	890,000	15,421	10	1772,000	,000
6	q2. 18 Sens de l'accomplissement	,835	6	2	890,000	13,877	12	1770,000	,000
7	q2. 1.7 Recherche de sécurité	,822	7	2	890,000	12,985	14	1768,000	,000

At each step, the variable that minimizes the overall Wilks' Lambda is entered
   a. Maximum number of steps is 24.
   b. Minimum partial F to enter is 3,84
   c. Maximum partial F to remove is 2,71
   d. F level, tolerance, or VIN insufficient for further computation.

Wilks' Lambda

Step	Number of Variables	Lambda	df1	df2	df3	Statistic	df1	df2	Sig.
						Exact F			
1	1	,922	1	2	890	37,659	2	890,000	,000
2	2	,899	2	2	890	24,361	4	1778,000	,000
3	3	,879	3	2	890	19,696	6	1776,000	,000
4	4	,863	4	2	890	16,938	8	1774,000	,000
5	5	,846	5	2	890	15,421	10	1772,000	,000
6	6	,835	6	2	890	13,877	12	1770,000	,000
7	7	,822	7	2	890	12,985	14	1768,000	,000

Summary of Canonical Discriminant Functions

Eigenvalues

Function	Eigenvalue	% of Variance	Cumulative %	Canonical Correlation
1	,180[a]	85,6	85,9	,391
2	,030[a]	14,1	100,00	,172

a. First 2 canonical discriminant functions were used in the analysis.

Wilks' Lambda

Test of Function(s)	Wilks' Lambda	Chi-square	df	Sig.
1 through 2	,822	173,632	14	,000
2	,971	26,502	6	,000

Functions at Group Centroids

Cluster Number of Case	Function	
	1	2
1	,600	,155
2	-,574	,154
3	1,238E-0	-,210

Unstandardized canonical discriminant functions evaluated at group means

Classification Statistics

Classification Results[a]

		Cluster number of Case	Predicted Group Membership			Total
			1	2	3	
Original	Count	1	141	49	65	255
		2	49	151	66	266
		3	115	121	146	382
	Ungrouped cases		9	7	5	21
	%	1	55,3	19,2	25,5	100,0
		2	18,4	56,8	24,8	100,0
		3	30,1	31,7	38,2	100,0
	Ungrouped cases		42,9	33,3	23,8	100,0

a. 48,5% of original grouped cases correctly classified.

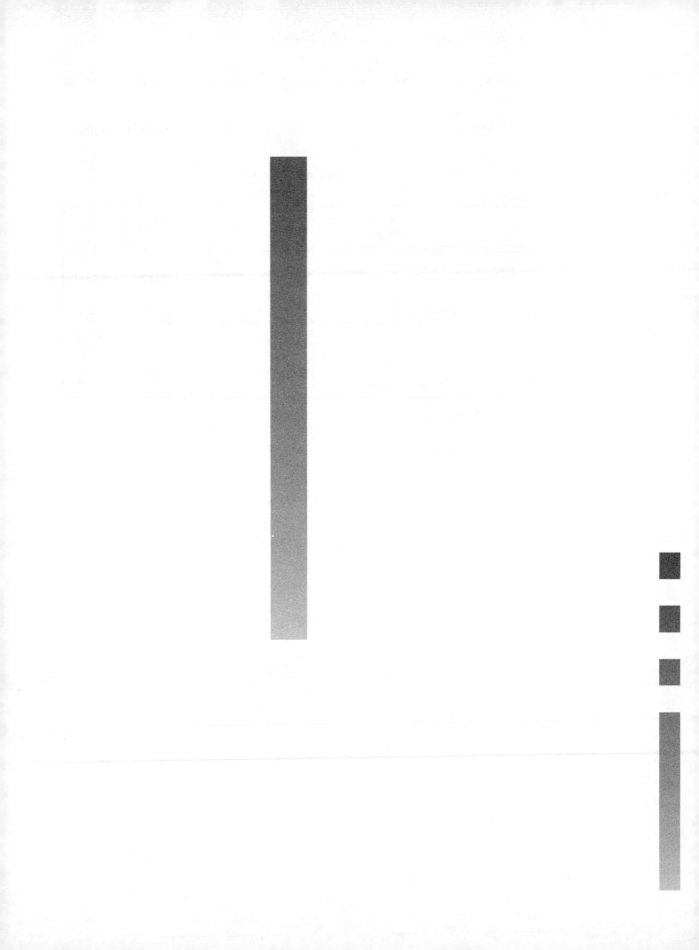

Chapitre 10

L'ANALYSE FACTORIELLE EN COMPOSANTES PRINCIPALES

10.1 INTRODUCTION :

DÉFINITION ET UTILITÉ EN MARKETING

Dans plusieurs études de marché en marketing, des objets d'analyse tels que des des marques de produits ou des bannières de magasin sont mesurés par rapport à un très grand nombre de variables indépendantes communément appelées critères ou attributs. Entre ces variables, des corrélations moyennes ou fortes existent fréquemment, signifiant le fait qu'elles mesurent des éléments similaires ou proches.

L'analyse factorielle en composantes principales est une technique statistique qui permet alors de réduire plusieurs variables plus ou moins corrélées entre elles en quelques dimensions qui se présentent sous forme de combinaisons linéaires appelées composantes principales ou facteurs.

En marketing, l'analyse en composantes principales est utilisée assez souvent dans les études de positionnement des marques. Elle sert à construire les cartes perceptuelles. L'analyse en composantes principales permet donc d'obtenir, à partir d'un espace de départ multivarié, un nouvel espace réduit à quelques dimensions qui capture le maximum de variance des objets décrits. Ces dimensions seront non corrélées entre elles et à variance ordonnée (la première étant celle qui capture la variance la plus élevée). Contrairement aux techniques d'analyse jusque-là étudiées dans ce manuel, l'analyse factorielle en composantes principales ne cherche pas à expliquer une variable en particulier, qu'elle soit continue ou discrète. Elle vise tout simplement à réduire un espace complexe, il s'agit d'une analyse d'interdépendance.

10.2

EXEMPLE D'ILLUSTRATION

L'exemple sur lequel nous allons travailler pour illustrer l'application de l'analyse factorielle en composantes principales en marketing est celui d'une étude effectuée auprès de 58 personnes à qui l'on demandait d'indiquer leurs perceptions concernant 10 marques de boissons gazeuses. Les répondants devaient évaluer les marques de boissons gazeuses sur les 7 attributs suivants : le pétillement, le niveau de prix, la disponibilité, le goût, l'arrière-goût, le taux de sucre et la capacité à satisfaire la soif. Chaque marque a été évaluée sur ces 7 attributs par une échelle de mesure de type sémantique différentielle à 7 points comme la suivante :

Non Sucré   1   2   3   4   5   6   7   Sucré

Ensuite, on a calculé, pour chacune des marques, une moyenne de l'évaluation de chaque attribut par les 58 répondants. Les données apparaissent dans le tableau 10.1.

Tableau 10.1

nombols	petill	chere	disponib	gout	arrgout	sucrée	satis	fac1_1	fac2_1
Diet Pepsi	4,711	3,190	5,717	3,793	5,345	3,672	3,121	-1,71893	,64517
Seven-up	5,534	3,121	5,943	5,303	3,373	5,000	4,943	,91301	,83604
Welch's	3,655	3,655	4,052	4,207	4,897	5,241	3,483	,39152	-,47966
C&C cola	4,773	4,500	4,655	3,383	4,273	5,052	3,793	,06394	-,37816
Pepsi cola	5,879	3,310	6,207	5,310	4,133	5,397	4,207	,44224	,91893
Tab	4,621	3,397	5,813	3,390	5,172	3,345	3,241	-1,59344	,52058
Dr Pepper	4,552	3,466	5,121	4,466	4,711	4,724	4,134	-,26763	-,18966
Sunkist	4,483	3,328	4,463	5,379	4,293	5,172	4,603	,62342	-,02542
Sprite	5,121	3,586	5,293	5,241	3,655	5,448	5,052	1,04566	,19779

L'objectif de l'étude est d'aboutir à une illustration graphique qui reflète les perceptions des consommateurs quant aux similitudes ou aux différences entre ces neuf marques de boissons gazeuses. Il s'agit donc de construire une carte perceptuelle.

10.3

LES LIMITES DE L'INTERPRÉTATION GRAPHIQUE

En utilisant les données brutes du tableau 10.1, l'analyste pourrait tenter d'obtenir une carte perceptuelle qui serait à deux ou trois dimensions maximum. Il pourrait alors sélectionner les variables qu'il jugerait pertinentes(ex: pétillement, prix et arrière goût). Dans les cartes perceptuelles qu'il obtiendrait (voir figures 10.1 et 10.2), il pourrait alors analyser les similarités et les différences qui pourraient exister dans l'esprit des consommateurs vis-à-vis des marques étudiées. Cependant, quelle que soit la pertinence du choix des variables, l'analyse demeure incomplète, vu que d'autres informations, capturées par les autres variables non retenues, manquent. La procédure présentée ci-dessus est donc incomplète et une analyse en composantes principales est fortement recommandée.

Figure 10.1

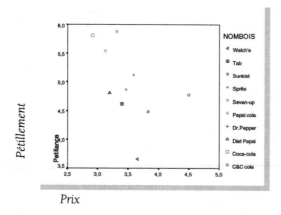

Figure 10.2

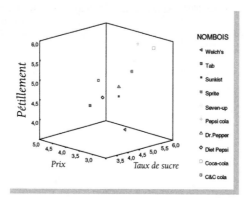

10.4

MODÈLE
ANALYTIQUE

Comme nous l'avons déjà mentionné, l'analyse factorielle en composantes principales consiste à partir d'un grand nombre de variables (notées $x_1, x_2, ..., x_n$) et à faire ressortir des combinaisons linéaires appelées composantes (notées $y_1, y_2, ..., y_k$), qui seront non corrélées et à variance ordonnée. Autrement dit, la variation expliquant la première composante (y_1) sera plus forte que sur la seconde (y_2), qui à son tour sera plus forte que celle qui lui succède. La figure 10.3 illustre graphiquement la solution proposée par l'analyse factorielle en composantes principales sur un cas simple de deux variables descriptives x_1 et x_2.

Figure 10.3

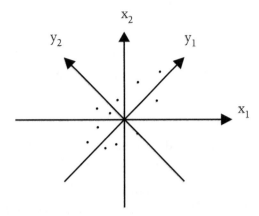

D'un point de vue analytique, il s'agit de définir au départ autant de combinaisons linéaires y_j ($j = 1,...,k$) que de variables x_i ($i = 1,...,k$) qui s'écrivent comme suit[1] :

$$y_1 = a_{11}x_1 + a_{21}x_2 + ... + a_{k1}x_k$$

$$y_2 = a_{12}x_1 + a_{21}x_2 + ... + a_{k2}x_k$$

$$\vdots$$

$$y_k = a_1x_1 + a_{2k}x_2 + ... + a_{kk}x_k$$

avec

y_j ($j = 1,...,k$), composante principale ou facteur j ;

         , score factoriel sur le facteur j ;

x_i ($i = 1,...,k$), variables indépendantes standardisées (prédicteurs) ;

a_{ij} ($i = 1,...,k$), les coefficients du facteur j.

Une fois le modèle estimé, il s'agit de retenir, parmi les k composantes principales créées, celles qui expliquent le mieux les objets évalués. L'espace multivarié de départ sera réduit à quelques dimensions (au moins une dimension et au plus k dimensions). Pour chaque objet, on calculera des scores sur chacune des composantes retenues, ce sont les scores factoriels. Ces scores serviront à positionner les objets dans un espace réduit qui permettra une analyse des différences et des similarités aussi facile qu'efficace et complète.

---

1 Pour plus de détails sur l'estimation du modèle d'analyse factorielle en composantes principales, le lecteur peut consulter Cartell (1952), Green (1978), Dillon et Goldstein (1984), Evard, Pras et Roux (2003), Hair, Anderson, Tatham et Black (2006), Malhotra (2004).

10.5

**LES ÉTAPES
DE L'ANALYSE
FACTORIELLE**

En pratique, l'analyse factorielle se déroule selon quatre principales étapes :

1. analyse des corrélations entre les variables initiales ;

2. extraction des facteurs ou détermination du nombre de facteurs nécessaires pour représenter les données et la manière de les obtenir ;

3. interprétation de la signification des facteurs et (si nécessaire) faire des transformations sur les facteurs (rotation des axes) pour améliorer l'interprétation ;

4. calculer les scores factoriels pour les différentes observations et faire la représentation graphique du positionnement des objets évalués.

10.5.1

**ÉTAPE 1 :
ANALYSE DE
LA MATRICE DE
CORRÉLATION**

Dans une étude de marché en marketing, le recours à une analyse factorielle en composantes principales est justifié si et seulement si, de fortes corrélations existent entre les variables explicatives. Pour le savoir, trois méthodes sont utilisées : l'analyse de la matrice de corrélation, le coefficient de KMO et le test de Bartlett.

Dans l'analyse de la matrice de corrélation, il s'agit de calculer les corrélations de Pearson entre les variables retenues et d'évaluer leur importance. L'existence d'un certain nombre de corrélations significatives pourrait justifier le recours à une analyse factorielle.

Le coefficient du KMO (Kaiser, Meyer et Olkin) indique quant à lui si les différentes paires de coefficients de corrélation de notre matrice peuvent être expliquées par les autres variables. Ce coefficient est compris entre 0 et 1. Une valeur supérieure à 0,5 indique l'existence de corrélation entre les variables. Le recours à une analyse factorielle est donc recommandé.

Pour ce qui est du test de Bartlett, il s'agit d'un test d'inférence effectué sur la matrice de corrélation. Quatre phases caractérisent ce test.

- Phase 1 : définir les hypothèses.

  H_0 : la matrice de corrélation est égale à la matrice identité.

  H_1 : la matrice de corrélation n'est pas égale à la matrice identité.

- <u>Phase 2</u> : calculer une statistique et la probabilité qui lui est associée. Dans ce cas, la statistique calculée est x_0^2. Elle suit une loi de khi-deux, ce qui permet de calculer la probabilité associée $p(x_0)^2$.

- <u>Phase 3</u> : fixer le seuil de signification statistique α.

- <u>Phase 4</u> : décision d'acceptation ou de rejet. Dans ce test, le rejet de H_0 signifie l'existence de corrélation significative entre les variables retenues. On va donc rejeter H_0 si $p(x_0) < \alpha$.

Dans l'exemple de l'étude sur les boissons gazeuses, l'analyse de la matrice de corrélation (tableau 10.2) montre clairement l'existence de plusieurs corrélations fortes ou très fortes, comme par exemple, entre les attributs *prix* et *disponibilité* (r = -0,747) ; *capacité à satisfaire la soif* et *goût* (0,913) ; *goût* et *arrière-goût* (-0,821), etc.

Tableau 10.2

Correlation Matrix

		Pétillement	Prix	Disponibilité	Goût	Arrière-goût	Taux de sucre	Satisfaction soif
Corrélation	Pétillement	1,000	-,499	,860	,605	-,589	,296	,549
	Prix	-,499	1,000	-,747	-,339	,050	,102	-,164
	Disponibilité	,860	-,747	1,000	,308	-,231	-,129	,201
	Goût	,605	-,339	,308	1,000	-,821	,783	,913
	Arrière-goût	-,589	,050	-,231	-,821	1,000	-,729	-,926
	Taux de sucre	,296	,102	-,129	,783	-,729	1,000	,734
	Satisfaction soif	,549	-,164	,201	,913	-,926	,734	1,000

---

2 Pour plus de détails sur le test de Bartlett, le lecteur peut consulter Cartell (1952), Green (1978), Dillon et Goldstein (1984), Evard, Pras et Roux (2003), Hair, Anderson, Tatham et Black (2006), Malhotra (2004).

L'analyse des résultats du KMO et de ceux du test de Bartlett confirme l'existence de corrélation significative entre les attributs mesurés (tableau 10.3). En effet, pour le premier, la valeur est de 0,520 et pour le second la probabilité de faire une erreur en rejetant H_0 est très faible (0,000). Bref, le recours à une analyse factorielle en composantes principales est largement justifié.

Tableau 10.3

KMO and Bartlett's Test

Kaiser-Meyer-Olkin Measure of Sampling Adequacy.		,520
Bartlett's Test of Sphericity	Approx. Chi-Square	61,094
	df	21
	Sig.	,000

NB : Sur *SPSS V.12.0*, pour obtenir l'analyse de corrélation dans le cadre de l'analyse en composantes principales, faire :

Dans le menu « *Factor Analysis* », entrer d'abord l'ensemble des variables descriptives des objets évalués dans l'espace « *Variables* ». (voir annexe 10, fenêtre 10.1). Cliquer sur la commande « *Descriptive* » et sélectionner dans « *Correlation Matrix* » les choix « *Coefficients* » et « *KMO and Bartlett's test of sphericity* » (voir annexe 10, fenêtre 10.2).

10.5.2

ÉTAPE 2 :
EXTRACTION
DES FACTEURS

D ans l'analyse factorielle en composantes principales, la deuxième étape consiste à déterminer le nombre de facteurs ou de déclinaisons idéal pour expliquer la variance totale de l'échantillon sur l'ensemble des variables mesurées. Il s'agit d'explorer la possibilité de réduire les données.

Notons que le résultat initial de l'analyse factorielle serait un nombre de facteurs égal au nombre de variables, où chaque facteur se caractérise par :

1. la variance expliquée ou la valeur propre (Eigenvalue) ;

2. le pourcentage de variance expliquée ;

3. le pourcentage cumulé ;

Dans l'exemple de l'étude sur les boissons gazeuses, la solution initiale de l'analyse factorielle en composantes principales apparaît dans la partie gauche du tableau 10.4 (Initial Eigenvalue). On remarque très bien d'abord la création de sept composantes principales, soit autant que de variables impliquées ensuite, que la variance expliquée par chaque composante diminue avec l'évolution de son rang. À titre d'exemple, la première composante possède une valeur propre de 4,076, ce qui représente 58,22 % (4,076 / 7) de la variance expliquée. La deuxième composante possède une valeur propre inférieure à celle de la première (c'est-à-dire 2,046 et explique seulement 29,22 % de la variance totale).

Tableau 10.4

Total Variance Explained

Component	Initial Eigenvalues			Extraction Sums of Squared Loadings			Rotation Sum of Squared Loadings		
	Total	% of Variance	Cumulative %	Total	% of Variance	Cumulative %	Total	% of Variance	Cumulative %
1	4,076	58,225	58,225	4,076	58,225	58,225	3,617	51,668	51,668
2	2,046	29,221	87,446	2,046	29,221	87,446	2,504	35,778	87,446
3	,498	7,111	94,558						
4	,255	3,642	98,200						
5	8,406E-02	1,201	99,401						
6	3,200E-02	,457	99,858						
7	9,936E-03	,142	100,000						

Extraction Method: Principal Component Analysis.

En pratique, pour déterminer le nombre de composantes principales à retenir pour fins d'interprétation, plusieurs règles d'extraction empiriques existent. Trois d'entre elles vous seront présentées.

• Règle 1 : la règle du Eigenvalue > 1

Il s'agit de retenir les composantes principales dont la valeur propre est supérieure ou égale à 1. En d'autres termes, celles dont la variance expliquée dépasserait la variance expliquée par une seule variable.

Dans notre exemple d'illustration, on retiendrait seulement la première et la deuxième composante (tableau 10.4, partie de droite).

• Règle 2 : pourcentage cumulé de variance expliquée.

Selon cette règle, il s'agit de retenir le nombre de composantes qui expliquent assez bien (au moins 70 %) de la variance des objets évalués sur les différentes variables.

Dans l'exemple de l'étude sur les boissons gazeuses, selon la règle du pourcentage cumulé de variance expliquée supérieure à 0,70, les deux premières composantes seront encore une fois retenues (tableau 10.4).

• Règle 3 : la règle du coude.

Aussi appelée test de Talus, cette règle se fonde sur le graphe des valeurs propres des composantes en fonction de leur rang. Au début, la décroissance est souvent rapide, puis elle devient lente. On retient alors les composantes dont les valeurs propres sont au-dessus de la droite joignant les dernières racines et qui, graphiquement, prennent la forme d'un coude.

Dans l'exemple de l'étude sur les boissons gazeuses, le graphique des valeurs propres est présenté dans la figure 10.4. Le coude est observé au niveau de la composante 3. Donc, ce sont les composantes 1 et 2 qui seront retenues.

Figure 10.4

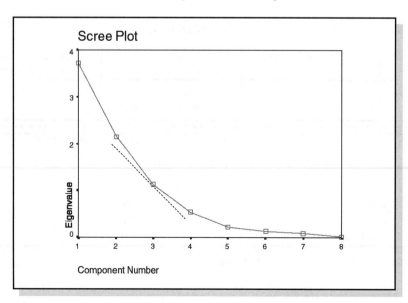

Notons à ce niveau que, de par leur philosophie, ces trois règles n'aboutissent pas nécessairement au même résultat. Le jugement de l'analyste doit assez souvent intervenir pour décider d'extraire le nombre de facteurs idéal pour fins d'interprétation. Par défaut, *SPSS V.12.0* utilise toujours la première règle, celle de la valeur propre supérieure à 1. Dans notre exemple, les résultats concordent et deux composantes seront retenues.

<u>NB</u> : Sur *SPSS V.12.0*, pour obtenir les résultats de la solution initiale et la solution finale d'extraction des facteurs, retourner dans le menu « *Factor Analysis* » et entrer l'ensemble des variables descriptives des objets évalués dans l'espace « *Variables* ». Par défaut, le logiciel utilise la règle de la valeur propre supérieure à 1 (voir annexe 10, fenêtre 10.1).

Pour obtenir la représentation graphique des valeurs propres, cliquer dans le menu principal sur la commande « *Extraction* », sélectionner dans « *Display* » le choix « *Scree Plot* » (voir annexe 10, fenêtre 10.3).

Pour obtenir les résultats d'une analyse en composantes principales en imposant un nombre de composantes bien précis, retourner au menu principal, cliquer sur la commande « *Extraction* » et modifier dans « *Extract* » la règle utilisée par défaut en sélectionnant d'abord le choix « *Number of Factors* » et en précisant par la suite le nombre de composantes que l'on désire extraire par l'analyse en question (voir annexe 10, fenêtre 10.4).

10.5.3

ÉTAPE 3 :
INTERPRÉTATION
DES FACTEURS

Une fois le nombre idéal de composantes principales fixé, l'analyste doit procéder à une interprétation littéraire de la signification de chaque composante. Il s'agit de donner une étiquette à chaque composante, en fonction des variables qu'elle représente ou encore qu'elle regroupe. Pour cela, on doit analyser la structure des composantes et des variables (*Loadings*) et faire ressortir les variables qui sont les plus corrélées avec chacune des composantes retenues. Il s'agit en d'autres termes, d'analyser la matrice relative à la structure factorielle et de déterminer la composition de chaque facteur.

Dans l'exemple de l'étude sur les boissons gazeuses, la structure des composantes est présentée dans le tableau 10.5. L'analyse des corrélations entre les variables et chacune des deux composantes montre que les attributs *goût*, *arrière-goût*, *satisfaction de la soif*, *pétillement* et *taux de sucre* se retrouvent davatange avec la première composante. *Prix* et *disponibilité* se retrouvent davantage avec la deuxième composante. La première composante pourrait être définie comme regroupant les caractéristiques intrinsèques de la marque, alors que la seconde pourrait représenter les caractéristiques extrinsèques de la marque.

Tableau 10.5

Component Matrix[a]

	Component 1	Component 2
Pétillementt	,795	-,470
Prix	-,396	,765
Disponibilité	,510	-,835
Goût	,942	,161
Arrière-goût	-,892	-,304
Taux de sucre	,711	,582
Satisfaction soif	,915	,291

Extraction Method: Principal Component Analysis.
a. 2 components extracted.

Notons, à ce stade-ci, que l'analyse de la structure des composantes principales peut présenter des difficultés d'interprétation lorsqu'une variable se trouve corrélée de manière identique avec deux ou plusieurs composantes. L'analyste pourrait alors procéder à une rotation des axes afin de tenter d'améliorer la solution initiale. Cette tentative peut réussir, dans ce cas il utiliserait la solution factorielle après rotation. Si cette tentative échouait, l'analyste retournerait alors à l'interprétation avant rotation. Plusieurs rotations existent, celle que nous retenons est la rotation Varimax. Elle présente la caractéristique principale d'indépendance (orthogonalité) totale entre les composantes.

Dans le cas de l'étude portant sur les boissons gazeuses, la structure des composantes après rotation est présentée dans le tableau 10.6. Par rapport à la solution initiale, seul l'attribut *pétillement* est passé avec la deuxième composante, rejoignant ainsi les attributs extrinsèques *prix* et *disponibilité*. Dans la logique du problème, la rotation n'a pas du tout amélioré la solution initiale. C'est cette dernière que nous allons donc retenir pour poursuivre notre dernière étape d'analyse.

Tableau 10.6

Rotated Component Matrix[a]

	Component	
	1	2
Pétillementt	,476	,792
Prix	1,517E-02	-,862
Disponibilité	5,140E-02	,977
Goût	,905	,306
Arrière-goût	-,930	-,157
Taux de sucre	,902	-,173
Satisfaction soif	,943	,179

Extraction Method: Principal Component Analysis.
Rotation Method: Varimax with Kaiser Normalization.
a. Rotation converged in 3 it iterations.

NB : Sur *SPSS V.12.0*, pour obtenir les résultats de l'analyse factorielle après rotation Varimax, retourner dans le menu principal « *Factor Analysis* », entrer l'ensemble des variables descriptives des objets évalués dans l'espace « *Variables* », cliquer sur la commande « *Rotation* » et sélectionner dans le sous-menu « *Méthod* », le choix « *Varimax* » (voir annexe 10, fenêtre 10.5).

10.5.4

ÉTAPE 4 :
CALCUL DES
SCORES FACTORIELS

Dans cette dernière étape, il s'agit de calculer, pour chaque objet évalué initialement sur les k variables, un score sur chacune des nouvelles composantes identifiées. Ces scores serviront par la suite à construire le graphique de positionnement des objets, communément appelé carte perceptuelle.

Pour calculer ces scores, on doit utiliser les équations des composantes significatives, telles que présentées dans la section 10.4. Pour chaque objet mesuré, les variables seront alors remplacées par les valeurs standardisées[3]. Dans l'exemple de l'étude portant sur les boissons gazeuses, la matrice des coefficients, présentée dans le tableau 10.7, nous permet d'écrire les équations des composantes significatives comme suit :

---

3   Pour plus de détails sur le calcul des scores factoriels, le lecteur peut consulter Cartell (1952), Green (1978), Dillon et Goldstein (1984), Evard, Pras et Roux (2003), Hair, Anderson, Tatham et Black (2006), Malhotra (2004).

$y_1 = 0,062$ *pétillement* $+ 0,092$ *prix* $- 0,084$ *disponibilité* $+ 0,241$ *goût* $-$ $0,263$ *arrière-goût* $+ 0,289$ *taux de sucre* $+ 0,265$ *satisfaction soif*

$y_2 = 0,295$ *pétillement* $- 0,375$ *prix* $+ 0,419$ *disponibilité* $+ 0,040$ *goût* $+$ $0,027$ *arrière-goût* $- 0,167$ *taux de sucre* $- 0,018$ *satisfaction soif*

Tableau 10.7

Component Score Coefficient Matrix

	Component	
	1	2
Pétillementt	,062	,295
Prix	,092	-,375
Disponibilité	-,084	,419
Goût	,241	,040
Arrière-goût	-,263	,027
Taux de sucre	,289	-,167
Satisfaction soif	,265	-,018

Extraction Method: Principal Component Analysis.
Rotation Method: Varimax with Kaiser Normalization.

Les scores factoriels obtenus pour chaque marque sur chacune des deux composantes significatives apparaissent dans deux nouvelles colonnes de la base de données (voir tableau 10.1).

NB: Sur *SPSS V.12.0*, pour obtenir la matrice des coefficients des équations des composantes principales ainsi que les scores factoriels de chaque observation, retourner dans le menu principal « *Factor Analysis* », entrer l'ensemble des variables descriptives des objets évalués dans l'espace « *Variables* », cliquer sur la commande « *Scores* » et sélectionner « *Display factor scores coefficient matrix* » ainsi que « *Save as variable* » (voir annexe 10, fenêtre 10.6).

Un graphique des scores sur les deux composantes 1 (caractéristiques intrinsèques) et 2 (caractéristiques extrinsèques) nous permet d'obtenir la carte perceptuelle (figure 10.5). Cette carte serait en même temps sujette à interprétation (deux dimensions) et la plus complète (elle tient compte de l'ensemble des évaluations sur les sept attributs).

Figure 10.5

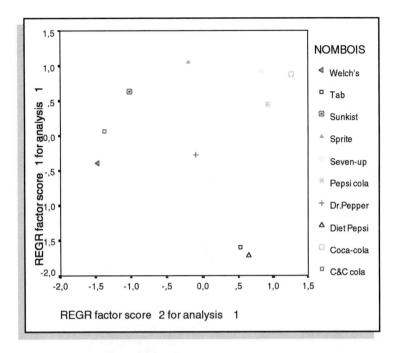

10.6

RÉSUMÉ

En pratique, l'analyse factorielle se déroule selon six principales étapes :

1. analyse des corrélations entre les variables initiales ;

2. extraction des facteurs ou détermination du nombre de facteurs nécessaires pour représenter les données et la manière de les obtenir ;

3. interprétation de la signification des facteurs et (si nécessaire) faire des transformations sur les facteurs (rotation des axes) pour améliorer l'interprétation ;

4. calculer les scores factoriels pour les différentes observations et faire la représentation graphique ;

5. donner une interprétation littéraire des composantes principales significatives obtenues après une rotation des axes de type Varimax. Quel est l'intérêt d'avoir procédé à cette rotation ?

6. calculer les scores factoriels (en facteurs) pour toutes les observations et expliquer l'utilité de tels scores.

ANNEXE 10

COMMANDES *SPSS* SOUS
WINDOWS V.12.0 POUR
L'ANALYSE FACTORIELLE
DES COMPOSANTES
PRINCIPALES

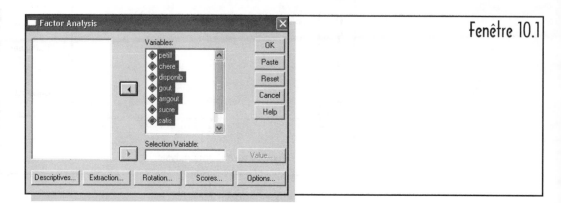

Fenêtre 10.1

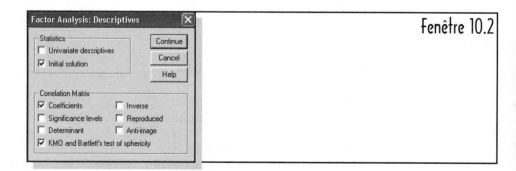

Fenêtre 10.2

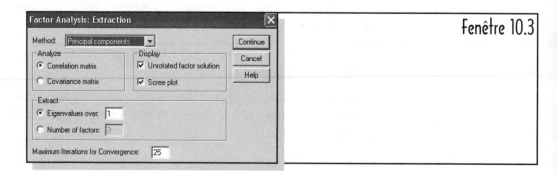

Fenêtre 10.3

Fenêtre 10.4

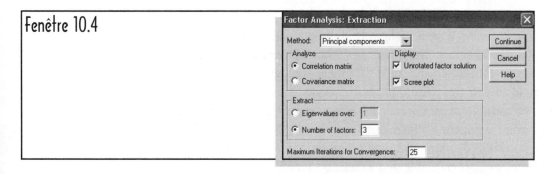

Fenêtre 10.5

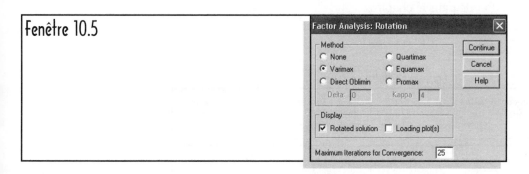

Fenêtre 10.6

Il s'agit d'une étude effectuée par une analyste en marketing, qui vise à segmenter le marché d'alimentation d'une ville du Québec sur la base de 7 variables, de manière à faire ressortir le profil des différents types de supermarchés. Pour collecter les données de l'étude, l'analyste a administré un questionnaire à un échantillon représentatif de 100 individus. À chaque individu, on a demandé d'évaluer les 14 grands magasins d'alimentation de la ville sur 7 variables, le *prix*, la *qualité des fruits et légumes*, la *qualité du personnel*, le *service à la caisse*, la *propreté des lieux*, la *facilité de livraison*, la *qualité des viandes* et la *variété de marques disponibles en magasin*. Chaque évaluation se fait sur une échelle sémantique différentielle standard de 6 points (où le niveau 1 correspond au pôle très négatif de l'évaluation et le niveau 6 au pôle très positif). Ces variables constituent les critères de segmentation retenus *a priori* par l'analyste pour segmenter le marché d'alimentation dans la ville de l'étude. L'analyste cherche à étudier la possibilité de réduire les dimensions de l'information fournie par les 7 variables relativement à cet ensemble de 14 magasins en quelques dimensions. On procède alors à une analyse factorielle en composantes principales.

Interprétez les résultats de cette analyse présentés dans ce qui suit, en suivant les étapes du plan d'analyse abordé dans le chapitre.

Factor Analysis

Correlation Matrix

	Perception du prix	Fraîcheur des légumes	Qualité du personnel	Service à la caisse	Propreté du magasin	Facilité de livraison	Aménagement interne	Variété des marques
Perception du prix	1,000	,339	,007	-,235	-,383	-,235	-,310	,513
Fraîcheur des légumes	,339	1,000	,342	-,084	,511	,407	,318	,649
Qualité du personnel	,007	,342	1,000	,782	,509	,367	,718	-,102
Service à la caisse	-,235	-,084	,782	1,000	,431	,233	,737	-,434
Propreté du magasin	-,383	,511	,509	,431	1,000	,702	,883	,035
Facilité de livraison	-,235	,407	,367	,233	,702	1,000	,639	-,176
Aménagement interne	-,310	,318	,718	,737	,883	,639	1,000	-,231
Variété des marques	,513	,649	-,102	-,434	,035	-,176	-,231	1,000

(Corrélation)

KMO and Bartlett's Test

Kaiser-Meyer-Olkin Measure of Sampling Adequacy.		,586
Bartlett's Test of Sphericity	Approx. Chi-Square	79,996
	df	28
	Sig.	,000

Communalities

	Initial	Extraction
Perception du prix	1,000	,804
Fraîcheur des légumes	1,000	,923
Qualité du personnel	1,000	,904
Service à la caisse	1,000	,943
Propreté du magasin	1,000	,925
Facilité de livraison	1,000	,735
Aménagement interne	1,000	,936
Variété des marques	1,000	,839

Extraction Method: Principal Component Analysis.

Total Variance Explained

Component	Initial Eigenvalues			Extraction Sums of Squared Loadings			Rotation Sums of Squared Loadings		
	Total	% of Variance	Cumulative %	Total	% of Variance	Cumulative %	Total	% of Variance	Cumulative %
1	3,724	46,552	46,552	3,724	46,552	46,552	2,587	32,335	32,335
2	2,150	26,871	73,424	2,150	26,871	73,424	2,310	28,875	61,210
3	1,135	14,185	87,609	1,135	14,185	87,609	2,112	26,398	87,609
4	,538	6,730	94,338						
5	,225	2,815	97,153						
6	,126	1,581	98,734						
7	8,204E-02	1,025	99,759						
8	1,928E-02	,241	100,000						

Extraction Method: Principal Component Analysis.

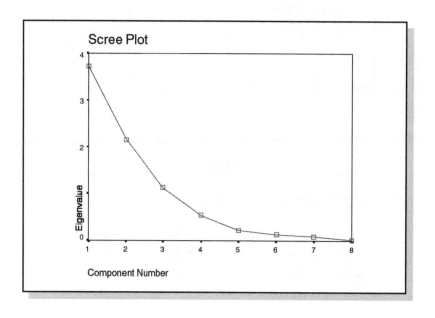

Component Matrix[a]

	Component		
	1	2	3
Perception du prix	-,361	,621	,537
Fraîcheur des légumes	,357	,887	-8,77E-02
Qualité du personnel	,784	,102	,528
Service à la caisse	,747	-,342	,517
Propreté du magasin	,879	,221	-,321
Facilité de livraison	,723	,150	-,435
Aménagement interne	,967	-1,28E-03	2,345E-02
Variété des marques	-,249	,882	4,051E-03

Extraction Method: Principal Component Analysis.
  a. 3 components extracted.

Rotated Component Matrix[a]

	Component		
	1	2	3
Perception du prix	-,473	8,643E-02	,757
Fraîcheur des légumes	,514	8,084E-02	,808
Qualité du personnel	,262	,902	,145
Service à la caisse	,144	,917	-,285
Propreté du magasin	,901	,330	6,083E-02
Facilité de livraison	,844	,149	-1,96E-02
Aménagement interne	,697	,666	-8,59E-02
Variété des marques	7,565E-03	-,258	,879

Extraction Method: Principal Component Analysis.
Rotation Method: Varimax with Kaiser Normalization.
  a. Rotation converged in 6 iterations.

Component Transformation Matrix

	Component		
Component	1	2	3
1	,736	,670	-,093
2	,219	-,106	,970
3	-,640	,734	,225

Extraction Method: Principal Component Analysis.
Rotation Method: Varimax with Kaiser Normalization.

Component Plot in Rotated Space

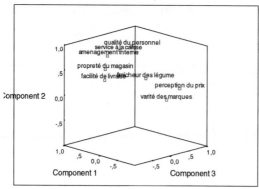

Component Score Coefficient Matrix

	Component		
	1	2	3
Perception du prix	-,311	,252	,396
Fraîcheur des légumes	,211	-,036	,374
Qualité du personnel	-,132	,478	,131
Service à la caisse	-,179	,486	-,071
Propreté du magasin	,377	-,060	,014
Facilité de livraison	,404	-,159	-,037
Aménagement interne	,178	,189	-,020
Variété des marques	,038	-,086	,405

Extraction Method: Principal Component Analysis.
Rotation Method: Varimax with Kaiser Normalization.
Component Scores.

Component Score Covariance Matrix

Component	1	2	3
1	1,000	,000	,000
2	,000	1,000	,000
3	,000	,000	1,000

Extraction Method: Principal Component Analysis.
Rotation Method: Varimax with Kaiser Normalization.
Component Scores.

Factor Analysis

Correlation Matrix

		Perception du prix	Fraîcheur des légumes	Qualité du personnel	Service à la caisse	Propreté du magasin	Facilité de livraison	Aménagement interne	Variété des marques
Corrélation	Perception du prix	1,000	,339	,007	-,235	-,383	-,235	-,310	,513
	Fraîcheur des légumes	,339	1,000	,342	-,084	,511	,407	,318	,649
	Qualité du personnel	,007	,342	1,000	,782	,509	,367	,718	-,102
	Service à la caisse	-,235	-,084	,782	1,000	,431	,233	,737	-,434
	Propreté du magasin	-,383	,511	,509	,431	1,000	,702	,883	,035
	Facilité de livraison	-,235	,407	,367	,233	,702	1,000	,639	-,176
	Aménagement interne	-,310	,318	,718	,737	,883	,639	1,000	-,231
	Variété des marques	,513	,649	-,102	-,434	,035	-,176	-,231	1,000

KMO and Bartlett's Test

Kaiser-Meyer-Olkin Measure of Sampling Adequacy.		,586
Bartlett's Test of Sphericity	Approx. Chi-Square	79,996
	df	28
	Sig.	,000

Communalities

	Initial	Extraction
Perception du prix	1,000	,516
Fraîcheur des légumes	1,000	,915
Qualité du personnel	1,000	,625
Service à la caisse	1,000	,676
Propreté du magasin	1,000	,822
Facilité de livraison	1,000	,545
Aménagement interne	1,000	,935
Variété des marques	1,000	,839

Extraction Method: Principal Component Analysis.

Total Variance Explained

Component	Initial Eigenvalues			Extraction Sums of Squared Loadings			Rotation Sums of Squared Loadings		
	Total	% of Variance	Cumulative %	Total	% of Variance	Cumulative %	Total	% of Variance	Cumulative %
1	3,724	46,552	46,552	3,724	46,552	46,552	3,673	45,909	45,909
2	2,150	26,871	73,424	2,150	26,871	73,424	2,201	27,515	73,424
3	1,135	14,185	87,609						
4	,538	6,730	94,338						
5	,225	2,815	97,153						
6	,126	1,581	98,734						
7	8,204E-02	1,025	99,759						
8	1,928E-02	,241	100,000						

Extraction Method: Principal Component Analysis.

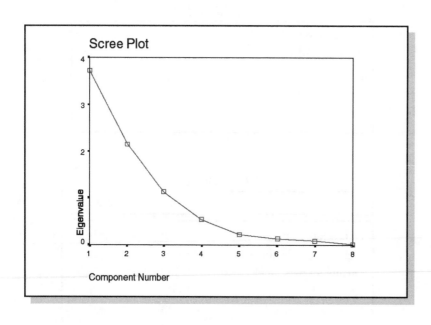

Component Matrix[a]

	Component 1	Component 2
Perception du prix	-,361	,621
Fraîcheur des légumes	,357	,887
Qualité du personnel	,784	,102
Service à la caisse	,747	-,342
Propreté du magasin	,879	,221
Facilité de livraison	,723	,150
Aménagement interne	,967	-1,28E-03
Variété des marques	-,249	,882

Extraction Method: Principal Component Analysis.
a. 2 components extracted.

Rotated Component Matrix[a]

	Component 1	Component 2
Perception du prix	-,243	,676
Fraîcheur des légumes	,512	,808
Qualité du personnel	,790	-4,10E-02
Service à la caisse	,673	-,472
Propreté du magasin	,905	5,885E-02
Facilité de livraison	,738	1,692E-02
Aménagement interne	,951	-,176
Variété des marques	-8,53E-02	,912

Extraction Method: Principal Component Analysis.
Rotation Method: Varimax with Kaiser Normalization.
a. Rotation converged in 3 iterations.

Component Transformation Matrix

Component	1	2
1	,984	-,181
2	,181	,984

Extraction Method: Principal Component Analysis.
Rotation Method: Varimax with Kaiser Normalization.

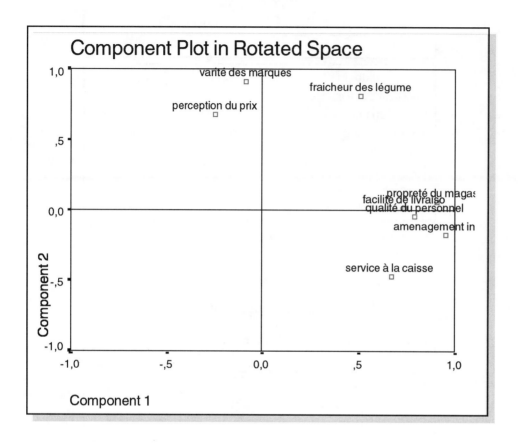

Component Score Coefficient Matrix

	Component	
	1	2
Perception du prix	-,043	,302
Fraîcheur des légumes	,169	,389
Qualité du personnel	-,216	,009
Service à la caisse	,169	-,193
Propreté du magasin	,251	,059
Facilité de livraison	,204	,034
Aménagement interne	,255	-,048
Variété des marques	,008	,415

Extraction Method: Principal Component Analysis.
Rotation Method: Varimax with Kaiser Normalization.
Component Scores.

Component Score Covariance Matrix

Component	1	2
1	1,000	,000
2	,000	1,000

Extraction Method: Principal Component Analysis.
Rotation Method: Varimax with Kaiser Normalization.

Graph

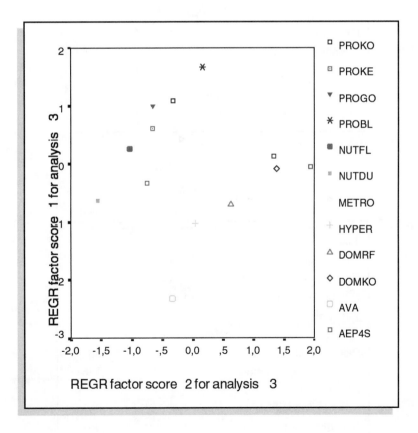

On s'intéresse aux données de 70 pays pour identifier des opportunités au niveau international. Chaque pays est identifié par 10 éléments de nature sociodémographiques, économiques et politiques. Dans cet exercice, l'analyste cherche à étudier la possibilité de réduire les dimensions de l'information fournie par les 10 variables X_2, X_3, X_4, X_5, X_6, X_7, X_8, X_9, X_{10} et X_{11}, relativement à cet ensemble de 70 pays en quelques dimensions. On procède alors à une analyse factorielle en composantes principales.

Interprétez les résultats de cette analyse, présentés dans ce qui suit, en suivant les étapes du plan d'analyse abordé dans le chapitre.

Factor Analysis

KMO and Bartlett's Test

Kaiser-Meyer-Olkin Measure of Sampling Adequacy.		,819
Bartlett's Test of Sphericity	Approx. Chi-Square	1409,746
	df	45
	Sig.	,000

Communalities

	Initial	Extraction
Taille de la population	1,000	,383
Produit national brut	1,000	,993
Cotation du risque politique	1,000	,674
Nombre de groupes politiques	1,000	,716
Taux d'alphabétisation	1,000	,975
Taux de croissance économique	1,000	,970
Densité de la population	1,000	,682
Volume des exportations	1,000	,986
Déficit de la balance commerciale	1,000	,992
Taux de chômage	1,000	,967

Extraction Method: Principal Component Analysis.

Total Variance Explained

Component	Initial Eigenvalues			Extraction Sums of Squared Loadings			Rotation Sums of Squared Loadings		
	Total	% of Variance	Cumulative %	Total	% of Variance	Cumulative %	Total	% of Variance	Cumulative %
1	5,898	58,976	58,976	5,898	58,976	58,976	5,875	58,754	58,754
2	1,271	12,713	71,689	1,271	12,713	71,689	1,254	12,545	71,299
3	1,169	11,694	83,383	1,169	11,694	83,383	1,208	12,084	83,383
4	,926	9,258	92,641						
5	,631	6,315	98,956						
6	4,96E-02	,496	99,452						
7	3,986E-02	,399	99,851						
8	1,130E-02	,113	99,964						
9	2,239E-03	2,239E-02	99,986						
10	1,405E-03	1,405E-02	100,000						

Extraction Method: Principal Component Analysis.

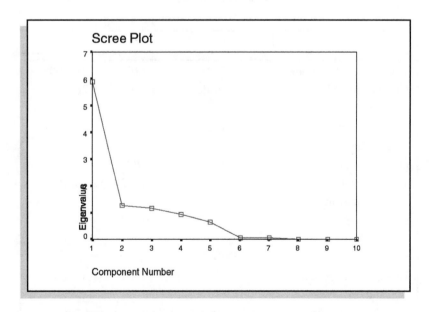

Component Matrix[a]

	Component		
	1	2	3
Taille de la population	7,484E-02	,196	,582
Produit national brut	,996	-2,22E-02	7,194E-03
Cotation du risque politique	,107	,520	-,626
Nombre de groupes politiques	-8,48E-03	-,833	,145
Taux d'alphabétisation	,987	-1,40E-02	-2,79E-02
Taux de croissance économique	,979	-8,69E-02	-6,43E-02
Densité de la population	,102	,509	,642
Volume des exportations	,993	2,432E-03	1,911E-02
Déficit de la balance commerciale	,996	-1,71E-02	1,206E-02
Taux de chômage	,983	6,639E-03	1,138E-02

Extraction Method: Principal Component Analysis.
  a. 3 components extracted.

Rotated Component Matrix[a]

	Component		
	1	2	3
Taille de la population	4,414E-02	-,106	,608
Produit national brut	,995	1,553E-02	5,287E-02
Cotation du risque politique	9,425E-02	,761	-,292
Nombre de groupes politiques	3,815E-02	-,800	-,273
Taux d'alphabétisation	,987	3,927E-02	2,555E-02
Taux de croissance économique	,984	-7,32E-03	-4,18E-02
Densité de la population	5,012E-02	,140	,812
Volume des exportations	,990	3,120E-02	7,490E-02
Déficit de la balance commerciale	,994	1,759E-02	5,952E-02
Taux de chômage	,980	3,825E-03	6,961E-02

Extraction Method: Principal Component Analysis.
Rotation Method: Varimax with Kaiser Normalization.
  a. Rotation converged in 4 iterations.

Chapitre 11

L'ANALYSE DE LA VARIANCE À PLUSIEURS FACTEURS

11.1 INTRODUCTION :

L'analyse de la variance à plusieurs facteurs permet d'étudier la relation pouvant exister entre une variable dépendante continue (d'intervalles ou de ratio) et plusieurs variables indépendantes discrètes (nominales ou ordinales) avec plus de deux catégories.

Dans le cadre de ce chapitre nous allons étudier de manière illustrative le cas précis de l'analyse de la variance à trois facteurs, le modèle d'analyse s'écrit alors comme suit :

$$y = f(x_1, x_2, x_3)$$

avec :

y, variable dépendante continue ;

x_1, x_2, x_3, variables indépendantes discrètes à plusieurs catégories.

Comme pour l'analyse de la variance à un seul facteur (voir chapitre 4), l'analyse de la variance à plusieurs facteurs peut être utilisée dans les études de marché en marketing et ceci dans deux situations. Premièrement, dans les plans d'expérimentation où l'on cherche à établir des relations de cause à effet entre des facteurs que l'on manipule (ex. : types d'emballages, choix de couleurs, formes de promotion de ventes, etc.) et un effet observé sur un phénomène que l'on mesure de manière continue (ex. : attitudes, préférences, etc.). Deuxièmement, dans les analyses associatives, où l'on cherche à comprendre, à expliquer et à prédire un phénomène continu (ex. : ventes, part de marché) et ce par plusieurs variables discrètes, telles que le *sexe* (homme, femme), l'*état civil* (marié, célibataire, autre) ou le *quartier de résidence* (centre-ville, banlieue).

11.2

EXEMPLE D'APPLICATION

Pour illustrer l'application de l'analyse de la variance à plusieurs facteurs dans les études de marché en marketing, nous allons nous référer à une étude réalisée pour le compte du responsable de la gestion de la force de vente d'une entreprise pharmaceutique. Dans le but d'optimiser la phase de formation de ses vendeurs, le responsable cherche à évaluer, dans le cadre d'une expérimentation, l'effet de trois variables catégoriques dont l'âge (1 : jeune [18 à 35 ans], 2 : moyen [36 à 50 ans], 3 : vieux [51 à 65 ans]), le sexe (1 : homme, 2 : femme) et le quotient intellectuel de l'employé (1 : normal, 2 : élevé), sur le temps d'apprentissage (nombre de jours) ainsi que sur le résultat du test (évalué sur un score maximum de 100 points) que ses vendeurs passent à la fin du programme de formation. Trente-six (36) employés en formation ont participé à cette expérimentation dont les résultats sont présentés dans le tableau 11.1.

Tableau 11.1

	sexe	qi	age	temps	test
1	femme	élevé	jeune	8,00	50,00
2	femme	élevé	jeune	8,00	50,00
3	femme	élevé	jeune	10,00	55,00
4	femme	élevé	moyen	8,00	50,00
5	femme	élevé	moyen	10,00	54,00
6	femme	élevé	moyen	12,00	60,00
7	femme	élevé	vieux	11,00	55,00
8	femme	élevé	vieux	14,00	65,00
9	femme	élevé	vieux	17,00	75,00
10	femme	normal	jeune	17,00	76,00
11	femme	normal	jeune	19,00	80,00
12	femme	normal	jeune	21,00	86,00
13	femme	normal	moyen	20,00	85,00
14	femme	normal	moyen	20,00	86,00
15	femme	normal	moyen	20,00	87,00
16	femme	normal	vieux	18,00	70,00
17	femme	normal	vieux	21,00	87,00
18	femme	normal	vieux	24,00	90,00
19	homme	élevé	jeune	8,00	55,00
20	homme	élevé	jeune	9,00	54,00
21	homme	élevé	jeune	10,00	53,00
22	homme	élevé	moyen	10,00	55,00
23	homme	élevé	moyen	12,00	61,00
24	homme	élevé	moyen	14,00	65,00
25	homme	élevé	vieux	15,00	68,00
26	homme	élevé	vieux	18,00	71,00
27	homme	élevé	vieux	21,00	86,00
28	homme	normal	jeune	19,00	80,00
29	homme	normal	jeune	19,00	78,00
30	homme	normal	jeune	19,00	80,00
31	homme	normal	moyen	17,00	69,00
32	homme	normal	moyen	20,00	83,00
33	homme	normal	moyen	23,00	90,00
34	homme	normal	vieux	20,00	80,00
35	homme	normal	vieux	21,00	80,00
36	homme	normal	vieux	22,00	85,00

Dans le cadre de ce chapitre, nous allons nous intéresser plus particulièrement à la relation entre la variable continue *temps d'apprentissage* et les trois facteurs expérimentaux mesurés de manière discrète, le *sexe*, l'*âge* et le *quotient intellectuel*.

La première étape d'analyse consiste à observer les données de notre échantillon. Il s'agit donc d'organiser les données par traitement, un traitement étant le croisement entre les différentes catégories de facteurs. Ensuite il s'agit de calculer les moyennes de la variable dépendante par traitement et par catégorie de chaque facteur et finalement de voir s'il y a des différences entre ces moyennes, démontrant ainsi l'existence d'une relation entre la variable dépendante continue et chacune des variables indépendantes discrètes. Dans l'interprétation des résultats de l'analyse de la variance à plusieurs facteurs, deux grands types d'effets doivent être analysés. Les effets principaux de chacun des facteurs et les effets d'interaction dûs au croisement entre les différents niveaux de facteurs. Dans notre exemple avec une analyse de la variance à trois facteurs, les sept effets suivants sont analysés :

- L'effet principal du facteur *âge*. Il s'agit de voir s'il y aurait ou non des différences dans le temps d'apprentissage entre les trois catégories d'employés d'âges différents. 1 (jeune [18 à 35 ans], 2 : moyen [36 à 50 ans] et 3 : vieux [51 à 65 ans]).

- L'effet principal du facteur *sexe*. Il s'agit de voir s'il y aurait ou non des différences dans le temps d'apprentissage entre les hommes et les femmes ayant participé à l'expérimentation.

- L'effet principal du facteur *quotient intellectuel*. Il s'agit de voir s'il y aurait ou non des différences dans le temps d'apprentissage entre les participants à l'étude ayant un quotient intellectuel élevé par rapport à ceux ayant un quotient intellectuel normal.

- L'effet d'interaction entre les facteurs *âge* et *sexe*. Il s'agit de voir si l'effet de la variable *âge* sur le temps d'apprentissage des employés (c'est-à-dire la différence de moyennes entre les trois catégories d'âge) est différent entre les hommes et les femmes de l'échantillon.

- L'effet d'interaction entre les facteurs *âge* et *quotient intellectuel*. Il s'agit de voir si l'effet de la variable *âge* sur le temps d'apprentissage des employés est différent entre les participants à l'étude ayant un quotient intellectuel élevé et ceux ayant un quotient intellectuel normal.

- L'effet d'interaction entre les facteurs *sexe* et *quotient intellectuel*. Il s'agit de voir si l'effet de la variable *sexe* sur le temps d'apprentissage des employés (c'est-à-dire la différence de moyennes entre les hommes et les femmes) est différent entre les participants à l'étude ayant un quotient intellectuel élevé et ceux ayant un quotient intellectuel normal.

- L'effet d'interaction entre les facteurs *âge*, *sexe* et *quotient intellectuel*. Il s'agit de voir si l'effet d'interaction entre les variables *âge* et *sexe* sur le temps d'apprentissage des employés, tel que décrit ci-dessus, est différent entre les participants à l'étude ayant un quotient intellectuel élevé et ceux ayant un quotient intellectuel normal[1].

Le tableau 11.2 illustre le calcul des moyennes nécessaires pour capturer les effets principaux et ceux d'interaction dans le cadre d'une analyse de la variance à trois facteurs A, B et C avec respectivement 3, 3 et 2 catégories.

Tableau 11.1

	FACTEUR C						
	k = 1			k = 2			
	FACTEUR B			FACTEUR B			
FACTEUR A	j = 1	j = 2	j = 3	j = 1	j = 2	j = 3	MOYENNES
i = 1 i = 2 i = 3	y_{ijkn} Y_{ijk}						
MOYENNES							Y

---

[1] Pour plus de détails sur la description des effets à analyser dans le cadre d'une analyse de la variance à plusieurs facteurs, le lecteur peut consulter Green (1978), Evard, Pras et Roux (2003), Hair, Anderson, Tatham et Black (2006), Neter, Wasserman et Kutner (1990), Malhotra (2004).

- y_{ijkn} = la mesure obtenue sur la variable dépendante pour l'observation n dans le traitement qui correspond aux niveaux i du facteur A, j du facteur B et j du facteur C.

- Y_{ijk} = la moyenne sur la variable dépendante pour les observations appartenant au traitement qui correspond aux niveaux i du facteur A, j du facteur B et j du facteur C.

- Y = la moyenne sur la variable dépendante des moyennes par traitement.

Dans une analyse de la variance à trois facteurs, le modèle général s'écrit comme suit :

$$y_{ijkn} = Y + \alpha_i + \beta_j + \gamma_k + (\alpha\beta)_{ij} + (\alpha\gamma)_{ik} + (\beta\gamma)_{jk} + (\alpha\beta\gamma)_{ijk} + e_{ijkn}$$

Avec :

y_{ijkn} = la mesure obtenue sur la variable dépendante pour l'observation n dans le traitement qui correspond aux niveaux i du facteur A, j du facteur B et j du facteur C,

Y, la moyenne sur la variable dépendante des moyennes par traitements,

α_i, l'effet principal du facteur A à i catégories,

β_j, l'effet principal du facteur B à j catégories,

γ_k, l'effet principal du facteur C à k,

$(\alpha\beta)_{ij}$, l'effet d'interaction entre le facteur A et le facteur B,

$(\alpha\gamma)_{ik}$, l'effet d'interaction entre le facteur A et le facteur C,

$(\beta\gamma)_{jk}$, l'effet d'interaction entre le facteur B et le facteur C,

$(\alpha\beta\gamma)_{ijk}$, l'effet d'interaction entre les facteurs A, B et C,

e_{ijkn}, le terme aléatoire associé à l'observation n dans le traitement qui correspond aux niveaux i du facteur A, j du facteur B et j du facteur C, c'est aussi l'écart de valeur de l'observation par rapport à la moyenne du traitement.

Le tableau 11.3 qui présente les premiers résultats de l'étude réalisée pour le compte de l'entreprise pharmaceutique, montre l'existence de différences entre les moyennes du temps d'apprentissage pour les différents traitements.

Tableau 11.3

Descriptive Statistics

Dependent Variable: Temps d'apprentissage

Sexe	Quotient intellectuel	Niveau d'âge des répondants	Mean	Std. Deviation	N
Homme	Élevé	Jeune	9,0000	1,0000	3
		Moyen	12,0000	2,0000	3
		Vieux	18,0000	3,0000	3
		Total	13,0000	4,3875	9
	Normal	Jeune	19,0000	,0000	3
		Moyen	20,0000	3,0000	3
		Vieux	21,0000	1,0000	3
		Total	20,0000	1,8028	9
	Total	Jeune	14,0000	5,5136	6
		Moyen	16,0000	4,9396	6
		Vieux	19,5000	2,5884	6
		Total	16,5000	4,8537	18
Femme	Élevé	Jeune	8,6667	1,1547	3
		Moyen	10,0000	2,0000	3
		Vieux	14,0000	3,0000	3
		Total	10,8889	3,0596	9
	Normal	Jeune	19,0000	2,0000	3
		Moyen	20,0000	,0000	3
		Vieux	21,0000	3,0000	3
		Total	20,0000	2,0000	9
	Total	Jeune	13,8333	5,8452	6
		Moyen	15,0000	5,6214	6
		Vieux	17,5000	4,6797	6
		Total	15,4444	5,3161	18
Total	Élevé	Jeune	8,8333	,9832	6
		Moyen	11,0000	2,0976	6
		Vieux	16,0000	3,4641	6
		Total	11,9444	3,8267	18
	Normal	Jeune	19,0000	1,2649	6
		Moyen	20,0000	1,8974	6
		Vieux	21,0000	2,0000	6
		Total	20,0000	1,8471	18
	Total	Jeune	13,9167	5,4181	12
		Moyen	15,5000	5,0722	12
		Vieux	18,5000	3,7538	12
		Total	15,9722	5,0454	36

NB : Sur *SPSS V.12.0*, pour faire l'analyse de la variance à plusieurs facteurs, faire :

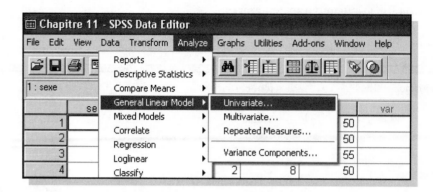

Dans le menu « *Univariate* », entrer la variable dépendante continue dans l'espace « Dependant Variable » et les variables indépendantes discrètes dans l'espace « *Fixed Factor(s)* » (voir annexe 11, fenêtre 11.1).

Pour obtenir la moyenne pour chaque traitement cliquer dans le menu principal sur la commande « *Options* » et sélectionner dans le sous-menu « *Display* » le choix « *Descriptive statistics* » (voir annexe 11, figure 11.2).

11.4

ANALYSE DES EFFETS PRINCIPAUX ET DES EFFETS D'INTERACTION : L'INTERPRÉTATION GRAPHIQUE

Pour comprendre le fonctionnement de l'analyse de variance à plusieurs facteurs et de ses différents effets présentés dans la section précédente, nous allons d'abord procéder à une interprétation graphique. Notons que cette dernière reste facile à réaliser avec deux ou trois facteurs, au-delà, elle devient difficile. La figure 11.1 est en fait une représentation graphique des moyennes de temps d'apprentissage pour les différents traitements. Il s'agit en d'autres termes, des moyennes obtenues pour les observations de chaque croisement des catégories des trois facteurs (*sexe*, *âge* et *quotient intellectuel*) et présentées dans le tableau 11.3.

Figure 11.1

Partie a

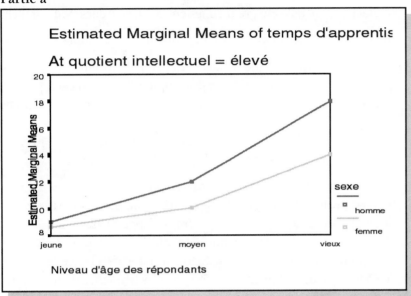

Partie b

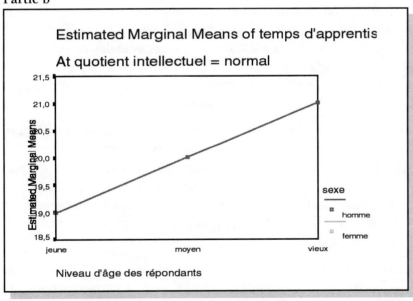

Graphiquement, notons que l'existence d'effets principaux se manifeste globalement par l'absence de droites horizontales ou de droites superposées. Les effets d'interaction, quand à eux, se manifestent par des droites non parallèles.

À partir de la figure 11.1, nous arrivons aux conclusions suivantes :

- L'absence de droites verticales dans les parties a et b indique qu'il existe, *a priori*, un effet de l'âge sur le temps d'apprentissage. En effet, pour les trois groupes d'âge de notre échantillon, les moyennes du temps d'apprentissage ne sont pas égales. Selon le tableau 11.3 elles seraient de 13,9 jours pour les *jeunes*, de 15,5 pour l'âge *moyen* et 18,5 pour les *vieux*. Plus l'employé formé est jeune plus son temps d'apprentissage est rapide.

- L'absence de superposition des droites dans la partie a de la figure 11.1 et l'existence de superposition dans la partie b indique qu'il existe, *a priori*, un léger effet de la variable *sexe* sur le temps d'apprentissage. En effet, entre les hommes et les femmes de notre échantillon, les moyennes du temps d'apprentissage sont proches. Selon le tableau 11.1, elles seraient de 16,5 jours pour les hommes et 15,4 pour les femmes, soit en moyenne une différence d'une journée d'apprentissage.

- Le fait que les droites dans la partie a de la figure 11.1 ne soient pas situées au même niveau que celles de la partie b indique qu'il existe, *a priori*, un effet de la variable *quotient intellectuel* sur le temps d'apprentissage. En effet, pour les deux niveaux de quotient intellectuel de notre échantillon, les moyennes de temps d'apprentissage ne sont pas égales. Selon le tableau 11.3 elles seraient de 11,9 jours pour les personnes ayant un quotient intellectuel élevé et de 20 pour les personnes ayant un quotient intellectuel normal. Un quotient intellectuel élevé chez l'employé formé réduirait presque de moitié son temps d'apprentissage.

- L'existence d'un léger parallélisme entre les deux droites dans la partie a et d'un parallélisme parfait entre celles de la partie b montre, *a priori*, l'absence d'un effet d'interaction entre les facteurs *âge* et *sexe*. En effet, l'impact de la variable *sexe* sur le temps d'apprentissage (c'est-à-dire la différence entre les hommes et les femmes) est presque la même pour les différentes catégories d'âge, sauf peut-être pour les personnes ayant un quotient intellectuel élevé et un âge avancé.

- Le fait que les deux droites de la partie a de la figure 11.1 n'aient pas globalement les mêmes pentes que celles de la partie b, montre, *a priori*, l'existence d'un effet d'interaction entre les variables *âge* et *quotient intellectuel*. En effet, l'impact négatif de l'âge sur le temps d'apprentissage est beaucoup plus prononcé chez les employés ayant un quotient intellectuel élevé. Selon le tableau 11.3 chez les employés ayant un quotient intellectuel élevé, l'écart dans le temps d'apprentissage moyen entre ceux de la première catégorie d'âge et ceux de la troisième (8,8 − 16 = 7,2 jours) est beaucoup plus élevé que chez les employés ayant un quotient intellectuel normal pour les mêmes catégories d'âge (19 − 21 = 3 jours).

• Le fait que l'écart entre les deux droites de la partie a soit légèrement plus élevé que celui de la partie b, montre, *a priori*, l'existence d'un effet d'interaction entre les variables *sexe* et *quotient intellectuel*. En effet, la différence en terme de temps d'apprentissage, entre les hommes et les femmes est plus significative lorsque le niveau de quotient intellectuel est élevé. Selon le tableau 11.3 les femmes ayant un quotient intellectuel élevé sont légèrement plus rapides dans leur apprentissage que leurs homologues masculins avec des moyennes respectives de 10,8 jours et 13 jours. Par contre, cette différence est totalement absente lorsque le quotient intellectuel des hommes et des femmes est à son niveau normal, avec un temps moyen d'apprentissage pour les employés des deux sexes, de 20 jours.

• Le fait que les pentes des droites ne soient pas si différentes, ni entre les droites d'une même partie de la figure 11.1 ni entre les même droites pour les deux parties de la figure, laisse croire à l'absence d'un effet d'interaction réel entre les trois variables indépendantes de l'étude.

NB : Sur *SPSS V.12.0*, pour obtenir la représentation graphique des moyennes des traitements, retourner au menu principal « Univariate » (voir annexe 11, fenêtre 11.1), cliquer sur la commande « Plots » et préciser les axes correspondants aux graphiques requis pour l'analyse (voir annexe 11, fenêtre 11.3).

11.5

GÉNÉRALISATION
DE LA RELATION :
TEST SUR LES EFFETS
PRINCIPAUX DES
FACTEURS ET SUR
LEURS EFFETS
D'INTERACTION

Afin de généraliser, pour l'ensemble de la population, les effets principaux et ceux d'interaction obtenus au niveau de l'échantillon et explicités davantage lors de l'interprétation graphique, nous allons effectuer deux séries de tests. La première série porte sur chacun des effets principaux, alors que la deuxième série concernera les effets d'interaction. Pour chacun des effets, il s'agit d'un test de Fisher sur les différences de moyennes. Quatre étapes caractérisent ce test.

- **1re étape** : énoncer les hypothèses.

  H_0 : il n'y a pas d'effet principal significatif du facteur (ou d'interaction significatif entre les différents facteurs).

  H_1 : il y a un effet principal significatif du facteur (ou d'interaction significatif entre les différents facteurs).

- **2e étape** : définir la statistique F_0 et calculer la probabilité associée.

  Dans ce cas, la statistique utilisée est le F de Fisher[2].

- **3e étape** : choisir un seuil de signification statistique α.

- **4e étape** : condition de rejet ou d'acceptation.

  Il s'agit de rejeter H_0 si $F_0 > F_a$ ou $p(F_0) < \alpha$.

Dans l'exemple concernant le temps d'apprentissage pour le programme de formation de l'entreprise pharmaceutique, le tableau 11.4, montre que les seuls effets généralisables ($\alpha = 0,05$) sont les effets principaux des variables *quotient intellectuel* ($p(F_0) = 0,000$) et *âge* ($p = 0,000$) et celui de l'interaction entre l'*âge* et le *quotient intellectuel* ($p(F_0) = 0,014$). Par contre ni l'effet du *sexe*, ni celui de l'interaction entre le *sexe* et les autres facteurs de l'étude ne sont significatifs. D'un point de vue méthodologique, la variable *sexe* pourrait être retirée de l'expérimentation sans affecter aucunement les résultats de l'étude.

---

2 Pour plus de détails sur les tests des effets principaux et ceux d'interaction dans le cadre d'une analyse de la variance à plusieurs facteurs, le lecteur peut consulter Green (1978), Evard, Pras et Roux (1993), Hair, Anderson, Tatham et Black (2006), Neter, Wasserman et Kutner (1990), Malhotra (2004).

Tableau 11.4

Tests of Between-Subjects Effects

Dependent Variable: temps d'apprentissage

Source	Type III Sum of Squares	df	Mean Square	F	Sig.
Model	9972,333[a]	12	831,028	194,266	,000
SEXE	10,028	1	10,028	2,344	,139
QI	584,028	1	584,028	136,526	,000
ÂGE	130,056	2	65,028	15,201	,000
SEXE * QI	10,028	1	10,028	2,344	,139
SEXE * ÂGE	5,056	2	2,528	,591	,562
QI * ÂGE	44,056	2	22,028	5,149	,014
SEXE * QI * ÂGE	5,056	2	2,528	,591	,562
Error	102,667	24	4,278		
Total	10075,000	36			

a. R Squared = ,990 (Adjusted R Squared = ,985)

11.6

MISE EN GARDE

Pour pouvoir utiliser les résultats de l'analyse de la variance à trois facteurs et s'assurer de la validité du test de comparaison des moyennes, il est nécessaire de vérifier *a priori* l'homogénéité entre les groupes. Il faudrait en effet s'assurer que les groupes comparés sont équivalents dans leur structure. Pour vérifier l'homogénéité des groupes, l'analyste doit réaliser le test de *Leven* qui compare les variances dans les groupes sur la variable dépendante. Quatre étapes caractérisent ce test.

- **1re étape** : définir les hypothèses.

  H_0 : les variances des erreurs entre les groupes sont égales, les groupes sont homogènes.

  H_1 : les groupes ne sont pas homogènes, il y a au moins une différence entre les variances des erreurs de ces groupes.

- **2e étape** : déterminer la statistique et la probabilité qui lui est associée (F_0 et $p(F_0)$).

- **3e étape** : choisir une marge d'erreur α.

- **4ᵉ étape** : règle de décision, acceptation ou rejet. L'idéal pour nous est d'accepter H_0 car l'échantillon doit être homogène pour pouvoir comparer les moyennes des groupes. On accepte H_0 si $p > \alpha$. C'est la probabilité de faire une erreur si on décide de rejeter H_0 selon laquelle les groupes sont homogènes.

Dans le cas de l'étude réalisée pour l'entreprise pharmaceutique, le tableau 11.4 montre une statistique $F_0 = 1{,}198$ et une probabilité $p(F_0) = 0{,}339$. Nous pouvons donc rejeter H_1 et affirmer que les groupes sont homogènes et que les résultats de notre analyse peuvent être interprétés sans problèmes.

Tableau 11.5

Résultats du test d'égalité des variances des erreurs de Leven

Levene's Test of Equality of Error Variances[a]

Dependent Variable: Temps d'apprentissage

F	df1	df2	Sig.
1,198	11	24	,339

Tests the null hypothesis that the error variance of the dependent variable is equal across groups.

a. Design: SEXE+QI+ÂGE+SEXE * QI+SEXE *ÂGE+QI * ÂGE+SEXE * QI * ÂGE

<u>NB</u> : Sur *SPSS V.12.0*, pour obtenir les résultats du test d'égalité des variances des erreurs de Leven, retourner au menu principal « *Univariate* » (voir annexe 11, fenêtre 11.1), cliquer sur la commande « *Options* » et sélectionner dans le sous-menu « *Display* » le choix « *Homogeneity Tests* » (voir annexe 11, fenêtre 11.3).

11.7

RÉSUMÉ

Dans une analyse de la variance à plusieurs facteurs, l'analyste en marketing cherche à étudier la relation pouvant exister entre une variable dépendante continue et plusieurs variables discrètes. Il se pose souvent les questions suivantes :

1. Quels types d'effets principaux de chacun des facteurs et des effets d'interaction, l'analyse de la représentation graphique des moyennes des traitements pourrait-elle laisser prévoir ?

2. Est-ce que les conditions d'homogénéité des groupes sont vérifiées ?

3. Existe-t-il ou non des effets d'interaction significatifs entre les facteurs testés ?

4. Qu'en est-il de la signification statistique et de la nature des effets principaux des facteurs impliqués dans l'analyse ?

ANNEXE 11

COMMANDES DE *SPSS*
SOUS *Windows* V.12.0
POUR L'ANALYSE DE LA
VARIANCE À PLUSIEURS
FACTEURS

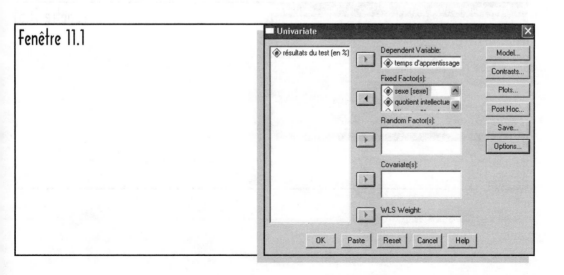

Fenêtre 11.1

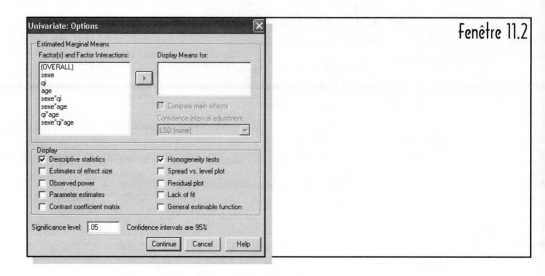

Fenêtre 11.2

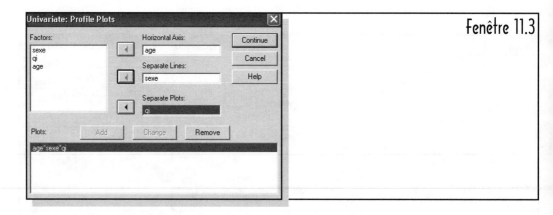

Fenêtre 11.3

▸ EXERCICES D'APPLICATION

Exercice 11.1

Il s'agit d'une étude réalisée pour le compte du responsable de la gestion de la force de vente d'une entreprise pharmaceutique. Dans le but d'optimiser la phase de formation de ses vendeurs, le responsable cherche à évaluer, dans le cadre d'une expérimentation, l'effet de trois variables catégoriques, l'*âge* (1 : jeune [18 à 35 ans], 2 : moyen [36 à 50 ans], 3 : vieux [51 à 65 ans]), le *sexe* (1 : homme, 2 : femme) et le *quotient intellectuel* de l'employé (1 : normal, 2 : élevé), sur le temps d'apprentissage (nombre de jours) ainsi que sur le résultat du test (évalué sur un score maximum de 100 points) que ses vendeurs passent à la fin du programme de formation. Trente-six (36) employés en formation ont participé à cette expérimentation. Dans le cadre de cet exemple, nous allons nous intéresser plus particulièrement à la relation entre la variable continue résultant du test et les trois facteurs expérimentaux mesurés de manière discrète le *sexe*, l'*âge* et le *quotient intellectuel*.

En supposant que le modèle standard d'analyse de la variance à trois facteurs dont les résultats apparaissent dans les tableaux ci-dessous s'applique, veuillez ressortir les principales recommandations de cette étude.

Univariate Analysis of Variance

Between-Subjects Factors

		Value Label	N
Sexe	,00	Homme	18
	1,00	Femme	18
Quotient intellectuel	1,00	Élevé	18
	2,00	Normal	18
Niveau d'âge des répondants	1,00	Jeune	12
	2,00	Moyen	12
	3,00	Vieux	12

Descriptive Statistics

Dependent Variable: résultats du test (en %)

Sexe	Quotient intellectuel	Niveau d'âge des répondants	Mean	Std. Deviation	N
Homme	Élevé	Jeune	54,0000	1,00000	3
		Moyen	60,3333	5,03322	3
		Vieux	75,0000	9,64365	3
		Total	63,1111	10,81023	9
	Normal	Jeune	79,3333	1,15470	3
		Moyen	80,6667	10,69268	3
		Vieux	81,6667	2,88675	3
		Total	80,5556	5,65931	9
	Total	Jeune	66,6667	13,90923	6
		Moyen	70,5000	13,41268	6
		Vieux	78,3333	7,33939	6
		Total	71,8333	12,27264	18
Femme	Élevé	Jeune	51,6667	2,88675	3
		Moyen	54,6667	5,03322	3
		Vieux	65,0000	10,00000	3
		Total	57,1111	8,37324	9
	Normal	Jeune	80,6667	5,03322	3
		Moyen	86,0000	1,00000	3
		Vieux	82,3333	10,78579	3
		Total	83,0000	6,42262	9
	Total	Jeune	66,1667	16,30235	6
		Moyen	70,3333	17,46616	6
		Vieux	73,6667	13,29160	6
		Total	70,0556	15,15982	18
Total	Élevé	Jeune	52,8333	2,31661	6
		Moyen	57,5000	5,46809	6
		Vieux	70,0000	10,35374	6
		Total	60,1111	9,87504	18
	Normal	Jeune	80,0000	3,34664	6
		Moyen	83,3333	7,39369	6
		Vieux	82,0000	7,07107	6
		Total	81,7778	6,00544	18
	Total	Jeune	66,4167	14,45028	12
		Moyen	70,4167	14,84746	12
		Vieux	76,0000	10,52270	12
		Total	70,9444	13,62339	36

Profile Plots
Niveau d'âge des répondants ∗ sexe ∗ quotient intellectuel

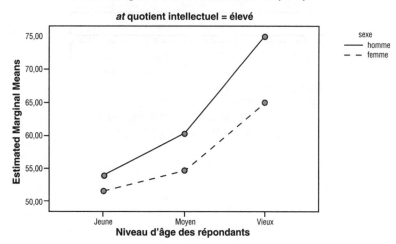

Estimated Marginal Means of **résultats du test (en %)**

at **quotient intellectuel = élevé**

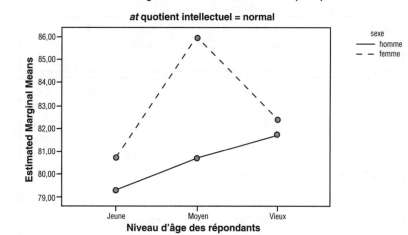

Estimated Marginal Means of **résultats du test (en %)**

at **quotient intellectuel = normal**

Leven's Test of Equality of Error Variances[a]

Dependent Variable: résultats du test (en %)

F	df1	df2	Sig.
2,752	11	24	,018

Tests the null hypothesis that the error variance of the dependent variable is equal across groups.

a. Design: SEXE+QI+ÂGE+SEXE * QI+SEXE
*ÂGE+QI * ÂGE+SEXE * QI * ÂGE

Tests of Between-Subjects Effects

Dependent Variable: résultats du test (en %)

Source	Type III Sum of Squares	df	Mean Square	F	Sig.
Model	186648,667[a]	12	15554,056	359,170	,000
Sexe	28,444	1	28,444	,657	,426
Qi	4225,000	1	4225,000	97,563	,000
Âge	556,056	2	278,028	6,420	,006
Sexe * Qi	160,444	1	160,444	3,705	,066
Sexe * Âge	37,722	2	18,861	,436	,652
Qi * Âge	423,167	2	211,583	4,886	,017
Sexe * Qi * Âge	25,722	2	12,861	,297	,746
Error	1039,333	24	43,306		
Total	187688,000	36			

a. R Squared = ,994 (Adjusted R Squared = ,992)

Exercice 11.2

Dans une expérimentation effectuée auprès d'un échantillon de 36 volontaires, les responsables d'une marque de préservatifs cherchent à comprendre l'impact simultané du thème publicitaire (peur/morale/humour) et du type de support médiatique (papier/télévision/radio) sur les attitudes envers leur message publicitaire (échelle de Likert à 10 points avec 1 : attitude défavorable et 10 : attitude favorable) d'une part et les intentions d'utilisation de sa marque d'autre part (échelle à 5 niveaux avec 1 : certainement pas et 5 : certainement).

À l'aide des résultats des différentes techniques d'analyse de la variance présentées dans ce qui suit, donnez les principaux résultats de cette expérimentation.

Univariate Analysis of Variance

Between-Subjects Factors

		Value Label	N
Thème publicitaire	1	Peur	12
	2	Morale	12
	3	Humour	12
Support médiatique	2	Télévision	18
	3	Radio	18
Approche de communication	1	Implicite	18
	2	Explicite	18

Descriptive Statistics

Dependent Variable: Attitude envers le message

Thème publicitaire	Support médiatique	Approche de communication	Mean	Std. Deviation	N
Peur	Télévision	Implicite	3,25	,957	4
		Explicite	4,50	,707	2
		Total	3,67	1,033	6
	Radio	Implicite	5,50	,707	2
		Explicite	4,25	1,258	4
		Total	4,67	1,211	6
	Total	Implicite	4,00	1,414	6
		Explicite	4,33	1,033	6
		Total	4,17	1,193	12
Morale	Télévision	Implicite	5,00	,816	4
		Explicite	5,00	,000	2
		Total	5,00	,632	6
	Radio	Implicite	6,50	,707	2
		Explicite	6,25	,500	4
		Total	6,33	,516	6
	Total	Implicite	5,50	1,049	6
		Explicite	5,83	,753	6
		Total	5,67	,888	12
Humour	Télévision	Implicite	7,50	,577	4
		Explicite	8,00	,000	2
		Total	7,67	,516	6
	Radio	Implicite	10,00	,000	2
		Explicite	7,00	,816	4
		Total	8,00	1,673	6
	Total	Implicite	8,33	1,366	6
		Explicite	7,33	,816	6
		Total	7,83	1,193	12
Total	Télévision	Implicite	5,25	1,960	12
		Explicite	5,83	1,722	6
		Total	5,44	1,854	18
	Radio	Implicite	7,33	2,160	6
		Explicite	5,83	1,467	12
		Total	6,33	1,815	18
	Total	Implicite	5,94	2,209	18
		Explicite	5,83	1,505	18
		Total	5,89	1,864	36

Profile Plots
Thème publicitaire * Support médiatique * Approche de communication

Estimated Marginal Means of Attitude envers le message

at Approche de communication = Implicite

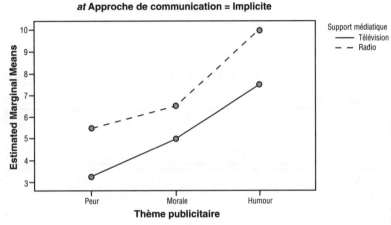

Estimated Marginal Means of Attitude envers le message

at Approche de communication = Explicite

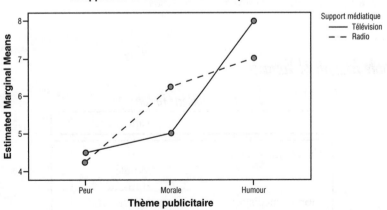

Leven's Test of Equality of Error Variances[a]

Dependent Variable: Attitude envers le message

F	df1	df2	Sig.
1,171	11	24	,356

Tests the null hypothesis that the error variance of the dependent variable is equal across groups.

a. Design: thème+support+approche+thème
* support+thème * approche+support
* approche+thème * support * approche

Tests of Between-Subjects Effects

Dependent Variable: Attitude envers le message

Source	Type III Sum of Squares	df	Mean Square	F	Sig.
Model	1355,250a	12	112,937	183,763	,000
Thème	77,250	2	38,625	62,847	,000
Support	8,681	1	8,681	14,124	,001
Approche	1,681	1	1,681	2,734	,111
Thème * Support	,528	2	,264	,429	,656
Thème * Approche	2,528	2	1,264	2,056	,150
Support * Approche	8,681	1	8,681	14,124	,001
Thème * Support *Approche	3,694	2	1,847	3,006	,068
Error	14,750	24	,615		
Total	1370,000	36			

a. R Squared = ,923 (Adjusted R Squared = ,884)

Univariate Analysis of Variance

Between-Subjects Factors

		Value Label	N
Thème publicitaire	1	Peur	12
	2	Morale	12
	3	Humour	12
Support médiatique	2	Télévision	18
	3	Radio	18
Approche de communication	1	Implicite	18
	2	Explicite	18

Descriptive Statistics

Dependent Variable: Attitude envers le message

Thème publicitaire	Support médiatique	Approche de communication	Mean	Std. Deviation	N
Peur	Télévision	Implicite	2,25	,957	4
		Explicite	3,50	2,121	2
		Total	2,67	1,366	6
	Radio	Implicite	2,50	,707	2
		Explicite	4,00	,816	4
		Total	3,50	1,049	6
	Total	Implicite	2,33	,816	6
		Explicite	3,83	1,169	6
		Total	3,08	1,240	12
Morale	Télévision	Implicite	3,75	,500	4
		Explicite	2,50	,707	2
		Total	3,33	,816	6
	Radio	Implicite	3,00	1,414	2
		Explicite	3,00	1,826	4
		Total	3,00	1,549	6
	Total	Implicite	3,50	,837	6
		Explicite	2,83	1,472	6
		Total	3,17	1,193	12
Humour	Télévision	Implicite	4,00	,816	4
		Explicite	4,00	1,414	2
		Total	4,00	,894	6
	Radio	Implicite	3,50	2,121	2
		Explicite	3,00	,816	4
		Total	3,17	1,169	6
	Total	Implicite	3,83	1,169	6
		Explicite	3,33	1,033	6
		Total	3,58	1,084	12
Total	Télévision	Implicite	3,33	1,073	12
		Explicite	3,33	1,366	6
		Total	3,33	1,138	18
	Radio	Implicite	3,00	1,265	6
		Explicite	3,33	1,231	12
		Total	3,22	1,215	18
	Total	Implicite	3,22	1,114	18
		Explicite	3,33	1,237	18
		Total	3,28	1,162	36

Profile Plots
Thème publicitaire ∗ Support médiatique ∗ Approche de communication

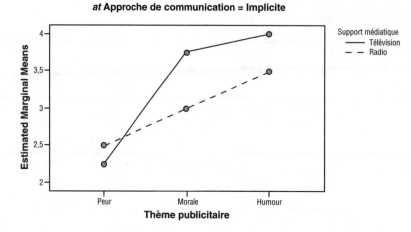

Estimated Marginal Means of Intention d'utilisation de la marque

at Approche de communication = Implicite

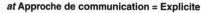

Estimated Marginal Means of Intention d'utilisation de la marque

at Approche de communication = Explicite

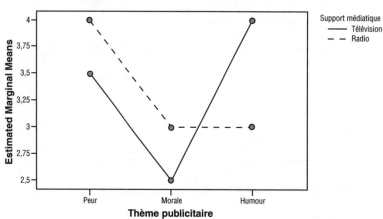

Leven's Test of Equality of Error Variances[a]

Dependent Variable: Intention d'utilisation de la marque

F	df1	df2	Sig.
2,909	11	24	,014

*Tests the null hypothesis that the error variance of
the dependent variable is equal across groups.*

a. *Design: thème+support+approche+thème
* support+thème * approche+support
* approche+thème * support * approche*

Tests of Between-Subjects Effects

Dependent Variable: Intention d'utilisation de la marque

Source	Type III Sum of Squares	df	Mean Square	F	Sig.
Model	400,500a	12	33,375	23,910	,000
Thème	2,250	2	1,125	,806	,458
Support	,222	1	,222	,159	,693
Approche	,222	1	,222	,159	,693
Thème * Support	1,694	2	,847	,607	,553
Thème * Approche	6,028	2	3,014	2,159	,137
Support * Approche	,222	1	,222	,159	,693
Thème * Support Approche	1,028	2	,514	,368	,696
Error	33,500	24	1,396		
Total	434,000	36			

a. *R Squared = ,989 (Adjusted R Squared = ,984)*

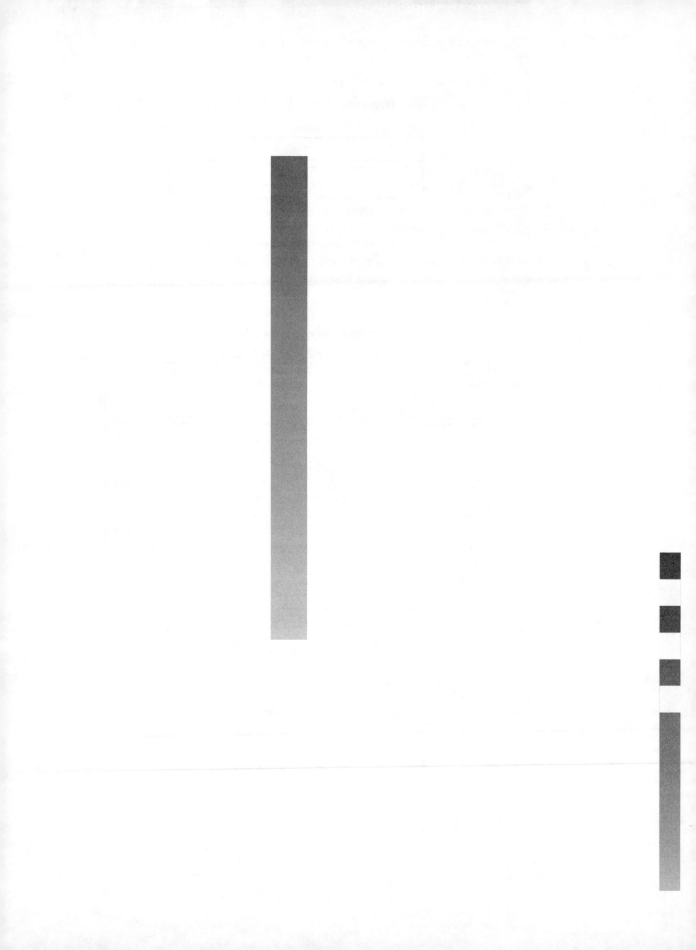

Chapitre 12

L'ANALYSE TYPOLOGIQUE *(CLUSTER ANALYSIS)*

12.1 INTRODUCTION :

DÉFINITION
ET UTILITÉ
EN MARKETING

L'analyse typologique (*cluster analysis*) est une technique statistique qui permet de subdiviser un échantillon donné d'objets ou d'individus, décrit par un ensemble de plusieurs caractéristiques en un certain nombre de groupes homogènes. En marketing, les domaines d'application de l'analyse typologique sont multiples, notamment la classification rationnelle des clients d'une entreprise, ce qui permettra au gestionnaire de construire sa stratégie marketing selon les divers groupes, la mise sur pied d'un répertoire systématique des ouvrages et périodiques disponibles dans un service de documentation et la segmentation des marchés afin d'améliorer l'efficacité du mix marketing (produit, prix, distribution et communication). C'est cette dernière application qui nous intéressera dans ce chapitre pour illustrer l'utilisation de l'analyse typologique en marketing.

Les principes d'application de l'analyse typologique sont multiples. Plus particulièrement cette technique :

1. permet de simplifier une situation complexe où l'on dispose d'un ensemble d'éléments (individus ou objets) hétérogènes en constituant des sous-groupes homogènes ;

2. stipule qu'il n'y a pas de classification établie *a priori*, c'est-à-dire que l'on ignore le nombre et la composition des sous-groupes à former ;

3. demande que chaque élément de l'ensemble soit caractérisé (décrit) par un grand nombre de variables ou d'attributs ayant chacun la même importance.

D'un point de vue méthodologique, l'analyse typologique s'est développée dans plusieurs disciplines, telles que les sciences de la vie, les sciences sociales et comportementales, les sciences de la terre, la médecine, l'ingénierie, les sciences politiques et les sciences de l'information. Il en découle une terminologie vaste et diversifiée associée à l'analyse typologique, que certains qualifient de taxonomie, de catégorisation, de classification ou d'analyse de groupement. Cette diversité ne s'arrête pas au nom donné à la technique, elle s'étend à la formulation du problème, à la description des algorithmes de résolution et à la présentation des résultats. Pour la suite, nous allons nous conformer aux exigences des chercheurs et professionnels du marketing.

Une analyse typologique comporte généralement cinq étapes.

1. La collecte de données consistant à décrire chacun des objets à l'aide des caractéristiques ou des attributs notés, $x_1, x_2, x_3, ..., x_p$.

2. Le calcul des proximités ou des distances entre toutes les paires d'objets à l'aide d'un indice qui intègre des mesures de distances et combine l'ensemble des caractéristiques.

3. La formation des groupes, en affectant chaque objet au groupe dont il est le plus proche.

4. L'interprétation des résultats, par la description des groupes au moyen de leurs principales caractéristiques.

5. La validation des résultats afin de vérifier la qualité des typologies obtenues.

Dans ce qui suit, nous allons aborder chacune de ces étapes en explicitant davantage à travers un exemple les principes généraux, les choix requis et les problèmes sous-jacents.

12.2

LA COLLECTE DES DONNÉES

Pour réaliser une analyse typologique dans le contexte d'une étude de segmentation, nous avons besoin d'un échantillon de sujets ou d'objets représentatifs de la population cible. Les éléments de cet échantillon doivent être évalués, décrits ou caractérisés sur un ensemble de variables appelées attributs ou descripteurs. Notons que le choix de ces variables incombe à l'analyste lui-même et que le résultat de l'analyse typologique va en dépendre. Lorsque le nombre de variables est très grand, une analyse factorielle en composantes principales (voir chapitre 10) pourra être appliquée au préalable pour dégager un nombre plus restreint de dimensions qui serviront par la suite comme base de groupement.

12.3

EXEMPLE

Il s'agit d'une étude effectuée par une analyste en marketing qui vise à segmenter le marché d'alimentation d'une ville du Québec sur la base de 7 variables de manière à faire ressortir le profil des différents types de supermarchés. Pour collecter les données de l'étude, l'analyste a administré un questionnaire à un échantillon représentatif de 100 individus. À chaque individu, on a demandé d'évaluer les 14 grands magasins d'alimentation de la ville sur 7 variables qui sont : le *prix*, la *qualité des fruits et légumes*, la *qualité du personnel*, le *service à la caisse*, la *propreté des lieux*, la *facilité de livraison*, la *qualité des viandes* et la *variété des marques disponibles en magasin*. Chaque évaluation se fait sur une échelle sémantique différentielle standard de 6 points (où le niveau 1 correspond au pôle très négatif de l'évaluation et le niveau 6 au pôle très positif). Ces variables constituent les critères de segmentation retenus a priori par l'analyste pour segmenter le marché d'alimentation dans la ville d'étude. Le tableau 12.1 présente les 14 supermarchés ainsi que les scores respectifs moyens obtenus sur chaque critère d'évaluation.

Tableau 12.1

La base de données sur les perceptions des consommateurs vis-à-vis de quatorze supermarchés d'alimentation

nemero	magasin	prix	frlg	pers	cais	prop	faci	amenmag	vari
1	AEP4S	3,800	3,562	3,679	4,318	4,266	4,972	4,242	3,991
2	AVA	3,897	3,344	3,833	4,217	4,417	4,467	4,071	3,983
3	DOMKO	4,667	5,070	4,525	4,497	5,110	5,068	4,735	5,278
4	DOMRF	4,554	5,695	4,421	4,595	5,048	5,190	4,458	5,107
5	HYPER	4,606	5,469	4,509	4,478	4,973	4,753	4,632	5,199
6	METRO	5,538	5,681	5,547	4,974	5,256	5,013	5,259	4,949
7	NUTFL	4,235	4,529	3,824	4,814	4,333	5,059	5,167	4,106
8	NUTDU	4,139	4,378	3,595	3,757	4,000	5,162	4,618	4,268
9	PROKE	5,476	5,625	5,357	5,119	5,209	5,167	5,053	5,762
10	PROBL	5,542	5,930	5,712	5,644	5,534	5,119	5,339	5,334
11	PROGO	4,974	5,683	5,512	5,463	5,341	5,571	5,305	5,563
12	PROKO	5,557	5,786	5,478	5,362	5,206	5,324	5,464	5,813
13	STBBL	4,912	5,833	4,872	4,901	4,831	5,161	4,837	5,435
14	STBCA	4,755	5,179	4,867	4,832	4,728	4,993	4,660	5,464

12.4

LE CALCUL DES PROXIMITÉS OU DES DISTANCES

La deuxième étape de l'analyse typologique consiste à mesurer la distance entre chaque paire d'objets ou de sujets à grouper. Plusieurs mesures existent et dépendent souvent de la nature des échelles de mesure des variables[1]. Dans le cas de variables métriques ou ordinales, la mesure la plus couramment utilisée est la distance euclidienne. Celle-ci est obtenue en prenant la racine carrée de la somme des écarts élevés au carré observés sur chaque attribut. Dans le cas de variables nominales, celles-ci seront d'abord transformées (si nécessaire) en variables binaires (1 ou 0). Une mesure de proximité (appelée aussi nombre de coïncidences positives) est par la suite obtenue en calculant le nombre d'égalités de 0 et de 1.

12.5

LA FORMATION DES GROUPES HOMOGÈNES

Une fois la connaissance des proximités entre les paires d'objets acquise, il faut la faire apparaître par un groupement composé d'objets homogènes à l'intérieur de chaque groupe mais assez différents d'un groupe à l'autre. Trois méthodes de classification existent que l'on peut aussi classer en deux grandes catégories : les méthodes monothétiques et les méthodes polythétiques (hiérarchiques et non hiérarchiques). Dans la première catégorie, on tient compte lors du processus de regroupement, d'une seule variable à la fois, alors que dans la seconde, plusieurs variables sont considérées de façon simultanée. Ces méthodes sont décrites brièvement dans ce qui suit.

- Les méthodes monothétiques :
  ces méthodes partent de l'ensemble d'objets à classer et les divisent successivement en sous-groupes, en tenant compte d'une seule variable à la fois, celle qui permet le mieux de différencier les objets en deux groupes. Parmi les techniques qui existent, citons l'analyse *CHAID (Chi-square Automatic Interaction Detector)*.

- Les méthodes polythétiques hiérarchiques :
  ces méthodes tiennent compte de toutes les variables simultanément et sont utilisées pour des échantillons de taille inférieure à 100 objets. Les méthodes hiérarchiques procèdent par une succession (ascendante ou

---

1 Pour plus de détails sur les mesures de distance ou de similarité dans le cadre d'une analyse typologique, le lecteur peut consulter Green (1978), Evard, Pras et Roux (2003), Hair, Anderson, Tatham et Black (2006), Malhotra (2004).

descendante) de regroupements d'objets. Notons bien que, pour cette méthode, le nombre de groupes n'est pas fixé *a priori*. Les diverses étapes de ce type de classification peuvent être représentées graphiquement par un arbre de hiérarchie appelé dendrogramme.

- Les méthodes polythétiques non hiérarchiques :
ces méthodes tiennent aussi compte de toutes les variables simultanément et sont surtout utilisées pour des échantillons de 100 objets et plus. Les méthodes non hiérarchiques procèdent par une affectation des objets à un nombre prédéterminé de groupes fixé à l'avance par l'analyste.

Dans le cadre de ce chapitre, nous allons nous limiter aux méthodes polythétiques hiérarchiques et non hiérarchiques[2]. Dans notre interprétation des résultats de l'exemple des supermarchés et compte tenu du nombre d'objets classifiés (14) nous allons commencer par aborder les résultats de l'approche hiérarchique. Notons que l'interprétation des résultats de l'approche non hiérarchique sera présentée à titre illustratif.

12.5.1
RÉSULTATS DE LA MÉTHODE HIÉRARCHIQUE

Comme indiqué plus haut dans le texte, la méthode hiérarchique consiste à regrouper progressivement les objets à classer en partant des deux objets les plus proches, jusqu'aux objets les plus éloignés. Le tableau 12.2 présente les étapes successives de regroupement et la distance euclidienne entre les deux objets réunis. Par exemple, les observations 3 (DOMKO) et 5 (HYPER) sont les objets les plus proches. D'après leur évaluation des sept critères, ils constituent les supermarchés les plus similaires parmi les quatorze retenus pour l'étude. La distance euclidienne calculée entre ces deux supermarchés est la plus faible parmi celles calculées sur toutes les paires (0,298), ils forment alors le premier regroupement d'objets similaires. Par ailleurs les observations 1 (AEP4S) et 3 (DOMKO) seraient, selon le calcul de distances effectué, les objets les plus éloignés. Ils constituent ainsi les supermarchés les plus différents parmi les quatorze retenus. Leur distance

---

2 Pour plus de détails sur l'interprétation des résultats de l'analyse typologique de type hiérarchique ou non hiérarchique, le lecteur peut consulter Green (1978), Evard, Pras et Roux (2003), Hair, Anderson, Tatham et Black (2006) et Malhotra (2004).

euclidienne est la plus élevée et ils seraient les derniers à se regrouper ensemble (10,406). La figure 12.1, appelée dendrogramme, illustre graphiquement le résultat de ce regroupement progressif en forme d'arborisation où les objets sont ordonnancés en fonction de leur rapprochement dans un ordre successif qui commence par les deux objets les plus proches et qui placerait par la suite au coté du groupe ainsi formé l'objet ou le groupe d'objets qui lui est proche. Entre chaque objet ou groupe d'objets réunis, une distance euclidienne moyenne est calculée et présentée sur l'axe horizontal. C'est le choix de la distance euclidienne moyenne minimale entre les objets d'un même groupe (c'est-à-dire le seuil d'hétérogénéité accepté à l'intérieur de chaque groupe) qui déterminera le résultat de l'analyse typologique, à savoir le nombre de groupes formés. À titre d'exemple, si cette distance minimale était fixée à 25, soit le seuil d'hétérogénéité maximum selon la figure 12.1, les quatorze supermarchés se retrouveraient alors dans un seul et même groupe. Si par ailleurs, la distance minimale était fixée à 0, soit le seuil d'hétérogénéité le plus bas, chaque supermarché formerait à lui seul un groupe distinct des autres. À notre avis, une des solutions idéales serait de choisir un seuil d'hétérogénéité associé à une distance de 6 qui permettrait d'obtenir trois groupes de magasins.

- Groupe 1 : DOMKO, STBCA, STBBL, HYPER et DOMRF

- Groupe 2 : NUTFL, NUTDU, AEP4S et AVA

- Groupe 3 : METRO, PROKE, PROKO, PROBL et PROGO

Toutefois, notons que toute typologie obtenue à ce stade-ci de l'analyse demeure une solution préliminaire. La solution finale doit être validée selon le processus décrit dans les sections suivantes.

Total Variance Explained

Tableau 12.2

Stage	Cluster Combined		Coefficients	Stage Cluster First Appears		Next Stage
	Cluster 1	Cluster 2		Cluster 1	Cluster 2	
1	3	5	,298	0	0	4
2	9	12	,302	0	0	6
3	1	2	,398	0	0	11
4	3	4	,430	1	0	8
5	13	14	,528	0	0	8
6	9	11	,605	2	0	7
7	9	10	,724	6	0	9
8	3	13	,745	4	5	12
9	6	9	,971	0	7	12
10	7	8	1,651	0	0	11
11	1	7	2,395	3	10	13
12	3	6	2,953	8	9	13
13	1	3	10,406	11	12	0

Figure 12.1

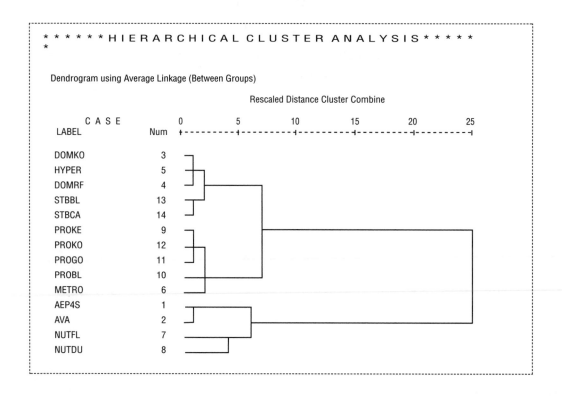

NB : Sur *SPSS V.12.0*, pour obtenir l'analyse de groupement de type hiérarchique, faire :

Dans le menu « *Hierarchical Cluster Analysis* », entrer dans l'espace « *Variables* » les variables nécessaires pour effectuer le regroupement (voir annexe 12, fenêtre 12.1). Par défaut, le logiciel utilise la mesure de distance euclidienne au carrée, pour modifier ce choix, cliquer sur la commande « *Method* » et sélectionner la mesure de distance appropriée (voir annexe 12, fenêtre 12.2).

Pour obtenir le graphique du dendrogramme, retourner dans le menu principal « *Hierarchical Cluster Analysis* », entrer dans l'espace « *Variables* » les variables nécessaires pour effectuer le regroupement, cliquer sur la commande « *Plot* » et sélectionner le choix « *Dendrogram* » (voir annexe 12, fenêtre 12.3).

•Résultats de la méthode non hiérarchique

Comme il a été indiqué auparavant, la méthode non hiérarchique est surtout utilisée avec de gros échantillons pour classer des objets dans des groupes homogènes dont le nombre est défini à l'avance. En pratique, l'analyste va tester plusieurs solutions et choisir celle qui est la plus adéquate, c'est-à-dire celle qui permet d'obtenir d'une part, des groupes qui sont assez homogènes dans leur composition et hétérogènes entre eux et d'autre part, des groupes consistants dans leur taille.

Les tableaux 12.4, 12.5 et 12.6 présentent les résultats successifs de la solution à deux, trois et quatre groupes en précisant la composition de chaque groupe. Compte tenu des critères mentionnés ci-dessus, les deux premières solutions (à deux et trois groupes) semblent a priori les plus adéquates, celle à quatre groupes génère quant à elle un regroupement disproportionné. Notons encore une fois que seule la validation des résultats selon le processus qui sera abordé plus loin dans ce chapitre (validation par l'analyse discriminante), permet de faire un choix définitif et mieux raisonné.

Tableau 12.3

Les résultats de l'analyse non hiérarchique : solution à deux groupes

Cluster Membership

Case Number	Nom du magasin d'alimentation	Cluster	Distance
1	AEP4S	2	,545
2	AVA	2	,918
3	DOMKO	1	1,025
4	DOMRF	1	1,099
5	HYPER	1	1,062
6	METRO	1	,874
7	NUTFL	2	1,056
8	NUTDU	2	,807
9	PROKE	1	,650
10	PROBL	1	1,218
11	PROGO	1	,897
12	PROKO	1	1,022
13	STBBL	1	,485
14	STBCA	1	,784

Number of Cases in each Cluster

Cluster	1	10,000
	2	4,000
Valid		14,000
Missing		,000

Tableau 12.4

Les résultats de l'analyse non hiérarchique : solution à trois groupes

Cluster Membership

Case Number	Nom du magasin d'alimentation	Cluster	Distance
1	AEP4S	2	,545
2	AVA	2	,918
3	DOMKO	1	,470
4	DOMRF	1	,498
5	HYPER	1	,387
6	METRO	3	,689
7	NUTFL	2	1,056
8	NUTDU	2	,807
9	PROKE	3	,476
10	PROBL	3	,537
11	PROGO	3	,584
12	PROKO	3	,429
13	STBBL	1	,618
14	STBCA	1	,481

Number of Cases in each Cluster

Cluster	1	5,000
	2	4,000
	3	5,000
Valid		14,000
Missing		,000

Tableau 12.5

Les résultats de l'analyse non hiérarchique : solution à quatre groupes

Cluster Membership

Case Number	Nom du magasin d'alimentation	Cluster	Distance
1	AEP4S	2	,315
2	AVA	2	,315
3	DOMKO	4	,470
4	DOMRF	4	,498
5	HYPER	4	,387
6	METRO	1	,689
7	NUTFL	3	,642
8	NUTDU	3	,642
9	PROKE	1	,476
10	PROBL	1	,537
11	PROGO	1	,584
12	PROKO	1	,429
13	STBBL	4	,618
14	STBCA	4	,481

Number of Cases in each Cluster

Cluster	1	5,000
	2	2,000
	3	2,000
	4	5,000
Valid		14,000
Missing		,000

NB: Sur *SPSS V.12.0*, pour obtenir l'analyse de groupement de type non hiérarchique, faire:

Dans le menu principal «*K-means Cluster Analysis*», entrer dans l'espace «*Variables*» les variables nécessaires pour effectuer le regroupement, préciser dans l'espace «*Number of clusters*» le nombre de groupes que l'on cherche à obtenir. (voir annexe 12, fenêtre 12.4).

Pour obtenir le détail de l'appartenance de chaque observation à chacun des groupes ainsi créés, cliquer dans le menu principal sur la commande «*Save*» et sélectionner le choix «*Cluster membership*» (voir annexe 12, fenêtre 12.5).

Pour obtenir le profil de chaque groupe ainsi créé sur chacune des variables ayant servi à générer le regroupement, cliquer dans le menu principal sur la commande «*Options*» et sélectionner dans le sous-menu «*Statistics*» le choix «*Cluster information for each cases*» (voir annexe 12, fenêtre 12.6).

12.6
LA VALIDATION
DES RÉSULTATS DE
L'ANALYSE TYPOLOGIQUE

La validation des résultats d'une analyse typologique peut se faire de deux façons. La première façon, que l'on peut qualifier d'analyse de convergence, consiste à appliquer sur les mêmes données deux méthodes de classification différentes et à étudier la stabilité et le degré de concordance des résultats. La deuxième façon consiste à faire une analyse discriminante, dont l'objectif serait de faire ressortir la qualité discriminatoire du groupement obtenu.

•Validation des résultats de l'analyse typologique par comparaison entre les résultats de la méthode hiérarchique et ceux de la méthode non hiérarchique.

Dans le cas ou la taille de l'échantillon à classer est limitée et que la méthode de classification hiérarchique est possible, les résultats de cette dernière pourraient alors être confrontés, pour fin de validation, à ceux obtenus par la méthode non hiérarchique. Une concordance des résultats obtenus par les deux méthodes garantirait une meilleure stabilité de la classification définitive.

Dans notre exemple, une concordance des résultats semble se dégager lorsqu'on compare les solutions à deux ou trois groupes obtenus par les méthodes de classification hiérarchique et non hiérarchique. Donc, l'une ou l'autre des deux solutions serait, à ce niveau, acceptable.

•Validation des résultats de l'analyse typologique par l'analyse discriminante.

Dans le cas où le nombre d'objets à classer est très élevé et que seule la méthode non hiérarchique est recommandée, la validation des résultats de l'analyse typologique pourrait se faire par l'usage de l'analyse discriminante. La variable de regroupement serait alors la classification générée et les variables indépendantes seraient les variables ayant servi à générer la typologie. On pourrait alors comparer les typologies obtenues avec différents nombres de groupes et retenir celle qui donnerait le meilleur niveau de discrimination entre les groupes générés par l'analyse.

Dans notre exemple, les résultats de l'analyse discriminante effectuée respectivement avec la solution à deux groupes et celle à trois groupes sont présentés dans les tableaux 12.6 et 12.7. Sans trop s'attarder sur les détails de cette analyse (voir chapitres 8 et 9), la comparaison des résultats montre que la typologie obtenue avec trois groupes est celle qui arrive à dégager le plus de différences entre les quatorze magasins en utilisant les mêmes attributs (le lambda de Wilks étant le plus bas des deux). C'est cette dernière solution qui sera recommandée.

Tableau 12.6

Wilks' Lambda

Test of Function(s)	Wilks' Lambda	Chi-square	df	Sig.
1	,021	30,990	8	,000

Tableau 12.7

Wilks' Lambda

Test of Function(s)	Wilks' Lambda	Chi-square	df	Sig.
1 through 2	,001	53,780	16	,000
2	,144	14,518	7	,043

12.7

LA DESCRIPTION DES GROUPES

Une fois les groupes formés et leur nombre validé, la dernière étape de l'analyse typologique consiste à décrire le profil de chaque groupe. La description se fera en général sur les critères mêmes qui ont servi à réaliser le regroupement. Dans certains cas, d'autres variables pourraient y être ajoutées. Les profils peuvent être présentés en calculant les moyennes de chaque groupe sur les différentes variables utilisées pour réaliser la classification. Ces moyennes peuvent faire l'objet d'une représentation graphique en serpent. Le tableau 12.1 présente une description détaillée du profil des trois groupes de magasins décrits sur les sept variables de l'étude. Il ressort de cette analyse descriptive les faits suivants :

- Le premier groupe de supermarchés (composé des magasins DOMKO, STBCA, STBBL, HYPER et DOMREF), se caractérise par un niveau élevé de perception sur les critères reliés aux produits, notamment la fraîcheur des légumes et la variété des marques et un niveau moyen sur les autres critères reliés notamment à la perception du prix ou aux attributs du service en magasin.

- Le second groupe de supermarchés (composé des magasins NUTFL, NUTDU, AEP4S et AVA), présente un niveau faible sur tous les critères d'évaluation.

- Le troisième groupe de supermarchés (composé des magasins MÉTRO, PROKE, PROKO, PROBL et PROGO), présente le niveau de perception le plus élevé sur tous les critères.

Tableau 12.8

Final Cluster Centers

	Cluster		
	1	2	3
Perception du prix	4,699	4,018	5,417
Fraîcheur des légumes	5,449	3,953	5,741
Qualité du personnel	4,639	3,733	5,521
Service à la caisse	4,661	4,277	5,312
Propreté du magasin	4,938	4,254	5,309
Facilité de livraison	5,033	4,915	5,239
Aménagement interne	4,664	4,525	5,284
Variété des marques	5,297	4,087	5,484

12.8

RÉSUMÉ

Dans une analyse typologique, l'analyste en marketing cherche à subdiviser un échantillon donné d'objets ou d'individus assez hétérogène, décrit par un ensemble de plusieurs caractéristiques, en un certain nombre de groupes homogènes. Il se pose souvent les questions suivantes :

1. Quelle méthode de classification utiliser ?

2. Quelle mesure de distance retenir compte tenu de la nature des variables de classification retenues ?

3. Dans le cas d'une analyse de classification hiérarchique, interpréter le dendrogramme et déterminer le nombre de groupes en fixant le seuil de distance minimum entre les groupes.

4. Dans le cas d'une analyse de classification non hiérarchique, tester les différentes possibilités de regroupement et choisir le ou les plus adéquats.

5. Valider les résultats de l'analyse typologique.

6. Établir le profil descriptif des groupes formés.

ANNEXE 12

COMMANDES *SPSS*
SOUS *Windows V.12.0*
POUR L'ANALYSE
TYPOLOGIQUE

Fenêtre 12.1

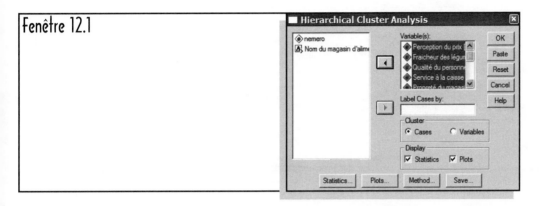

Fenêtre 12.2

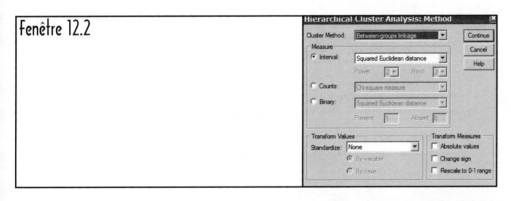

Fenêtre 12.3

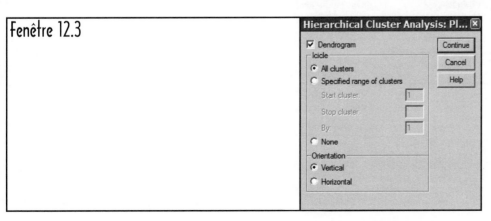

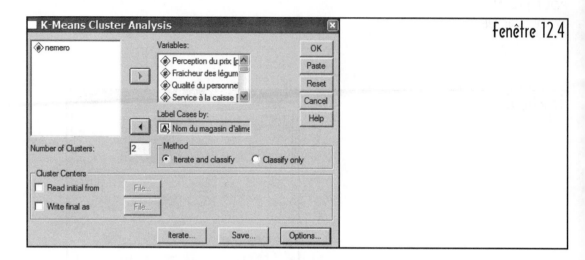

Fenêtre 12.4

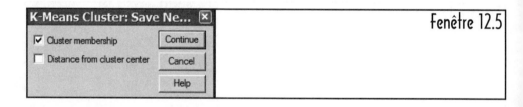

Fenêtre 12.5

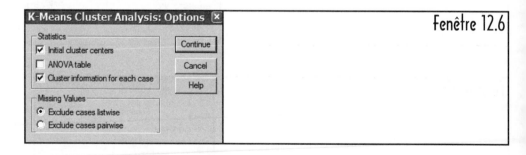

Fenêtre 12.6

▸ EXERCICES D'APPLICATION

Exercice 12.1

Il s'agit d'une étude effectuée par une analyste en marketing d'une société d'état qui gère l'ensemble des jeux de hasard d'une province (ex. : les billets de loterie, les casinos, les machines à sous, etc.). L'étude vise à segmenter le marché des acheteurs de billets de loterie sur la base de variables sociodémographiques de manière à distinguer le profil des grands acheteurs de celui des petits acheteurs. Les stratégies marketing de la société en termes d'offre de produits, de fixation de prix, de circuit de distribution et de moyens de communication seraient alors adaptées aux spécificités et aux comportements de ces deux types de clientèles. Pour collecter les données de l'étude, l'analyste a administré un questionnaire à un échantillon représentatif de 50 individus. Pour chaque individu, on a d'abord mesuré différentes caractéristiques sociodémographiques qui peuvent expliquer *a priori* l'intérêt faible ou élevé des répondants vis-à-vis de la loterie. Il s'agit du revenu annuel de ménage du répondant (*revenu*), de son âge (*âge*), de son niveau de scolarité (*scolarit*) et du nombre d'enfants dans le ménage (*nombenfa*). Ces variables constituent les critères de segmentation retenus par l'analyste de manière à segmenter le marché des acheteurs de billets de loterie. Pour mieux comprendre les segments, nous avons aussi mesuré, pour chaque répondant, le montant dépensé mensuellement pour l'achat de billets de loterie (c'est la variable *dépenses*). Les données collectées se trouvent à la page *xxxxx* du livre.

À partir des sorties *SPSS* présentées dans ce qui suit, répondre aux questions suivantes.

1. Quelle méthode de classification recommanderiez-vous ?

2. Quelle mesure de distance retenir compte tenu de la nature des variables de classification retenues ?

3. En utilisant les résultats de l'analyse de classification hiérarchique, interprétez le dendrogramme et déterminez le nombre de groupes en fixant le seuil de distance minimum entre les groupes.

4. En utilisant les résultats de l'analyse de classification non hiérarchique, testez les différentes possibilités de regroupement et choisissez la plus adéquate.

5. Validez les résultats de l'analyse typologique.

6. Établissez le profil descriptif des groupes formés.

Résultats de la méthode hiérarchique

Case Processing Summary[a,b]

	Cases					
Valid		Missing		Total		
N	Percent	N	Percent	N	Percent
50	100,0	0	,0	50	100,0

a. Squared Euclidean Distance used
b. Average Linkage (Between Groups)

* * * * * * H I E R A R C H I C A L   C L U S T E R   A N A L Y S I S * * * * *

Dendrogram using Average Linkage (Between Groups)

Rescaled Distance Cluster Combine

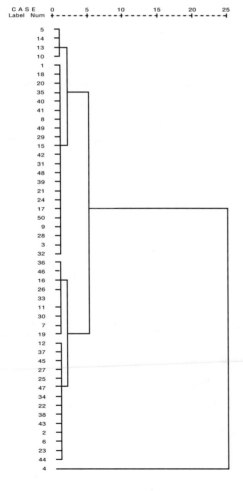

Résultats de la méthode non hiérarchique

Solution à 2 groupes

Final Cluster Centers

	Cluster	
	1	2
Revenu annuel du ménage	27683	38660
Âge	37	35
Niveau de scolarité	11	14
Nombre d'enfants dans le ménage	2	2
Évaluation de la tendance à prendre des risques	7	4

Number of Cases in each Cluster

Cluster	1	30,000
	2	20,000
Valid		50,000
Missing		,000

Solution à 3 groupes

Final Cluster Centers

	Cluster		
	1	2	3
Revenu annuel du ménage	55000	37799	27683
Âge	40	35	37
Niveau de scolarité	18	13	11
Nombre d'enfants dans le ménage	3	2	2
Évaluation de la tendance à prendre des risques	1	4	7

Number of Cases in each Cluster

Cluster	1	1,000
	2	19,000
	3	30,000
Valid		50,000
Missing		,000

Validation des résultats de l'analyse typologique par l'analyse discriminante

Solution à 2 groupes

Wilks' Lambda

Test of Function(s)	Wilks' Lambda	Chi-square	df	Sig.
1	,271	59,429	5	,000

Functions at Group Centroids

	Function
Cluster Number of Case	1
1	-1,313
2	1,969

Unstandardized canonical discriminant functions evaluated at group means

Solution à 3 groupes

Wilks' Lambda

Test of Function(s)	Wilks' Lambda	Chi-square	df	Sig.
1 through 2	,001	53,780	16	,000
2	,144	14,518	7	,043

Functions at Group Centroids

	Function	
Cluster Number of Case	1	2
1	9,745	2,110
2	2,309	-,313
3	-1,787	,128

Unstandardized canonical discriminant functions evaluated at group means

Analyses complémentaires

<u>Solution à 2 groupes</u>

Descriptives

Dépenses mensuelles de loterie

	N	Mean	Std. Deviation	Std. Error	95% Confidence Interval for Mean		Minimum	Maximum
					Lower Bound	Upper Bound		
1	30	31,33	13,392	2,445	26,33	36,33	5	55
2	20	12,45	13,237	2,960	6,26	18,64	0	43
Total	50	23,78	16,168	2,286	19,19	28,37	0	55

ANOVA

Dépenses mensuelles de loterie

	Sum of Squares	df	Mean Square	F	Sig.
Between Groups	4278,963	1	4278,963	24,080	,000
Within Groups	8529,617	48	177,700		
Total	12808,580	49			

<u>Solution à 3 groupes</u>

Descriptives

Dépenses mensuelles de loterie

	N	Mean	Std. Deviation	Std. Error	95% Confidence Interval for Mean		Minimum	Maximum
					Lower Bound	Upper Bound		
1	1	,00		.	.	.	0	0
2	19	13,11	13,262	3,042	6,71	19,50	0	43
3	30	31,33	13,392	2,445	26,33	36,33	5	55
Total	50	23,78	16,168	2,286	19,19	28,37	0	55

ANOVA

Dépenses mensuelles de loterie

	Sum of Squares	df	Mean Square	F	Sig.
Between Groups	4442,124	2	2221,062	12,477	,000
Within Groups	8366,456	47	178,010		
Total	12808,580	49			

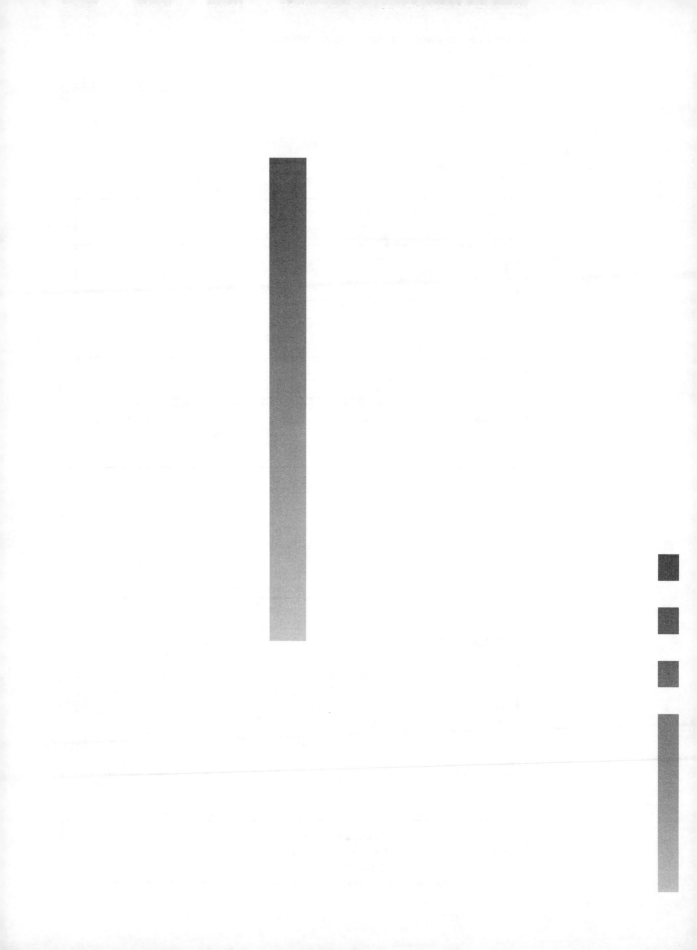

TABLEAUX STATISTIQUES

TABLE A : Loi normale standardisée

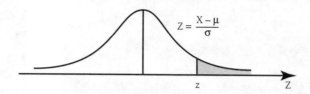

$$Z = \frac{X - \mu}{\sigma}$$

z	,00	,01	,02	,03	,04	,05	,06	,07	,08	,09
0,0	,5000	,4960	,4920	,4880	,4840	,4801	,4761	,4721	,4681	,4641
0,1	,4602	,4562	,4522	,4483	,4443	,4404	,4364	,4325	,4286	,4247
0,2	,4207	,4168	,4129	,4090	,4052	,4013	,3974	,3936	,3897	,3859
0,3	,3821	,3783	,3745	,3707	,3669	,3632	,3594	,3557	,3520	,3483
0,4	,3446	,3409	,3372	,3336	,3300	,3264	,3228	,3192	,3156	,3121
0,5	,3085	,3050	,3015	,2981	,2946	,2912	,2877	,2843	,2810	,2776
0,6	,2743	,2709	,2676	,2643	,2611	,2578	,2546	,2514	,2483	,2451
0,7	,2420	,2389	,2358	,2327	,2296	,2266	,2236	,2206	,2177	,2148
0,8	,2119	,2090	,2061	,2033	,2005	,1977	,1949	,1922	,1894	,1867
0,9	,1841	,1814	,1788	,1762	,1736	,1711	,1685	,1660	,1635	,1611
1,0	,1587	,1562	,1539	,1515	,1492	,1469	,1446	,1423	,1401	,1379
1,1	,1357	,1335	,1314	,1292	,1271	,1251	,1230	,1210	,1190	,1170
1,2	,1151	,1131	,1112	,1093	,1075	,1056	,1038	,1020	,1003	,0985
1,3	,0968	,0951	,0934	,0918	,0901	,0885	,0869	,0853	,0838	,0823
1,4	,0808	,0793	,0778	,0764	,0749	,0735	,0721	,0708	,0694	,0681
1,5	,0668	,0655	,0643	,0630	,0618	,0606	,0594	,0582	,0571	,0559
1,6	,0548	,0537	,0526	,0516	,0505	,0495	,0485	,0475	,0465	,0455
1,7	,0446	,0436	,0427	,0418	,0409	,0401	,0392	,0384	,0375	,0367
1,8	,0359	,0351	,0344	,0336	,0329	,0322	,0314	,0307	,0301	,0294
1,9	,0287	,0281	,0274	,0268	,0262	,0256	,0250	,0244	,0239	,0233
2,0	,0228	,0222	,0217	,0212	,0207	,0202	,0197	,0192	,0188	,0183
2,1	,0179	,0174	,0170	,0166	,0162	,0158	,0154	,0150	,0146	,0143
2,2	,0139	,0136	,0132	,0129	,0125	,0122	,0119	,0116	,0113	,0110
2,3	,0107	,0104	,0102	,0099	,0096	,0094	,0091	,0089	,0087	,0084
2,4	,0082	,0080	,0078	,0075	,0073	,0071	,0069	,0068	,0066	,0064
2,5	,0062	,0060	,0059	,0057	,0055	,0054	,0052	,0051	,0049	,0048
2,6	,0047	,0045	,0044	,0043	,0041	,0040	,0039	,0038	,0037	,0036
2,7	,0035	,0034	,0033	,0032	,0031	,0030	,0029	,0028	,0027	,0026
2,8	,0026	,0025	,0024	,0023	,0023	,0022	,0021	,0021	,0020	,0019
2,9	,0019	,0018	,0018	,0017	,0016	,0016	,0015	,0015	,0014	,0014
3,0	,0013	,0013	,0013	,0012	,0012	,0011	,0011	,0011	,0010	,0010

TABLE B : Distribution t de Student

Valeur de t ayant la probabilité α
d'être dépassée en module

Probabilité $\{ |t| > t_{\alpha/2}, n \} = \alpha$

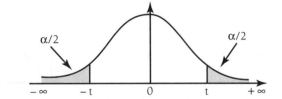

α ν	0,90	0,80	0,70	0,60	0,50	0,40	0,30	0,20	0,10	0,05	0,02	0,01
1	0,158	0,325	0,510	0,727	1,000	1,376	1,963	3,078	6,314	12,706	31,821	63,657
2	0,142	0,289	0,445	0,617	0,816	1,061	1,386	1,886	2,920	4,303	6,965	9,925
3	0,137	0,277	0,424	0,584	0,765	0,978	1,250	1,638	2,353	3,182	4,541	5,841
4	0,134	0,271	0,414	0,569	0,741	0,941	1,190	1,533	2,132	2,776	3,747	4,604
5	0,132	0,267	0,408	0,559	0,727	0,920	1,156	1,476	2,015	2,571	3,365	4,032
6	0,131	0,265	0,404	0,553	0,718	0,906	1,134	1,440	1,943	2,447	3,143	3,707
7	0,130	0,263	0,402	0,549	0,711	0,896	1,119	1,415	1,895	2,365	2,998	3,499
8	0,130	0,262	0,399	0,546	0,706	0,889	1,108	1,397	1,860	2,306	2,896	3,355
9	0,129	0,261	0,398	0,543	0,703	0,883	1,100	1,383	1,833	2,262	2,821	3,250
10	0,129	0,260	0,397	0,542	0,700	0,879	1,093	1,372	1,812	2,228	2,764	3,169
11	0,129	0,260	0,396	0,540	0,697	0,876	1,088	1,363	1,796	2,201	2,718	3,106
12	0,128	0,259	0,395	0,539	0,695	0,873	1,083	1,356	1,782	2,179	2,681	3,055
13	0,128	0,259	0,394	0,538	0,694	0,870	1,079	1,350	1,771	2,160	2,650	3,012
14	0,128	0,258	0,393	0,537	0,692	0,868	1,076	1,345	1,761	2,145	2,624	2,977
15	0,128	0,258	0,393	0,536	0,691	0,866	1,074	1,341	1,753	2,131	2,602	2,947
16	0,128	0,258	0,392	0,535	0,690	0,865	1,071	1,337	1,746	2,120	2,583	2,921
17	0,128	0,257	0,392	0,534	0,689	0,863	1,069	1,333	1,740	2,110	2,567	2,898
18	0,127	0,257	0,392	0,534	0,688	0,862	1,067	1,330	1,734	2,101	2,552	2,878
19	0,127	0,257	0,391	0,533	0,688	0,861	1,066	1,328	1,729	2,093	2,539	2,861
20	0,127	0,257	0,391	0,533	0,687	0,860	1,064	1,325	1,725	2,086	2,528	2,845
21	0,127	0,257	0,391	0,532	0,686	0,859	1,063	1,323	1,721	2,080	2,518	2,831
22	0,127	0,256	0,390	0,532	0,686	0,858	1,061	1,321	1,717	2,074	2,508	2,819
23	0,127	0,256	0,390	0,532	0,685	0,858	1,060	1,319	1,714	2,069	2,500	2,807
24	0,127	0,256	0,390	0,531	0,685	0,857	1,059	1,318	1,711	2,064	2,492	2,797
25	0,127	0,256	0,390	0,531	0,684	0,856	1,058	1,316	1,708	2,060	2,485	2,787
26	0,127	0,256	0,390	0,531	0,684	0,856	1,058	1,315	1,706	2,056	2,479	2,779
27	0,127	0,256	0,389	0,531	0,684	0,855	1,057	1,314	1,703	2,052	2,473	2,771
28	0,127	0,256	0,389	0,530	0,683	0,855	1,056	1,313	1,701	2,048	2,467	2,763
29	0,127	0,256	0,389	0,530	0,683	0,854	1,055	1,311	1,699	2,045	2,462	2,756
30	0,127	0,256	0,389	0,530	0,683	0,854	1,055	1,310	1,697	2,042	2,457	2,750
∞	0,12566	0,25335	0,38532	0,52440	0,67449	0,84162	1,03643	1,28155	1,64485	1,95996	2,32634	2,57582

* ν est le nombre de degrés de liberté.

TABLE C : Distribution du khi carré

Valeur de χ^2 ayant la probabilité
α d'être dépassée

Probabilité $\{ \chi^2_v \geq \chi^2_{\alpha \cdot v} \} = \alpha$

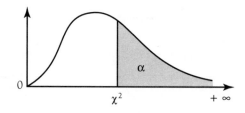

α $\backslash$ v	0,990	0,975	0,950	0,900	0,100	0,050	0,025	0,010
1	0,00016	0,00098	0,00393	0,0158	2,71	3,84	5,02	6,63
2	0,02	0,05	0,10	0,21	4,60	5,99	7,38	9,21
3	0,12	0,22	0,35	0,58	6,25	7,81	9,35	11,24
4	0,30	0,48	0,71	1,06	7,78	9,49	11,1	13,28
5	0,55	0,83	1,15	1,61	9,24	11,07	12,8	15,09
6	0,87	1,24	1,64	2,20	10,64	12,59	14,0	16,81
7	1,24	1,69	2,17	2,83	12,02	14,07	16,0	18,47
8	1,65	2,18	2,73	3,49	13,36	15,51	17,5	20,09
9	2,09	2,70	3,33	4,17	14,68	16,92	19,0	21,66
10	2,56	3,25	3,94	4,86	15,99	18,31	20,5	23,21
11	3,05	3,82	4,57	5,58	17,27	19,67	21,9	24,72
12	3,57	4,40	5,23	6,30	18,55	21,03	23,3	26,22
13	4,11	5,01	5,89	7,04	19,81	22,36	24,7	27,69
14	4,66	5,63	6,57	7,79	21,06	23,68	26,1	29,14
15	5,23	6,25	7,26	8,55	22,31	25,00	27,5	30,58
16	5,81	6,81	7,96	9,31	23,54	26,30	28,8	32,00
17	6,41	7,56	8,67	10,08	24,77	27,59	30,2	33,41
18	7,01	8,23	9,39	10,86	25,99	28,87	31,3	34,80
19	7,63	8,91	10,1	11,65	27,20	30,14	32,9	36,19
20	8,26	9,59	10,9	12,44	28,41	31,41	34,2	37,57
21	8,90	10,3	11,6	13,24	29,61	32,67	35,5	38,93
22	9,54	11,0	12,3	14,04	30,81	33,92	36,8	40,29
23	10,2	11,7	13,1	14,85	32,01	35,17	38,1	41,64
24	10,9	12,4	13,8	15,66	33,20	36,41	39,4	42,98
25	11,5	13,1	14,6	16,47	34,38	37,65	40,6	44,31
26	12,2	13,8	15,4	17,29	35,56	38,88	41,9	45,64
27	12,9	14,6	16,2	18,11	36,74	40,11	43,2	46,96
28	13,6	15,3	16,9	18,94	37,92	41,34	44,5	48,28
29	14,3	16,0	17,7	19,77	39,09	42,56	45,7	49,59
30	15,0	16,8	18,5	20,60	40,26	43,77	47,0	50,89

* v est le nombre de degrés de liberté. Pour $v > 30$, on admettra que
$\sqrt{2\chi^2} - \sqrt{2v - 1}$ est distribué normalement (moyenne nulle, écart type, unité).

TABLE D : Distribution binomiale

Probabilités associées aux valeurs observées aussi petites
que la valeur de « a » pour un test binomial unilatéral,
lorsque $p = \dfrac{1}{2}$ (les chiffres sont des valeurs décimales)

N \ a	0	1	2	3	4	5	6	7	8	9	10	11	12	13	14	15
5	031	188	500	812	969	*										
6	016	109	344	656	891	984	*									
7	008	062	227	500	773	938	992	*								
8	004	035	145	363	637	855	965	996	*							
9	002	020	090	254	500	746	910	980	998	*						
10	001	011	055	172	377	623	828	945	989	999	*					
11		006	033	113	274	500	726	887	967	994	*	*				
12		003	019	073	194	387	613	806	927	981	997	*	*			
13		002	011	046	133	291	500	709	867	954	989	998	*	*		
14		001	006	029	090	212	395	605	788	910	971	994	999	*	*	
15			004	018	059	151	304	500	696	849	941	982	996	*	*	*
16			002	011	038	105	227	402	598	773	895	962	989	998	*	*
17			001	006	025	072	166	315	500	685	834	928	975	994	999	*
18			001	004	015	048	119	240	407	593	760	881	952	985	996	999
19				002	010	032	084	180	324	500	676	820	916	968	990	998
20				001	006	021	058	132	252	412	588	748	868	942	979	994
21				001	004	013	039	095	192	332	500	668	808	905	961	987
22					002	008	026	067	143	262	416	584	738	857	933	974
23					001	005	017	047	105	202	339	500	661	798	895	953
24					001	003	011	032	076	154	271	419	581	729	846	924
25						002	007	022	054	115	212	345	500	655	788	885

* Valeurs approximativement égales à 1.

Adapté de :

WALKER, H., et LEV, J. *Statistical Inference*. New York : Holt, Rinehart and Winston, 1953, p. 458.

TABLE E : Distribution F

$F = s_1^2 / s_2^2$

(TABLE DE SNEDECOR)

Valeur de F ayant la probabilité α d'être dépassée

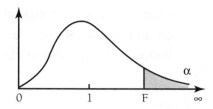

v_2	$v_1 = 1$		$v_1 = 2$		$v_1 = 3$		$v_1 = 4$		$v_1 = 5$	
	P = 0,05	P = 0,01	0,05	0,01	0,05	0,01	0,05	0,01	0,05	0,01
1	161,4	4052	199,5	4999	215,7	5403	224,6	5625	230,2	5764
2	18,51	98,49	19,00	99,00	19,16	99,17	19,25	99,25	19,30	99,30
3	10,13	34,12	9,55	30,81	9,28	29,46	9,12	28,71	9,01	28,24
4	7,71	21,20	6,94	18,00	6,59	16,69	6,39	15,98	6,26	15,52
5	6,61	16,26	5,79	13,27	5,41	12,06	5,19	11,39	5,05	10,97
6	5,99	13,74	5,14	10,91	4,76	9,78	4,53	9,15	4,39	8,75
7	5,59	12,25	4,74	9,55	4,35	8,45	4,12	7,85	3,97	7,45
8	5,32	11,26	4,46	8,65	4,07	7,59	3,84	7,01	3,69	6,63
9	5,12	10,56	4,26	8,02	3,86	6,99	3,63	6,42	3,48	6,06
10	4,96	10,04	4,10	7,56	3,71	6,55	3,48	5,99	3,33	5,64
11	4,84	9,65	3,98	7,20	3,59	6,22	3,36	5,67	3,20	5,32
12	4,75	9,33	3,88	6,93	3,49	5,95	3,26	5,41	3,11	5,06
13	4,67	9,07	3,80	6,70	3,41	5,74	3,18	5,20	3,02	4,86
14	4,60	8,86	3,74	6,51	3,34	5,56	3,11	5,03	2,96	4,69
15	4,54	8,68	3,68	6,36	3,29	5,42	3,06	4,89	2,90	4,56
16	4,49	8,53	3,63	6,23	3,24	5,29	3,01	4,77	2,85	4,44
17	4,45	8,40	3,59	6,11	3,20	5,18	2,96	4,67	2,81	4,34
18	4,41	8,28	3,55	6,01	3,16	5,09	2,93	4,58	2,77	4,25
19	4,38	8,18	3,52	5,93	3,13	5,01	2,90	4,50	2,74	4,17
20	4,35	8,10	3,49	5,85	3,10	4,94	2,87	4,43	2,71	4,10
21	4,32	8,02	3,47	5,78	3,07	4,87	2,84	4,37	2,68	4,04
22	4,30	7,94	3,44	5,72	3,05	4,82	2,82	4,31	2,66	3,99
23	4,28	7,88	3,42	5,66	3,03	4,76	2,80	4,26	2,64	3,94
24	4,26	7,82	3,40	5,61	3,01	4,72	2,78	4,22	2,62	3,90
25	4,24	7,77	3,38	5,57	2,99	4,68	2,76	4,18	2,60	3,86
26	4,22	7,72	3,37	5,53	2,98	4,64	2,74	4,14	2,59	3,82
27	4,21	7,68	3,35	5,49	2,96	4,60	2,73	4,11	2,57	3,78
28	4,20	7,64	3,34	5,45	2,95	4,57	2,71	4,07	2,56	3,75
29	4,18	7,60	3,33	5,42	2,93	4,54	2,70	4,04	2,54	3,73
30	4,17	7,56	3,32	5,39	2,92	4,51	2,69	4,02	2,53	3,70
40	4,08	7,31	3,23	5,18	2,84	4,31	2,01	3,83	2,45	3,51
60	4,00	7,08	3,15	4,98	2,76	4,13	2,52	3,65	2,37	3,34
120	3,92	6,85	3,07	4,79	2,68	3,95	2,45	3,48	2,29	3,17
∞	3,84	6,64	2,99	4,60	2,60	3,78	2,37	3,32	2,21	3,02

s_1^2 est la plus grande des deux vaciances avec v_1 degrés de liberté.

TABLE E : Distribution F (suite)

v_2	$v_1 = 6$		$v_1 = 8$		$v_1 = 12$		$v_1 = 24$		$v_1 = \infty$	
	P = 0,05	P = 0,01	0,05	0,01	0,05	0,01	0,05	0,01	0,05	0,01
1	234,0	5859	38,9	5981	243,9	6106	249,0	6234	254,3	6366
2	19,33	99,33	19,37	99,36	19,41	99,42	19,45	99,46	19,50	99,50
3	8,94	27,91	8,84	27,49	8,74	27,05	8,64	26,60	8,53	26,12
4	6,16	15,21	6,04	14,80	5,91	14,37	5,77	13,93	5,63	13,46
5	4,95	10,67	4,82	10,27	4,68	9,89	4,53	9,47	4,36	9,02
6	4,28	8,47	4,15	8,10	4,00	7,72	3,84	7,31	3,67	6,88
7	3,87	7,19	3,73	6,84	3,57	6,47	3,41	6,07	3,23	5,65
8	3,58	6,37	3,44	6,03	3,28	5,67	3,12	5,28	2,93	4,36
9	3,37	5,80	3,23	5,47	3,07	5,11	2,90	4,73	2,71	4,31
10	3,22	5,39	3,07	5,06	2,81	4,71	2,74	4,33	2,54	3,91
11	3,09	5,07	2,95	4,74	2,79	4,40	2,61	4,02	2,40	3,60
12	3,00	4,82	2,85	4,50	2,69	4,16	2,50	3,78	2,30	3,36
13	2,92	4,62	2,77	4,30	2,60	3,96	2,42	3,59	2,21	3,16
14	2,85	4,46	2,70	4,14	2,53	3,80	2,35	3,43	2,13	3,00
15	2,79	4,32	2,64	4,00	2,48	3,67	2,29	3,29	2,07	2,87
16	2,74	4,20	2,59	3,89	2,42	3,55	2,24	3,18	2,01	2,75
17	2,70	4,10	2,55	3,79	2,38	3,45	2,19	3,08	1,96	2,65
18	2,66	4,01	2,51	3,71	2,34	3,37	2,15	3,00	1,92	2,57
19	2,63	3,94	2,48	3,63	2,31	3,30	2,11	2,92	1,88	2,49
20	2,60	3,87	2,45	3,56	2,28	3,23	2,08	2,86	1,84	2,42
21	2,57	3,81	2,42	3,51	2,25	3,17	2,05	2,80	1,81	2,36
22	2,55	3,76	2,40	3,45	2,23	3,12	2,03	2,75	1,78	2,31
23	2,53	3,71	2,38	3,41	2,20	3,07	2,00	2,70	1,76	2,26
24	2,51	3,67	2,36	3,36	2,18	3,03	1,98	2,66	1,73	2,21
25	2,49	3,63	2,34	3,32	2,16	2,99	1,96	2,62	1,71	2,17
26	2,47	3,59	2,32	3,29	2,15	2,96	1,95	2,58	1,69	2,13
27	2,46	3,56	2,30	3,26	2,13	2,93	1,93	2,55	1,67	2,10
28	2,44	3,53	2,29	3,23	2,12	2,90	1,91	2,52	1,65	2,06
29	2,43	3,50	2,28	3,20	2,10	2,87	1,90	2,49	1,64	2,03
30	2,42	3,47	2,27	3,17	2,09	2,84	1,89	2,47	1,62	2,01
40	2,34	3,29	2,18	2,99	2,00	2,66	1,79	2,29	1,51	1,80
60	2,25	3,12	2,10	2,82	1,92	2,50	1,70	2,12	1,39	1,60
120	2,17	2,96	2,01	2,66	1,83	2,34	1,61	1,95	1,25	1,38
∞	2,09	2,80	1,94	2,51	1,75	2,18	1,52	1,79	1,00	1,00

s_1^2 est la plus grande des deux variances avec v_1 degrés de liberté.

TABLE F : Nombres aléatoires

544269	532401	60922	906124	231992	78695	623745	289005
309951	348063	884974	772762	823064	248283	882486	940545
741617	354964	874600	409724	227122	234736	202674	345153
984066	207980	514398	486395	843273	897509	441515	538274
768538	824676	342500	392788	583927	54425	712902	747178
825221	494554	972251	624832	556244	794358	773201	187843
69219	358383	346338	900133	547441	846395	364456	410239
878366	711136	59013	825030	290001	35670	492028	507827
52397	620604	487466	837708	369235	731937	673493	397400
99638	606368	223000	956004	568929	990479	986335	334795
898511	284316	487550	247011	510284	337911	261399	326608
299279	977454	71431	539100	653394	593075	811869	95635
333027	174400	131064	787751	730373	377558	609951	443515
148367	590510	701473	657241	245303	802918	653330	515822
424559	556666	894268	960773	712821	378597	75285	303073
740982	683560	601249	196410	57892	983946	191892	117097
44188	651990	991617	117199	751048	859743	711940	583119
490622	887649	719335	868086	923067	996017	70918	904086
986366	862174	572366	748951	626689	767304	75055	439374
560345	714915	580072	264946	943662	138948	295062	105353
659398	496881	75305	638025	295239	80140	909595	568636
73148	399432	244044	644674	30748	773902	973509	772081
368234	910800	820814	434459	957595	310670	433417	432821
421611	18379	892018	154667	484190	775569	996114	689426
181751	678207	626757	902597	946602	547412	348482	930374
799640	556974	59492	875578	846547	916713	198330	329988
105658	782805	605284	9795	608487	842935	208123	914886
493699	596486	148673	743039	261986	199135	852905	777505
528445	574130	405233	741931	635775	470999	78454	569036
797110	37813	511765	236315	740632	807162	979173	962660

TABLE F : Nombres aléatoires (suite)

440937	834804	562674	855190	186986	662853	569472	116324
45746	853476	381039	128293	219258	57213	567011	760379
696395	322040	526932	147705	466046	837104	207430	278586
189523	314210	921978	685084	211039	934434	39813	126233
587910	804	507327	648574	579838	337783	123102	966744
79965	964360	5127	167089	264486	211727	485756	106685
45921	791472	272095	99429	102831	279835	188682	168173
474514	154902	435990	677088	813871	735138	474006	615996
53001	779544	797987	770130	586477	916788	455714	191031
656721	513000	989646	992669	796528	248347	968684	675548
937468	30823	41180	98317	408272	832195	712951	568102
86896	448010	701889	645899	623216	398242	251083	946443
876459	658295	968436	517218	885258	544218	677135	611433
356515	945574	274991	763863	253346	973691	836832	645306
665734	1926	355259	842247	653067	104490	150272	616811
747409	707405	367447	680667	977621	883922	90185	737583
563133	579073	487793	333354	677918	766761	961529	420442
364440	147695	311726	174998	181687	615284	85136	876973
296236	830597	844508	659912	145849	274308	613215	307928
350808	20162	856282	544947	933299	971505	91521	180018

BIBLIOGRAPHIE

ANDERSON, T.W (1958), *An Introduction to Multivariate Statistical Analysis*, Willey, New York, 1958.

AAKER, D.A., et DAY, G., (1990), *Marketing research*, 4e édition, John Willey and Son, New York, 1990.

CARTELL, R.B. (1952), *Factor Analysis*, Harper, New York, 1952.

D'ASTOUS, Alain (2005), *Le projet de recherche en marketing*, 3e édition, La Chenelière éducation, Montréal, 2005, 432 pages.

DILLON, William R., et Matthew GOLDSTEIN, (1984). Multivariate Analysis: Methods and applications; Johnwilley and Sons, New York; 1984, 587 pages.

EVARD, Yves, Bernard PRAS et Elyette ROUX; (2003). *Market: Études et recherches en marketing: Fondements Méthodes*; Nathan, Paris, 1993; 629 pages.

GREEN, E. P. (1978), *Analysing Multivariate DATA*, The Dryden Press, Illinois, 1978.

GREEN, P.E., et TULL D.S. (1978), *Research for Marketing Decisions*, 4th ed., Englewood, Cliffs, New Jersey, 1978.

HAIR, Joseph, Jr., Ralph E. ANDERSON, Ronald L. TATHAM et William C. BLACK (2006), *Multivariate Data Analysis with Readings*, 6e édition, Englewood Cliffs, Prentice Hall, New Jersey, 2006, 742 pages.

KOTLER, Philip, Pierre FILIATRAULT et Ronald E. TURNER, (2000). *Le management du marketing*, Gaëtan Morin éditeur, 2e édition, Boucherville, 2000.

LANCHENBRUCH, P. A. (1975), *Discriminant Analysis*, Hafner Press, New York, 1975.

MALHOTRA, Naresh (2004), *Études marketing avec SPSS, 4e édition*, Peatrson Éducation, Paris, 2004.

MARTEL, Jean-Marc, et Raymond NADEAU (1988), *Statistiques en gestion et en économie*, 2ᵉ édition, Gaëtan Morin, Montréal, 1988, 621 pages.

NETER, John, William WASSERM et Michael H. KUTNER (1990), *Applied Linea Statistical Models*, 3ᵉ édition, Irwin, Boston, 1990.

PLAISENT, Michel, Prosper BERNARD, Cataldo ZUCCARO et Naoufel DAGHFOUS (2004), *SPSS 12.0 POUR WINDOW : Guide d'auto formation*, Presse de l'Université du Québec, Sainte-Foy (Québec), 2004, 113 pages.

ACHEVÉ D'IMPRIMER
EN L'AN DEUX
MILLE
SIX
SUR LES
PRESSES DES
ATELIERS GUÉRIN
MONTRÉAL (QUÉBEC)